新潮文庫

シャーロック・ホームズの冒険

コナン・ドイル
延原 謙訳

新潮社版

512

目次

シャーロック・ホームズの冒険

ボヘミアの醜聞《しゅうぶん》

一

シャーロック・ホームズは彼女《かのじょ》のことをいつでも「あの女《ひと》」とだけいう。ほかの名で呼ぶのを、ついぞ聞いたことがない。彼《かれ》の視野のなかでは、彼女が女性の全体を覆《おお》い隠《かく》しているから、女といえば、すぐに彼女を思いだすことにもなるのだ。とはいっても「あの女」すなわちアイリーン・アドラーにたいして彼が恋愛《れんあい》めいた感情をいだいているというのではない。あらゆる情緒《じょうちょ》、ことに愛情のごときは、冷静で的確、驚《おどろ》くばかり均斉《きんせい》のとれた彼の心性と、およそ相容《あいい》れぬものなのだ。思うに彼は、推理観察をやらせては、世にたぐいなき完全な機械だけれど、こと恋愛となると、まるきり手も足もでない不器用な男だった。やさしい感情上の問題なぞ、口にしたこともない。たまにいうかと思えば、必ずひやかしか罵倒《ばとう》まじりだった。やさしい感情、それははたから見てもまことに結構なもので、とりわけ人の意志や行為《こうい》を覆う帷《とばり》を払《はら》いのけてくれる効果は大きい。けれども、訓練のゆき届いた推理家にとって、細心に整頓《せいとん》されたデリケートな心境のなかに、そうした闖入者《ちんにゅうしゃ》を許すのは、まぎれをおこさせるものであり、その精神的成果のうえに、一抹《いちまつ》の疑念を投ずることにもなるのである。鋭敏《えいびん》な機械のなかにはいった砂一粒《つぶ》、彼のもつ強力な拡大鏡に生じた一個の亀裂《きれつ》といえども、彼のもつような天性のなかに、激烈《げきれつ》な感情の忍《しの》びいった場合ほどには、面倒《めんどう》な妨害《ぼうがい》となることはあるまい。そのホームズにしてなお、忘れがたき女性が一人だけあったのだ。その女性こそは、かのいかがわしき記憶《きおく》にのこる故アイリーン・アドラーその人である。

近ごろ私は、ホームズにはさっぱり会わなかった。私の結婚《けっこん》（訳注『四つの署名』参照）が、二人のあいだを遠ざけたのだ。私としてこのうえない幸福、はじめて一家の主人となった者が、身辺に発見する家庭中心の団欒《だんらん》気分は、私の心を奪《うば》いさるに十分であった。一方ホームズのほうは、例の世事に無頓着《むとんじゃく》な気質から、どんな形式での社交をも嫌悪《けんお》して、独りベーカー街の古巣《ふるす》にふみとどまって古本のなかに埋《うず》まり、コカインと功名心――麻薬《まやく》による夢《ゆめ》み心地《ごこち》の日と、彼一流の鋭《するど》い性格からくるさかんな精力に燃えた日の連続を、交互《こうご》にくりかえしていたのである。

彼はあいかわらず犯罪の探究に余念なく、あの卓絶《たくぜつ》した才能と、驚くべき観察力とを縦横に駆使して手掛りを追及し、謎を解き、本職の警察が絶望とみて手をひいた多くの事件と、とっ組んでいた。そのあいだ、彼の業績については、おぼろげながら耳にしたこともちょいちょいある。たとえばトレポフ殺人事件でオデッサへ招かれていったこと、トリンコマリーのアトキンスン兄弟の奇怪《きかい》きわまる惨劇《さんげき》を解決したこと、さてはオランダの王室から頼《たの》まれたむずかしい使命を、いともみごとに果したことなどである。だが、そうした彼の活躍《かつやく》の模様は、ただ日々の新聞で一般《いっぱん》の読者とおなじに知るというだけのことで、旧友でもあり、一時は仕事の相棒でさえあった男だが、それ以上にはほとんど私も知るところがなかったのである。

ある夜――詳《くわ》しくいえば一八八八年三月二十日のことだが――私は往診《おうしん》からの帰り途《みち》(というのは、またもとの開業医に復帰していたので)ベーカー街を通りあわせ、求婚時代のあの楽しかった思い出や、『緋色《ひいろ》の研究』事件の陰惨《いんさん》なできごとなどと関連して、おそらく生涯《しょうがい》忘れられないだろうあの戸口を目《ま》のあたりにして、急にホームズの顔が見たくなった。あの非凡《ひぼん》な才能を近ごろどんなふうに駆使していることか、様子知りたさに矢も楯《たて》もたまらなくなった。

見あげれば、彼の部屋はあかあかとあかりが輝《かがや》いている。そればかりか、ほんのちょっと見あげているあいだにも、背のたかいやせた彼の影法師《かげぼうし》が、二度までブラインドにちらついた。頭を深く垂れ、手をうしろに組んで、もの思いにふけりながら、せかせかと部屋のなかを歩きまわっているのだ。彼の気持や習癖《しゅうへき》をよくのみこんでいる私には、その態度なり挙動なりで、何もかもがよくわかる。彼はまた事件を手がけているのだ！　コカインの人為的な夢み心地からさめて、新しい問題に熱中しているのだ。私はベルを鳴らした。そして、以前は私と共有だった例の部屋へとおされたのである。

彼の態度は、そっけないほど淡々《たんたん》としていた。珍《めずら》しくもないことだが、それでも私の訪問は喜んでくれたと思う。ろくに口をきかず、しかしやさしい眼《め》つきで、そこの肘掛椅子《ひじかけいす》にかけろと手で示し、葉巻の箱《はこ》を投げてよこし、部屋の隅《すみ》のウイスキーやソーダ水のサイフォンのある場所を指さした。それから暖炉《だんろ》のまえにつっ立って、例の妙《みょう》に内省的な態度で、じっと私を見つめていった。

「君には結婚が合っているんだ、と見える。このまえから見ると、七ポンド半は肥《ふと》ったぜ」

「七ポンドさ」

「フーン、もうすこしよく考えてからいうのだった。ほんのちっとだけね。それで、また開業したらしいね。僕《ぼく》はそんな意向のあることなど聞かなかったぜ」

「聞きもしないで、どうしてそんなことがわかるんだい？」

「わかるさ。推理でわかる。近ごろ君は雨にあってズブ濡《ぬ》れになったし、君のうちにはひどくそそっかしい女中がいるなんてこともわかるが、どうだ？」

「おやおや、君にあっちゃ敵《かな》わないよ。これで二、三世紀もまえに生れていたら、君は間違《まちが》いなく火炙《ひあぶ》りになってるぜ。なるほど僕は、この木曜日にいなか道を歩いてて、たしかにズブ濡れになって帰ってきたが、その服は着かえているんだから、どうしてそんな推理が下せるのだか、見当がつかない。女中のメアリー・ジェーンなら、こいつは何とも始末におえない女でね、たまりかねて家内が、お払いばこの予告を申しわたしたが、それにしても、どうしてそんなことまでわかるんだろう？」

　ホームズは独りで悦《えつ》にいって、ながい神経質な両手をこすりあわせた。

「簡単そのものさ。僕の眼には、君の左の靴《くつ》の内がわの、ちょうどその暖炉の火の照りはえている場所に、ほぼ平行な疵《きず》が六本見える。これは明らかに、靴底の縁《ふち》にこびりついたどろをかきおとそうとして、そそっかしい者がつけた疵だ。そこで、二つの推理が抽《ひ》きだせることになる。君が悪天候のとき外出したことと、君のうちの女中がロンドンきってのやくざ女だという二つのね。君の開業していることだってそうだ。ヨードホルムの臭《にお》いをプンプンさせ、右のひとさし指に硝酸銀《しょうさんぎん》で焦《や》けた黒い痕《あと》があり、さもここに聴診器《ちょうしんき》をいれていますといわぬばかりに、シルクハットの一方をふくらませた紳士《しんし》がはいってきたんだ。それでその紳士が開業医だとわからないようだったら、僕はよくよくまぬけじゃないか」

説明を聞いてみると、あんまり何でもないことなので、私は笑いださずにはいられなかった。

「推論の根拠を聞くと、いつでもばかばかしいほど簡単なので、僕にだってできそうな気がするよ。それでいて実際は、説明を聞くまでは、何が何だかわからないのだから情けない。眼だって君より悪くなんかないつもりなんだがねえ」

「それはそうさ」とホームズは巻きタバコに火をつけて、肘掛椅子にどかりと腰《こし》をおろしながらいった。「君はただ眼で見るだけで、観察ということをしない。見るのと観察するのとでは大ちがいなんだぜ。たとえば君は、玄関《げんかん》からこの部屋まであがってくる途中《とちゅう》の階段は、ずいぶん見ているだろう？」

「ずいぶん見ている」

「どのくらい？」

「何百回となくさ」

「じゃきくが、段は何段あるね？」

「何段？　知らないねえ」

「そうだろうさ。心で見ないからだ。眼で見るだけなら、ずいぶん見ているんだがねえ。僕は十七段あると、ちゃんと知っている。それは僕がこの眼で見て、そして心で見ているからだ。ところでね、君は僕のやったつまらない事件に興味をもっているし、一つ二つは実際談を書いてくれたりしたほどだから、こいつはおもしろいかもしれないよ」

と彼はテーブルのうえにひろげてあったピンクの厚手の用箋《ようせん》を一枚私のほうへ投げてよこした。

「さっき郵便できたばかりだ。大きい声で読んでみないか」

手紙には日付がなく、差出人の住所も名も書いてはなかった。文面はつぎのとおり

――

今夕八時十五分まえに、貴家を訪問いたす者がありますが、右はきわめて重大なる問題に関し、特に貴下に御相談したき紳士であります。最近貴下がヨーロッパのある王室にたいしてなされた御尽力《ごじんりょく》は、貴下が形容を絶するこの重大事を、安んじて託《たく》すことのできる方であることを示しております。この貴下の評判については各

方面からわれらは聞きおよんでおります。同時刻には必ず御在宅くださるよう、かつ訪問者が覆面《ふくめん》いたしておりましても、御容赦《ごようしゃ》くださるよう願いあげます。

「妙な手紙だねえ。いったいどういうつもりなんだろう？」

「まだ材料が一つもない。資料もないのに、ああだこうだと理論的な説明をつけようとするのは、大きな間違いだよ。人は事実に合う理論的な説明を求めようとしないで、理論的な説明に合うように、事実のほうを知らず知らず曲《ま》げがちになる。だが、それはともかくこの手紙だが、これから君はいったいどういうことを推察するね？」

私は注意ぶかく手紙の筆跡《ひっせき》や、その紙質などを検《あらた》めた。

「これを書いたのは、おそらく暮《くら》しむきのゆたかな男だろう。この紙じゃ一帖《じょう》半クラウン以下では買えまいからね。妙に腰の強い、ゴワゴワした紙だ」私はつとめてホームズ流を模倣《もほう》した。

「そこだ。たしかに妙な紙だよ。これはね、イギリス製の紙じゃないんだぜ。あかりに透《す》かしてみたまえ」

いわれたとおりにしてみると、小文字のgを添《そ》えた大文字のE、つぎに大文字のP、それから小文字のtを添えた大文字のGが透かしにはいっていた。

「何だと思う？」

「製紙家の名前だろう。頭文字《かしらもじ》をとっていれたんだね」

「それどころか。Gt. はドイツ語の Gesellschaft《ゲゼルシャフト》 の略字で、会社という意味だ。英語の Co. にあたるわけだね。それからPはむろんドイツ語の Papier《パピア》（訳注 紙）だ。つぎに Eg. だが、これはちょっと大陸地名辞典をくってみよう」

ホームズは書棚《しょだな》から茶いろ表紙の厚い本をとりおろした。

「Eglow《エグロウ》, Eglonitz《エグロニッツ》 と、ああここに Egria《エグリア》 というのが出ているよ。カールスバッドから遠くないボヘミア国の都会だから、むろんドイツ語が使われている。――ヴァレンシュタイン（訳注 一五八三―一六三四。三十年戦争におけるドイツの将帥）終焉《しゅうえん》の地として著名、ガラス工場並《なら》びに製紙工場の多きをもって知らる――とある。ハハ、どうだい？」

彼の両眼は輝いた。そして紫《むらさき》の煙《けむり》を大きく、ほこらしげにはきだした。

「するとこの紙はボヘミア国製なんだね？」

「まさにそのとおり。そしてこの手紙を書いた人物がまたドイツ人だ。This account of you we have from all quarters received（この貴下の評判については各方面からわれらは聞きおよんでおります）なんていう文章の組みたてが変じゃないか。フランス人やロシア人なら、こんなふうにはけっして書かない。動詞をこんなに虐待《ぎゃくたい》して、文章の最後にもってゆくのは、ドイツ人にかぎる。だからあとは、ボヘミア製の紙を使うこのドイツ人が、何を求めているか、何だって覆面してまでくるのかということだけが、問題としてのこるわけだが、どうやらご本人がやってきたらしいから、この疑問は直接解いてもらうとするかね」

このとき表に歯切れのよい蹄《ひづめ》の音と、土止石《どどめいし》に軋《きし》む車輪のひびきが聞え、つづいてベルが強く鳴りひびいた。

「あの音でみると馬車は二頭だてだね」とホームズは大きな期待でヒュッと口笛《くちぶえ》を鳴らし、窓からちらちらと下を見おろしていった。「ウム、りっぱな四輪馬車《ブルーム》だ。馬もいい。一頭百五十ギニーはする。ワトスン君、この事件は、たとえ内容がどんなにつまらないにしても、金の関係だけは、話が大きいぜ、きっと」

「じゃ僕は帰ったほうがいいだろうね？」

「そんなことないよ。かまわないから、そこにいたまえ。伝記作者がそばにいてくれないと、張りあいがないからね。それに事件もおもしろそうだ。こんなのを聞きのがすという手はないぜ」

「でも依頼者《いらいしゃ》のほうで……」

「そんな心配をすることはないよ。僕も手つだってもらわなきゃならないかもしれず、向うだってやっぱりそうだろう。さ、来たぜ。その肘掛椅子にかけて、できるだけの注意を集中していたまえ」

おちついた重い足音が、階段をのぼって、廊下《ろうか》をこっちへ、やがてドアのそとでとまったと思ったら、たれはばからぬ大きなノックが聞えた。

「どうぞ」

ホームズの声に応じてはいってきたのは、内輪に見ても身のたけ六フィート六インチは下らず、神話のヘラクレスのようなたくましい体格の男であった。服装《ふくそう》は立派であるが、ただしこんなふうな美々しさは、イギリスではむしろ下品と見なされるだろう。上着の袖《そで》と両前の襟《えり》には幅《はば》ひろくアストラカン毛皮の折返しを見せ、両袖を肩《かた》にはねあげた濃紺《のうこん》のマントには、まっ赤な絹裏がつけてあり、キラキラ光る緑柱石《ベリル》一粒を飾《かざ》ったブローチで襟もとをとめている。そして脛《はぎ》の半ばまである長靴の、上端《じょうたん》にふさふさした茶いろの毛皮をつけたのをはいたところは、いよいよもって全体の下品なゆたかさの感じを強めていた。それが片手には鍔《つば》びろの帽子《ぼうし》をもち、顔の上半分は、額から顴骨《かんこつ》の下までもある眉庇《まびさし》がたの黒いマスクで隠しているが、ちょうどその具合をなおしたところと見えて、はいってきたときは、まだ片手をそこへやっていた。顔の下半分《しもはんぶん》の、見えている部分だけから察するに、強い性格の持主らしく、厚くつき出た唇《くちびる》、まっすぐにながくのびた顎《あご》などは、強情《ごうじょう》といってもよい剛毅《ごうき》さを思わせた。

「手紙は見ましたろうな?」深い、耳ざわりな声で、ひどいドイツ訛《なま》りがあった。「訪ねてまいると申しておいたのだが——」

どっちへ話しかけてよいか、迷うらしく、私たち二人を見くらべた。

「どうぞおかけください」ホームズがいった。「こちらは私の親友でもあり、仕事のうえの共同者でもあるワトスン博士で、事件を手つだってくれたこともたびたびあります。してご尊名は?」

「名前は、フォン・クラム伯爵《はくしゃく》と呼んでもらいましょう。ボヘミア国の貴族です。親友だといわるるが、この紳士は、大事を語る思慮《しりょ》と信義を備えた仁《じん》と考えてよろしかろうな? さもなければ、貴君《きくん》と二人だけで話しあうほうが、自分としては好ましいのだが」

私は立って、無言のまま出てゆこうとした。するとホームズが手首をつかんで、もとの椅子に押《お》しもどしながらいった。

「こちらは二人でなければ、お聞きいたさないまでです。私におっしゃるほどのことでしたら、どんなことでもこの男に聞かせてさしつかえございません」

伯爵はそのひろい肩をそびやかした。「ではじめるが、そのまえにまず、二年間は絶対に秘密を守ると、お二人に誓約《せいやく》してもらわなくてはならん。二年を無事に経過すれば、いっこう問題はなくなるのだが、いまのところは、ヨーロッパの歴史をも動かすほどの大問題であると申しても、すこしも誇張《こちょう》ではないのだから」

「お約束《やくそく》いたします」

「私とても」

「つぎに、この覆面をお許しねがいたい。これは自分にこの役を命ぜられたある高貴なおかたのご希望によるもので、なおじつを申せば、先ほど申した自分の名前も、本名ではありません」

「それは気づいていました」ホームズがそっけなくいった。

「事情はきわめて複雑微妙《びみょう》なもので、場合によっては一大醜聞《しゅうぶん》となって、ヨーロッパのある王室に累《るい》をおよぼすおそれがあるから、極力未然に防圧しなければならない。はっきり申せば、じつはボヘミア国累代の王室オルムシュタイン家にからまる問題なのです」

「そのこともわかっておりました」ホームズはつぶやき、肘掛椅子に身を沈《しず》めて、じっと眼をつぶった。

客は、ヨーロッパ随一《ずいいち》の明敏《めいびん》なる推理家として、また精力的な私立探偵《しりつたんてい》として推薦《すいせん》されて訪ねてきたのにちがいないホームズの、いかにもだらしなく、元気のないこの有様に、あからさまな驚《おどろ》きを見せた。するとホームズは、静かに眼《め》をあけて、さもどかしげに巨人《きょじん》依頼者を見やっていった。

「陛下がおんみずから、詳しい事情をお話しくださいますならば、私といたしましても、よりよきご助力をいたしうるかと存じます」

客は椅子からとびあがって、せかせかと部屋のなかを歩きまわり、なおも心の動揺《どうよう》を抑《おさ》えかねる様子であったが、やがて絶望的な身ぶりで、かけていたマスクをむしりとり、床《ゆか》のうえにたたきつけて叫《さけ》んだ。

「いかにも！　余はボヘミア国王である。なぜ余はそれを隠《かく》そうといたしたのであろう？」

「まったくでございますな。私は、陛下がまだひと言もお話しになりませぬうちから、ヴィルヘルム・ゴットスライヒ・ジギスモンド・フォン・オルムシュタイン陛下、カッセル・ファルシュタインの大公、すなわちボヘミア国の今上陛下《きんじょうへいか》にあらせられると存じあげておりました」

「しかし断わっておくが」とこの不思議な客は、やっと椅子にもどって、秀《ひい》でた白い額に手をやりながらいった。「断わっておくが、余みずからかかる問題に携《たずさ》わるのは異例のことである。さればとて、代理の者に事情をうちあけて、処理を命ずれば、余は将来必ずその者に死命を制せられるだろう。それほど問題は重大なのだ。そこで、余みずから君に相談するつもりで、プラハから微行でこちらへ参ったしだいなのだ」

「では、そのご相談ごとを承《うけたまわ》るといたしましょう」ホームズはふたたび両眼《りょうめ》を静かにとざした。

「簡単に申せば、事実はこうだ。――いまから五年ばかりまえ、ワルシャワに長らく滞留中《たいりゅうちゅう》のことであったが、余は名うてのいかがわしい女アイリーン・アドラーと申すものと知りあった。この名前は、むろん君も聞き知っているであろうが」

「ワトスン君、すまないが、ちょっと索引《さくいん》を見てくれないか」ホームズは眼をとじたままでささやいた。

彼《かれ》は多年にわたって、あらゆる人物に関する記載《きさい》を、要点だけ書きとめて整理していたので、いつどんな問題どんな人物をもちだされても、即座《そくざ》にそれに関する知識の得られないということは、一つとしてなかった。この場合でも、索引をくってみると、ユダヤの学士と、深海魚に関する専門的な小論文を書いたある海軍参謀中佐《さんぼうちゅうさ》の名のあいだにはさまって、彼女《かのじょ》の経歴はすぐに見つかった。

「どれ、見せたまえ。――フム、一八五八年米国ニュージャージーの生れ、最低女声《コントラル》音歌手《ト》、スカラ座出演、フム！　ワルシャワ帝室《ていしつ》オペラのプリマドンナ……歌劇壇《かげきだん》引退……ホウ、目下ロンドン在住か、なるほどね！　そうしますと陛下、この若い人物と煩《わずら》わしい関係をおもちになりまして、問題をおこしそうな手紙をお与《あた》えになりましたので、それをいまはとりもどしたいとお望みなのでございますな？」

「そのとおり。だがどうしてそれを……」

「秘密に結婚《けっこん》でもあそばしましたか？」

「そんなことはしておらぬ」

「法律上有効な書類とか、あるいは証書のごときものをお遣《つか》わしでございましたか？」

「そのようなものは与えぬ」

「しからばお言葉を解しかねます。たとえばこの若い人物が、手紙の類を強請《ゆすり》その他の目的でもちだすといたしまして、彼女はどうしてそれが偽物《にせもの》でないと証明できましょう？」

「手跡というものは争えぬ」

「そんなことが！　偽筆《ぎひつ》だと仰《おお》せられませ」

「専用の料紙が用いてある」

「ご料紙は盗《ぬす》まれることもございます」

「余の封印《ふういん》が用いてある」

「偽造することができます」

「余の写真が遣わしてある」

「お写真は買うこともできます」

「二人でとった写真だ」

「おう、それはたいへんいけません。陛下はご軽率《けいそつ》をあそばしました」

「余は狂《くる》っていたのだ。正気の沙汰《さた》ではなかった」

「とんだものに深いりをあそばしましたな」

「当時余はまだ皇太子にすぎなかった。若気《わかげ》のいたりだ。ことしやっと三十歳《さい》だからな」

「それは必ずとりもどしなさらなければ」

「手はつくしたが成功しなかった」

「お金をお出しになることですね。買いもどさなければ」

「向うは売るまい」

「では盗みだしましたら？」

「これには五回手をうってみた。どろぼうを雇《やと》って、家のなかを隅《すみ》から隅までさがさせたのが二度、一度は旅行中に荷物を横どりして、内容を調べてもみたし、路上に要《よう》撃《げき》して、追剝《おいはぎ》めいたことも二度までやらせてみたが、いずれも効果はなかった」

「影《かげ》も形もございませんか？」

「絶対にない」

ホームズははじめて笑った。「すこしばかりおもしろい問題にございます」

「おもしろいかもしれぬが、余にとっては真剣《しんけん》な問題であるぞ」

「まことにさようで。して彼女はそのお写真で、何をいたそうとたくらんでおりますか？」

「余が身を破滅《はめつ》させようというのだ」

「それはまた、どのような方法で？」

「余は結婚するはずになっておる」

「さよう承っております」

「先方はスカンジナヴィア国王の第二王女、クロチルド・ロートマン・フォン・ザクセメニンゲン。あの王室の家憲のきびしいのは、君もおそらく聞き知っていよう。王女自身もけだかい女性で、人いちばい悪徳をにくむ精神は強い。余の行状に一点のくもりでも感じられたならば、この話もそれまでと覚悟《かくご》しなければならぬのだ」

「で、アイリーン・アドラーの申しますには？」

「先方へあの写真を送ると申して、脅迫《きょうはく》いたしおる。実行しかねぬ女だ。あの女ならば、やりかねぬのが、余にはよくわかっておる。君は知るまいが、あれは鉄の精神をもつ女だ。外面は女性としても無類の美しさをもちながら、内心は、男もおよばぬ果《か》敢《かん》さがある。余がほかの女性と結婚するとでも知れば、どんなことをしてでもうちこわさずにおかぬ女だ」

「まだ先さまへ送っていないのは確実でございますか？」

「それは請《う》けあう」

「何をもっておわかりでございますか？」

「婚約が正式に発表されれば、その日に送り届けると申しおるからだ。発表はこんどの月曜日と決定しておる」

「ではまだ三日間の余裕《よゆう》がございます」とホームズはあくびをもらしていった。「調べておきたい重要な問題が二、三のこっておりますから、それはきわめて好都合でございます。陛下には、むろん、当分ロンドンにご滞在でございましょうね？」

「そのつもりでおる。フォン・クラム伯爵といって、ランガム・ホテルへ訪ねて来《こ》られるがよい」

「では、経過はその都度、簡単に書きつけまして、ご報告申しあげることにいたしましょう」

「よろしく頼《たの》むぞ。心配だからな」

「それから、費用の点はいかがでございましょうか？」

「署名白紙を渡《わた》しておこう」

「絶対におまかせくださいますか？」

「あの写真が手にはいるなら、余は王国の一州を割《さ》き与えるもいとわぬつもりである」

「それで、当座の費用につきましては？」

王はマントの下から、ふくらんだ鞣皮《なめしがわ》の紙入れをとりだして、そのままテーブルのうえにおいた。

「金貨で三百ポンド、紙幣《しへい》で七百ポンドある」

ホームズは手帳の端《はし》にうけとりを走りがきして、それを王に渡した。

「婦人の住所はおわかりでございますか？」

「セント・ジョーンズウッド区サーペンタイン広小路《ひろこうじ》のブライオニー荘《そう》だ」

ホームズはその住所をも書きとめた。

「もう一つだけおうかがいいたします。お写真はキャビネ型でございますか？」

「そうだ」

「ではこれで失礼いたします。すぐに吉報《きっぽう》をお耳にいれうるつもりでございます」

ホームズはボヘミア王の馬車の軋《きし》りさる音を聞きながらいった。

「じゃワトスン君もこれで失敬。あす三時にここへ来てくれないか、この問題を話しあってみたいと思うんだ」

二

翌日きっかり三時に、ベーカー街を訪ねてみると、ホームズは出先からまだ帰っていなかった。おかみの話によると、朝の八時すぎに出かけたきりだという。たとえ帰るのがどんなに遅《おそ》くなろうとも、待っているつもりで、私は暖炉《だんろ》にちかく腰《こし》をおちつけた。

私はこんどの問題についてのホームズの調査に、もう十分の興味を感じていた。それというのが、この問題には、ほかのところへ発表した二つの事件のような、気味わるい怪奇《かいき》さというものはすこしもないけれど、問題の性質そのものがおもしろくもあり、依頼者の身分が高貴だという特色がある。それにまた、現に手を染めている事件の性質のことは別としても、ホームズが局面を把握《はあく》してゆくことの巧《たく》みさには、いうにいわれぬ妙味《みょうみ》があり、その鋭《するど》い推理の運びぶりはまことに驚嘆《きょうたん》すべきもので、私としては、彼の仕事の方式を研究してみたり、一見不可解な事件を、テキパキと片づけてゆく巧妙《こうみょう》神速な方法を、あとからたどってみるのが、何よりもおもしろくてならなかったのである。そのくらいだから私は、彼はいつでも成功するものときめてかかり、かりにも失敗しやしないかなどとは、まるで考えもしなかったのである。

もうじき四時というころに、入口があいて、酔《よ》っているらしい馬丁風《ばていふう》の男がはいってきた。髪《かみ》はくしゃくしゃに乱れ、頰髯《ほおひげ》のある顔はテラテラと赤く、見ぐるしい服装《なり》をしている。ホームズの変装術《へんそうじゅつ》の巧みさには慣れている私だが、それでもこれが間違《まちが》いなくホームズだと確認《かくにん》するまでには、三度も見なおさねばならなかった。彼はちょっと顎《あご》をしゃくっておいて、寝室《しんしつ》へ姿を消したが、五分で出てきたのを見ると、いつものとおりスコッチの服をきちんと着たホームズである。両手をポケットに突《つ》っこんで、暖炉のまえの椅子《いす》におさまって両脚《りょうあし》を投げだし、しばらくは腹の底から笑っていたが、

「いや、まったく……」と叫んだきり急にむせかえり、またもやこみあげてくる笑い

に、とうとう椅子のうえでぐんなりとのびてしまった。

「どうしたんだね？」

「いや、あんまりおかしいものだから、——僕《ぼく》が今朝どんなことをしたか、またそれがどんな結果をもたらしたか、むろん君にわかるはずはないのだがね」

「わからないさ。だがきっと、アイリーン・アドラーの家を見たり、日常生活の様子をうかがいに行ったんだろう？」

「そうさ。だがそのあとがちょっと変ってるんだ。話して聞かそうか。僕は今朝八時ちょっとすぎに、失業した馬丁に化けて家を出た。この社会の者には驚くべき思いやりと、相互扶助《そうごふじょ》精神とがあるものでね、だからその社会の者になれば、知りたいことは何でも洗いざらい知れるというわけなんだ。で、アイリーンのブライオニー荘というのはすぐわかったが、小ぢんまりした二階だての別荘風の家でね、裏には庭があるけれど、表は往来からすぐだった。入口にはチャブ錠《じょう》がかけてある。はいってすぐ右がわが飾《かざ》りつけの立派な大きい居間で、床まで届きそうな大きい窓があるが、これは子供にもあけられる例のイギリス風の愚《ぐ》にもつかぬ戸締《とじま》りがしてあるだけだ。裏手はこれといって変ったところもない。ただ馬車小屋の屋根から手の届くところに、二階の廊下《ろうか》の窓が一つあった。そのほか家のまわりを歩いて、あらゆる見地から注意ぶかく検《あらた》めてみたが、これといって注目すべきところはない。

そこで街《まち》をぶらぶら歩いてゆくと、予想のとおり裏庭のへいに沿う横丁で営業している厩舎《きゅうしゃ》があったから、馬丁が馬をこするのを手つだってやって、お礼に金を二ペンスと混成酒を一杯《ぱい》、それにシャグタバコを二服もらったうえ、アイリーンのことをすっかり聞きだしてきた。もっともそれにはおまけとして、用もない近所の人たち五、六人の、何の興味もない行状記まで謹聴《きんちょう》させられたがね」

「それで、アイリーンのどんなことを？」

「そうさ、あの女はあのへんの男という男を悩殺《のうさつ》しているようだ。女と生れて、この世に二人とはない佳人《かじん》だと、あそこの厩舎の連中は口をそろえていっている。ときどき音楽会で歌ったりして、地味に暮《くら》しているが、ふだんは毎日五時に馬車で出かけて、きっかり七時には夕食に帰ってくる。出演のときは別だが、これ以外の時間に出かけることは、ほとんどない。訪ねてくる者としては、男客が一人あるだけ、それもかなりしげしげやってくる。髪も眼も黒っぽい、おしゃれな美男子で、日に一度来ない日はないが、どうかすると二度来ることも珍《めずら》しくない。名前はゴッドフリー・ノートンといって、イナー・テンプルにいる男だ。タクシー馬車の馭者《ぎょしゃ》を無二の友にもつありがたみがこれでわかったろう？　先生たちはこの男を、何度もあそこから家まで送り届けたから、何でもよく知っていた。洗いざらいしゃべるのを、すっかり聞いてしまうと、もういちどブライオニー荘のまえへ引返して、そのへんをぶらぶら歩きながら、戦闘《せんとう》計画をめぐらしたよ。

このゴッドフリー・ノートンという男はたしかに、この問題の重要な要素にちがいない。弁護士だったというが、それだけで、意味ありげにひびく。それに、二人はどういう関係なのだろう？ なぜそうしげしげと訪ねてくるのだろう？ 弁護士と依頼《いらい》人《にん》という関係なのだろうか？ 単なる友人にすぎないのだろうか？ それとも恋愛《れんあい》関係か？ もし弁護士としての関係なら、写真はおそらくこの男に保管を託《たく》してあるだろう。愛情関係ならば、まずその心配はない。

この問題のいかんによって、僕は依然ブライオニー荘で仕事を継続《けいぞく》すべきか、それともテンプルのノートンの部屋へ焦点《しょうてん》を転向させるべきかが決するのだ。これはじつに微妙《びみょう》な難点でもあるし、またそのため僕の調査範囲《はんい》が拡大されてきたわけでもある。こうくどくどと逐一《ちくいち》話をするのは、君も退屈《たいくつ》するかもしれないが、戦局を十分了解《りょうかい》してもらうためには、僕の窮境《きゅうきょう》をよく知らせておく必要があるからだよ」

「いや、よくわかるよ」

「どっちだろうかと、思い悩《なや》んでいるところへ、タクシー馬車が一台ブライオニー荘のまえでとまって、なかから一人の紳士《しんし》がとびだした。髪も眼も黒っぽい、なかなかの好男子だ。むろんあの男にちがいない。ひどく急いでいる様子で、その二輪馬車《ハンサム》（訳注 二人乗り）の馭者に、待っているようにどなりすてると、戸をあけた女中を押《お》しのけるようにしてなかへはいりこんだ様子は、ふだんからこの家をわが家のようにふるまっているらしい。

いたのは三十分ばかりだが、ひどく興奮した様子で、手を振《ふ》り振り歩きまわりながら、何事か熱心にしゃべりまくるのが、居間の窓からちらちらと見えた。アイリーンのほうはすこしも見えなかったが、そのうち出てきた男の様子を見ると、さっきよりはいっそう急《せ》きこんで、馬車に乗りながら金時計を引きずりだしてみて、『大急ぎでとばしてくれ。リージェント街のグロス・エンド・ハンキー商店をまわって、エッジウェア街の聖《セント》モニカ教会までだ。二十分でまわったら半ギニーやる』とどなった。

馬車は行ってしまった。あとを追うべきか、どうしたものかと迷っていると、横丁から小型の美しい四輪馬車《ランドー》が出てきたが、見ると馭者は服のボタンを半分しかかけていないし、ネクタイは横ちょに曲っているし、装具ときたらどれ一つとして満足についているのはないという始末で、一見よほど急いで出てきたということがわかる。こいつが玄関《げんかん》さきにとまるが早いか、あの女がなかからとびだして、ひらりと乗りこんだ。そのとき僕はちらと見ただけだが、なるほどあれなら男子が生命も投げだしかねない美しさだ。『聖《セント》モニカ教会よ。二十分で行けたら半ソヴリンあげるわ』と彼女も急いでいる。

こんなよい機会をのがしてなるものか。あとを追って駆《か》けだそうか、それとも馬車のしりにかじりついてやろうかと思っていると、おりよくタクシー馬車がやってきた。あんまりきたないお客の風体《ふうてい》に、馭者は二度までじろじろと見なおしていたが、断わられるより先に僕は乗りこんでしまった。『聖《セント》モニカ教会だ。二十分でいったら半ソヴリンやる』僕もおなじことをいったものだ。時刻は十二時二十五分まえだ。向うで何があるか、いわずと知れている。

馬車は速かった。こんなに速い馬車には乗ったことがないと思ったくらいだ。しかし行ってみると、もう二輪馬車《ハンサム》も四輪馬車《ランドー》も先に着いていて、馬が教会のまえでさかんに湯気をたてていた。急いで金を払《はら》って、教会へはいってみると、なかにはあの二人のほかに、白い僧服《そうふく》の牧師がいるだけ。これは何かしきりと二人を説き諭《さと》しているらしい。

ひろい教会のなかの聖壇《せいだん》の下に、この三人がポツンと一団になっているのだが、僕は気まぐれにとびこんだヒマ人というつもりで、側廊をぶらぶら歩いていると、とつぜん、三人がこちらへ顔を向けたので、ハッとしたが、何を思ったかノートンがこちらへ向けて、大急ぎで駆けてくるではないか。そして、

『ありがたい！　君でいい。さ来たまえ』とわめくのだ。

『どうするんですかい？』

『さア来た、来た。たった三分間でいいんだ。でないと法律上無効になる』

まるで引きずりあげるようにして、僕は聖壇へのぼらされたうえ、気のついたときには、耳のそばでささやく声にへどもどうけ応《こた》えしたり、まるきり知りもしないことの証人となったり、いつのまにか未婚婦人《みこんふじん》のアイリーン・アドラーと独身の男子ゴッドフリー・ノートンとの結婚成立に立会わされてしまったわけだ。

式はあっという間にすんで、気がついてみると、花嫁《はなよめ》と花婿《はなむこ》が左右からお礼を述べる。正面の牧師はニコニコしながら僕を見ているという始末で、今までにこんなばかばかしい目にあったのははじめてさ。いまも思いだすとおかしくて、おかしくて、それであんなに笑いころげたわけだが、結婚許可証に何かの不備があって、証人がなければ絶対に引受けられないと、牧師に強く断わられたので、花婿先生どこかへ適当な付添男《ベストマン》をさがしにゆかなきゃならなくなった。そこへひょっくり僕が現われたので、これ幸いとその役を押しつけたというわけだろう。あとで花嫁がソヴリン金貨を一つ

お礼にくれたが、この珍談《ちんだん》の記念として、時計の鎖《くさり》につけるつもりさ」

「そいつは意外なことになったものだ。それで、それからどうしたね？」

「それから――そうさ、僕は計画が重大な危機に面していると思った。二人はすぐにも帰ってゆきそうな様子だから、こっちも時をうつさず有効適切な処置をとる必要がある。だが、教会の戸口で二人は左右に別れて、ノートンはテンプルへ帰ってゆくし、アイリーンはブライオニー荘へと馬車を駆っていった。別れるときアイリーンが、『五時にはいつものように、馬車で公園へ行きます』というのだけが聞えた。というわけで、二人が別々に帰っていったから、僕も自分の準備を整えに、その場を立ちさった」

「その準備というのは？」

「コールド・ビーフでビールを一杯やることさ」といってホームズはベルを鳴らした。「あんまり忙《いそが》しくて、食べることを忘れていたが、今晩はもっと忙しくなりそうだ。ところで、君に助太刀《すけだち》を頼みたいんだがね」

「喜んで手つだうよ」

「法律にふれてもかい」

「ちっともかまわない」

「捕《つか》まるかもしれないよ」

「理由さえ悪くなきゃ、平気さ」

「理由は立派にたつんだ」

「そんなら何でも君のいうとおりにするよ」

「君ならきっと、やってくれると思ったんだ」

「でも、いったい何をしようというんだい？」

「いまターナー夫人がお盆《ぼん》をもってきてくれたら、詳《くわ》しく話すよ」と、このとき下宿のかみさんの用意してくれた簡単な料理を引きよせて、むさぼりながらいった。「時間がないから、食べながら話すよ。もうじき五時だ。いまから二時間のうちには、現場へ行ってなきゃならない。七時にはアイリーンが帰ってくるのだから、それに間にあうように、ブライオニー荘へ行ってなきゃならないのだ」

「それで？」

「それでどうするか、そこは僕にまかせてもらおう。手はずはちゃんと整えてある。ただ一つ、ぜひ守ってくれなければならないのは、どんなことがもちあがっても、けっして邪魔《じゃま》してはならないことだ。いいだろうね？」

「局外中立を守るわけだね？」

「けっして何もしないことだ。おそらくちょっとした不愉快《ふゆかい》なことが起ると思うが、けっしてそれにまきこまれてはいけない。僕が家のなかへ担《かつ》ぎこまれたら、それで終りなんだ。四、五分もたつと、居間の窓があくはずだから、君はその窓のすぐ下に陣《じん》どっているのだ」

「承知した」

「そして僕の姿は見えるはずだから、君は僕から目をはなさないでいるんだ」

「わかった」

「それから僕がこういうふうに手をあげて、合図をしたら、僕から渡しておくものを部屋のなかへ放《ほう》りこんで、火事だとどなるんだ。わかったね？」

「よくわかった」

「こいつは、ちっとも恐《おそ》ろしい代物《しろもの》じゃないんだよ」とホームズはポケットから葉巻形の棒のようなものを出して、「配管工の使うただの煙花火《けむりはなび》で、自動発火をするように、両端に雷管《らいかん》をつけただけなんだ。君はこいつを投げこんでくれさえしたら、それでいい。火事だとひと声わめけば、あとはやじ馬が集まって騒《さわ》いでくれるから、君は向うの街角まで退避《たいひ》して待っていればよい。十分もしたら、僕もそこへ行く。すっかりのみこんだろうね？」

「僕は局外中立で、窓のそばへ寄ってゆき、そとから君を見ている。そして合図があったらこいつを投げこんで、火事だとなってから、向うの角で君の来るのを待っていればいいんだね？」

「そうそう、そのとおりだ」

「じゃひき受けたから、安心していいよ」

「そいつはありがたい。ところで、つぎなる役を演じる予定の時刻が、そろそろ迫《せま》ったらしい」

こういってホームズは、寝室へ姿を消したが、二、三分で出てきたのを見ると、いかにも実直な、愛すべき独立教会派の牧師になりすましていた。幅《はば》ひろい黒の帽子《ぼうし》といい、袋《ふくろ》のようにだぶだぶのズボンといい、白ネクタイといい、思いやりの深そうな微笑といい、慈《いつく》しみをこめたおせっかいな風貌《ふうぼう》といい、どう見ても名優ジョン・ヘアを除いてはくらぶべきものもないばかり巧みな変装ぶりであった。単に服装をとりかえただけではない。その表情、その態度、その魂《たましい》までもその役になりきっているように見えた。彼が探偵家《たんていか》になったということは、科学界にとって一個の明敏《めいびん》な推理家を失ったことになるし、劇壇もまた、一人《ひとり》のすぐれた名優を得そこねたことになるわけである。

いっしょにベーカー街の家を出かけたのは、六時十五分すぎだったが、サーペンタインの広小路《ひろこうじ》まで行ってみると、その時刻までにはまだ十分《じゅうぶん》あった。もうあたりは黄昏《たそが》れており、ブライオニー荘《そう》のまえをぶらぶらして主人の帰りを待ちうけているうち、街灯がともりはじめた。家はホームズの簡単な説明で私が心に描《えが》いていたとおりだったが、場所がらは思ったほど閑静《かんせい》な土地でもなかった。それどころか、付近の閑《かん》寂《じゃく》さのなかにあって、その狭《せま》い通りだけは妙《みょう》に人《ひと》っ気《け》が多かった。街角には一団のむさくるしい人たちが、タバコをのんだり、笑い興じたり、はさみとぎ屋が車をとめているし、そうかと思うと一人の子守娘《こもりむすめ》を、近衛《このえ》の兵隊が二人してからかっているし、葉巻を口に、一つところをぶらりぶらりと往《い》ったり来たりしている、服装《みなり》のよい幾人《いくにん》かの青年もあった。「この結婚がね」とホームズは私とならんで、家のまえを往ったり来たりしながらいった。「かえって問題を簡単にしてくれたよ。これで例の写真は両刃《もろは》の剣《つるぎ》になった。ボヘミア王がスカンジナヴィアの王女の目にふれるのを怖《おそ》れると同じに、アイリーン自身としても、ノートンに見られちゃ困ることになるからね。問題は、どこに写真が隠《かく》してあるかだ」

「ほんとに、どこへ隠しているのだろう?」

「よもや身につけてもちあるいているとは思えない。キャビネ型だから、大きすぎて、婦人服では隠すところがない。それに彼女《かのじょ》のほうでも、王がいつなんどき路上で待ち伏せして、身体検査をするかもしれないくらいは心得ている。現に二度までそんな目にあっているのだ。してみると、彼女が身につけてもちあるいていることは、まずないものと思ってよかろう」

「すると、どこに隠しているのだろう？」

「銀行か弁護士か、この二つがありうる場合として考えられようが、僕はそのどちらにも同意できない。女性は生れつき秘密好きなものだけれど、人にはたよらず、とかく自分だけで隠しだてをしたがる。他人の手になぞ渡《わた》す気になるものか。自分の手もとへ保管していてこそ安心もできるが、どんな間接の、または政治的な支配力をうけるかもしれない事務屋の手になぞ渡す気にはなるまい。それに、忘れてならないのは、二、三日中に彼女はそれを使うつもりでいるのだ。どうしても手近におく必要がある。としてみれば、家のなかにおいてなければならないという結論がでてくる」

「でも、二度もどろぼうをさしむけられたんだろう？」

「だめだよ。さがしかたを知らないんだから」

「じゃ君はどうやってさがす？」

「さがしたりなんかするものか」

「じゃどうするんだい？」

「彼女自身に出させるのさ」

「応じないだろう？」

「なに、応じざるをえないさ。おや、車輪の音がする。彼女の馬車だ。さっきの命令をちゃんと実行するんだぜ」

このとき、大通りのカーヴをまわったので、馬車の側灯が見えてきた。やがてブライオニー荘の玄関によせられたのは、当世風の小さい四輪馬車だった。馬車がとまるのを見て、街角にいた浮浪者《ふろうしゃ》が一人駆けよって、ドアをあけて銅貨にありつこうとしたが、それはおなじ目あてで駆けつけた別の浮浪者に突《つ》きのけられた。たちまちはげしい喧嘩《けんか》になった。そこへもってきて、例の近衛兵が二人とんできて、一方の肩《かた》をもつと、はさみとぎの男がまけずにカンカンになって反対がわに加勢するというわけで、騒ぎはいっそう大きくなった。拳固《げんこ》がとぶ。と、このとき馬車から降りたったアイリーンは、あっという間に拳固やステッキの乱れとぶ大乱闘《だいらんとう》のまん中へまきこまれてしまった。

ホームズはアイリーンを保護しようと、その大立回りのなかへとびこんでいった。ところがやっとそばまで行ったと思ったら、あッと叫《さけ》んでそこへぶっ倒《たお》れ、顔から血がほとばしった。それを見て、二人の近衛兵は早くも逃げさり、浮浪者も別の方角へ一目散に逃《に》げていった。すると、喧嘩には加わらずに、騒ぎを見物していた服装《みなり》のよい青年が、先を争ってアイリーンを助け、負傷者の介抱《かいほう》にひしめきあった。

アイリーン・アドラーは、結婚したけれどやはりこの名で呼んでおくが、急いで玄関の石段を駆けあがり、そこに立ちどまると、ホールのあかりを背にうけて、美しい姿をくっきりと浮《う》かびあがらせ、路上を見おろした。

「そのかたのお怪我《けが》は重うございますの？」

「死んでいますよ」いくつかの声が答えた。

「いや、まだ息がある」別の声がわめいた。

「でも病院までは保《も》つまい」

「ほんとに男らしいかたですわ」女の声だった。「この方が出てくださらなければ、あなたさまは財布《さいふ》も時計もおなくしになったでしょう。あの人たちは同類です。それも乱暴なことをする同類です。あら、息をしているわ」

「こんなところへ寝《ね》かしておくって法はないよ。奥《おく》さん、なかへつれこんじゃいけませんか？」

「どうぞ。居間のほうへおつれしてください。ソファがお楽でよいでしょう。どうぞこちらへ」

静かに、そして物々しく、ホームズは家のなかへ担ぎこまれ、表の間へ寝かされた。そのあいだじゅう私は、窓下の定めの位置にいて、のこりなく様子を見ていたが、部屋のなかにはランプがともされ、しかもブラインドがおろされなかったから、彼《かれ》がソファにそっと寝かされるところまで、よく見えた。ホームズがいま、みずから演じた芝居《しばい》にたいして、良心の苛責《かしゃく》を感じているか否《いな》かは知るよしもないけれど、私としては、自分がこの美しい婦人を誑《たばか》っているのだと思うと、そしてそれが甲斐《かい》々《がい》しく怪我人を介抱しているのを目にしては、かつて覚えのないほどの恥《は》ずかしさで、穴でもあったらはいりたいくらいであった。

といって、私が役割を放棄《ほうき》してこの場を逃げだしたのでは、ああまで信頼《しんらい》してくれるホームズにたいして、このうえない悪質の裏ぎりとなるだろう。私は心をはげまして、長外套《なががいとう》の下に隠しもった例の煙花火をとりだした。結局のところ、私たちは彼女を理由なく害するつもりはないのだ、彼女が第三者を害するのを阻止《そし》したいだけなのだ——私はそう自分にいいきかせた。

ホームズはソファのうえに起きあがった。そしていかにも息ぐるしそうな様子であった。すると女中がとびだして、さっと窓をおしあけた。同時に、ホームズの片手をあげるのが見えた。合図だ。私はとっさに煙花火を窓のなかへ投げこんで、火事だッと叫んだ。するとそのひと言で、服装のよいも悪いも、紳士《しんし》も浮浪者も女中も、およそいあわせたほどの見物人が声をそろえて、火事だッとわめいた。

濃《こ》い煙が室内に渦《うず》まいて、もくもくと窓から出てくる。その煙のなかを、右往左往する姿が室内にちらついた。と、ホームズが、いまのは誤報だ、火事ではないと、人々をしずめるのが聞えた。わめき騒ぐ群衆のあいだをぬけて、私はそっと街角《まちかど》までたちのいた。そして十分間ののち、ホームズが来て私の腕《うで》に手を通すのにあい、いっしょに騒ぎの現場から立ちさったのだった。

彼は無言のまま、数分間は走るように速く歩いたが、エッジウェア街のほうに出るそのへんの人通りまばらな横丁へ入ると、やっと歩調をゆるめていった。

「非常にうまくやってくれたね。ああうまくは、なかなかやれるもんじゃない。もう大丈夫《だいじょうぶ》だよ」

「写真を手にいれたんだね？」

「隠してある場所がわかった」

「どうやって見つけたんだい？」

「自分で教えてくれたよ。僕《ぼく》のいったとおりさ」

「といわれても、僕にはさっぱりわからない」

「わざと君に隠すわけじゃないよ」とホームズは笑っていった。「事はきわめて簡単だった。喧嘩した連中も、やじ馬も、みんなこっちの仲間だったのは、君も気がついていたろう？　今晩だけの約束《やくそく》で雇《やと》ったんだ」

「それはほぼ察していた」

「喧嘩のはじまったとき、手のなかに紅の溶《と》かしたのを隠していてね、とびこんで倒れるなり、その手で顔を押《おさ》えて見せたのさ。ふるい術《て》だ」

「それもほぼ察しはついた」

「それからみんなで僕を担ぎこむ。アイリーンだって、あの際いやとはいえない。断わる口実があるまいじゃないか。しかも、僕の目をつけていた居間へいれてくれた。写真は居間か寝室《しんしつ》か、どっちかに隠しているにきまっている。僕としては、どっちであるかを確かめる必要がある。ソファに寝かされたから、息ぐるしそうにして、窓をあけさせるように仕むけた。それで君はチャンスを得たわけだ」

「あれが何の役にたったのだい」

「きわめて大切だった。女というものは、自家が火事と知ったとたんに、いちばん大切にしているもののところへとんでゆく本能がある。これはどうにも制しきれぬ衝動《しょうどう》で、僕はたびたびこいつを利用したことがある。たとえばダーリントンの換《か》え玉事件でも役にたったし、アーンスウォース城事件でもそうだった。人妻なら、何はおいても赤ン坊《ぼう》を抱《だ》きあげるし、さもなければまず宝石類だ。

そこできょうのあの女だが、家のなかで何よりも大切なものといえば、むろんわれわれのさがし求めている品物以外にあるわけがない。まっさきに、そいつの隠してある場所へかけつけるにきまっている。火事だッという君の声は、いかにも真にせまっていた。そのうえ煙がでたり、人が騒いだりすれば、どんなおちついた女でもあわてるにきまってる。反応は上々だった。写真は、右手のベルのひものすぐうえの羽目板を動かすと、その奥に隠してある。とっさに彼女がそこへいって、半分ばかり出しかけたのを、現にこの眼《め》で認めた。

火事ではない、いまのは誤報だとどなってやると、出しかけたのをもどしておいて、花火をちらと見てから、どこかへ走りさったきり姿を見せなかった。そこで僕は起きあがって、うまくその場をつくろって逃げだしてきたのさ。もっとも、すぐ写真に手をつけたものかどうか、ちょっと迷ったが、そのときはいってきた馭者《ぎょしゃ》が、いやにじろじろ僕の顔を見るものだから、あとにしたほうがよかろうと思った。うっかり手を出して、軽率《けいそつ》なまねをすると、とりかえしのつかないことになるからね」

「それで今後の方針は？」

「調査は事実上これで終った。あとはあす、陛下のお供で彼女を訪問するだけだ。よかったら、君もいっしょに来《こ》ないか。行くとまず、居間に通されて、しばらく待たされるだろう。だが、彼女が支度《したく》して出てみたら、もうわれわれもいないし、写真も紛《な》くなっているというわけだ。お手ずからあれがとりもどせたら、陛下はことのほかご満足だろうじゃないか」

「訪問の時刻は？」

「朝の八時としよう。彼女はまだおきていないだろうから、心おきなく仕事ができるというものだ。それにこの結婚《けっこん》で、彼女の生活様式も習慣も一変するかもしれないのだから、ぐずぐずしちゃいられない。一刻も早く陛下に電報をうっておこう」

ベーカー街に帰りつき、戸口でホームズがポケットの鍵《かぎ》をさぐっているとき、通りすがりに声をかけた者がある。

「シャーロック・ホームズさん、こんばんは」

通行人は幾人かあったが、言葉をかけたのは、急ぎ足に遠ざかっていったやせ形に長外套を着た青年だったらしい。

「聞きおぼえのある声だ」ホームズは街灯のほのぐらいなかにじっと瞳《ひとみ》をこらした。

「はて、どこのやつだろう？」

三

その晩私はホームズの家に泊《とま》った。そして翌朝、コーヒーでトーストをかじっているところへ、早くもボヘミア国王陛下がとびこんでこられた。

「もう手にいれたのですか？」

陛下はいきなりホームズの両肩をつかむようにして、せきこんでその顔をのぞきみた。

「まだです」

「でも望みはあるのだな？」

「望みはあります」

「では、さア、早く行こうではないか」

「馬車を呼ばねばなりません」

「それには及《およ》ばぬ。余の四輪馬車《ブルーム》が待たせてある」

「それは何よりでございます」

そこで私たちは家を出て、またもやブライオニー荘へと向ったのである。

「アイリーン・アドラーは結婚いたしました」ホームズが馬車のなかでいった。

「なに、結婚いたした？　いつ？」

「昨日でございます」

「相手は？」

「ノートンと申すイギリス人で、弁護士でございます」

「そんなものをあれが愛するとは思えぬが……」

「愛情があってくれればと考えております」

「それはまた、何ゆえに？」

「将来陛下にご迷惑《めいわく》をおかけ申すおそれが絶無になりましょうから。結婚して夫を愛するといたせば、もはや陛下をお慕《した》い申すことはございますまい。さすれば、もはや陛下のご意図をお妨《さまた》げする理由もございません」

「それはそうだ。だがそれにしても……ああ、あれが余とおなじ身分の者であったならば！　どんなにか立派な女王になれたであろう！」

陛下はそのままふたたびふさぎこんで、サーペンタイン小路《こうじ》へ来るまで、ついに口をきかれなかった。

来てみるとブライオニー荘の玄関《げんかん》はあいていて、一人の老婆《ろうば》が石段のうえに立って、四輪馬車を降りる私たちを、あざけるような眼つきで見まもっていた。

「シャーロック・ホームズさんでございますね？」

「私がホームズですが……」彼はやや意外という面《おも》もちで、いぶかしげに老婆を見やった。

「やっぱりねえ。いえ、奥さまが、あなたさまがたぶんいらっしゃるからとおっしゃいましたが……奥さまは旦那《だんな》さまとご一緒に、今朝ほど、五時十五分の汽車でチャリング・クロスの駅から、大陸のほうへお発《た》ちでございました」

「なに？」ホームズは驚《おどろ》きと無念さで顔いろを変えて、たじろいだ。「では、国外へ去ったというのか？」

「二度とお帰りにはなりません」

「して、あれはどうなった？」陛下は大きな失望に声もかすれていた。「ああ、万事《ばんじ》休《きゅう》す！」

「調べてみましょう」

ホームズは老女中を押《お》しのけて、居間へとびこんだ。陛下と私もそのあとにつづく。棚《たな》ははずしたままだし、引出しはあけっぱなしだし、部屋のなかは家具類が乱雑にちらかし放題で、アイリーンが逃亡《とうぼう》に先だち、大急ぎでかきまわしたらしいことを物語っていた。

ホームズはベルのところへとんでゆき、小さな引き戸になっている羽目板をむしりとった。そして手を突っこんだと思うと、一葉の写真と手紙とをとりだした。写真は夜会服姿のアイリーンの単身像、手紙のうわがきには「シャーロック・ホームズさまへ、お訪ねあるまで留めおき」と走りがきがしてあった。ホームズがすぐに封《ふう》をきったので、私たちは三つの額を集めて読みいった。日付は前夜の十二時とあり、つぎのような文面が認《したた》めてあった。

シャーロック・ホームズさま、お手ぎわはまことにみごとでございました。まんまと担《かつ》がれてしまいました。火事の声を聞きますまでは、露《つゆ》ほども疑ってはおりませんでした。でもそのあとで、われながらあられもなくおぞましき振舞《ふるま》いに思いあたり、考えました。あなたさまのことは、久しいまえに注意をうけておりました。王さまがもし誰《だれ》かをお頼《たの》みになるといたせば、必ずあなたさまにきまっているからと、お住所《ところ》まで教えられたのでございます。それだのに私は、お知りになりたいことを、この口から申しあげたのとおなじに、お教えしてしまいました。不審《ふしん》をおこしましてからでさえ私は、あのおやさしい親切な牧師さまが、よもやと思ったほどでございます。でも、ご存じのとおりお芝居には慣れておりますし、男装《だんそう》をいたすのなど造作もございません。これまでにもよく、そのおかげで気ままにふるまったものでございます。私は馭者のジョンにあなたさまの見はりをさせておき、二階へ駆《か》けあがって、散歩服と呼んでおりますが、急いでそれを身につけて降りてみますと、ちょうどあなたさまはお帰りになるところでございました。

それからおあとをしたってお玄関先まで参り、私風情《ふぜい》をねらっていらっしゃるのが、有名なシャーロック・ホームズさまにちがいないことを確かめたのでございます。そしてすこしはしたなくはございましたけれど、ご挨拶《あいさつ》申しあげて、その足でテンプルに良人《おっと》を訪ねてまいりました。

こんなに恐《おそ》ろしいかたにねらわれましては、もはや落ちのびるほかないと、良人の意見もおなじでございました。そんなしだいで、明日お訪ねくださいましても、もはやもぬけの殻《から》となっておりましょう。写真のことでしたら、どうぞご安心くださいますよう。いまはよりよき良人を得て、愛し愛されている身でございます。王さまには、その昔《むかし》つれなきお仕むけあそばした端女《はしため》がうえなぞおん心おきなく、本望《ほんもう》おとげあそばしますよう。あのお写真はただ私のお守りとして、手もとに留めおきます。この後とも、万一王さまから何か仕むけられでもしましたときの、身を守る武器ともいたしたいだけの思案にございます。別に写真一枚、王様おうけくださいますこともやと、のこしてまいります。

めでたくかしこ

アドラー家の出　アイリーン・ノートン

「何という女だ！　ああ何という！」読み終ってボヘミア国王陛下は嘆声《たんせい》をもらした。「だから余が申したではないか、明敏《めいびん》で果敢《かかん》な女だと。ああどんなにか立派な皇后《こうごう》ができたことであろう。釣《つ》りあう身分の者でないのがかえすがえすも残念ではないか！」

「私の見うけましたかぎりでは、この婦人は陛下と水準がたいへんちがうかに考えられます」とホームズは冷やかにいった。「私といたしましては、この問題をもっとご満足のゆきますような終局にはこびえなかったのを、遺憾《いかん》にぞんじます」

「いや、そんなことはない。申し分のない成功であった。アイリーンの言葉にけっして偽《いつわ》りはない。写真はもう、火のなかに投じたのもおなじに安全だ」

「そのお言葉で、私も安心いたしました」

「余はお礼の申しようもないほどの大恩をうけた。どうして君の労に酬《むく》いたらよいか、いうてください。この指輪は――」と陛下がエメラルドいりのへび形の指輪をぬきとって、手のうえにのせてさしだした。

「陛下おもちの品で、これよりはるかに貴重と考えられますものがございます」とホームズがこたえた。

「何なりと言うがよい」

「この写真にございます」

陛下はあっけにとられて、ホームズの顔を見つめられた。

「アイリーンの写真を！　よろしい、望みとあらば……」

「ありがとうございます。ではもう、ご用もございますまいから、これで失礼いたしとうございます」

ホームズは頭をさげて、陛下のさしのべた手は見返りもせずに、私をうながし、さっさとその場をひきあげたのだった。

以上が、ボヘミア王国を脅《おびや》かした一大醜聞《しゅうぶん》事件の報告であり、ホームズの巧妙《こうみょう》な計画が、一婦人の機知によって、いかにうち挫《ひし》がれたかという話の一条である。ホームズは以前よく、女の浅知恵《あさぢえ》と笑い囃《はや》したものだが、近ごろはいっこうにそれを聞かなくなった。そしてアイリーンのことや、彼女《かのじょ》の写真のことが話に出ると、彼《かれ》は必ず「あの女《ひと》」という尊称をもってするようになったのである。

——一八九一年七月『ストランド』誌発表——

赤髪《あかげ》組合

去年の秋のある日のこと、訪ねてみるとシャーロック・ホームズは、非常にからだつきのがっしりしたあから顔の、髪《かみ》の毛の燃えるように赤い年配の紳士《しんし》と、何事か熱心に対談中であった。うっかりはいってきた不作法をわびて、出てゆこうとすると、ホームズがいきなり私をつかまえて部屋のなかへ引っぱりこみ、ドアをぴたりとしめた。

「ワトスン君、君はじつにいいところへ来たのだよ」

「いや、僕《ぼく》はまた、要談中なのかと思ってね」

「要談中にはちがいないさ。それもきわめて大切な要談中なんだ」

「じゃつぎの間で待っててもいいよ」

「そんな必要はないよ。ウィルスンさん、この紳士はね、いままでに私が成功した多くの事件に、たいていの場合私の相棒ともなり、助手ともなってくれた人なんですよ。ですからあなたの問題にだって、きわめて有力な役をつとめてくれるにちがいないと思うんです」

ウィルスンと呼ばれたその肥《ふと》った紳士は、中腰《ちゅうごし》に尻《しり》を浮《う》かせて、肉のもりあがった眼瞼《まぶた》の奥《おく》にある小さな眼《め》でチラチラと、もの問いたげに私を見ながら、かるく会釈《えしゃく》した。

「まアかけたらよかろう」

ホームズは私にソファをすすめ、自分も肘掛椅子《ひじかけいす》へもどって、批判的な気持のときいつもやる癖《くせ》で、両手の指をかるくつき合せた。

「ねえ、ワトスン君、何かしら奇異《きい》なこととか、紋切り形《もんきりがた》な日常生活の退屈《たいくつ》きわまる常軌《じょうき》を逸《いっ》したことを愛する点では、君もあえて僕に劣《おと》らないようだね。その点は、僕の数多くのつまらない事件を、すすんで記述してくれた熱意が、十分証明していると思う。しかもこういってよければ、ちょっぴりと文飾《ぶんしょく》をさえほどこした記述でね」

「僕には事件そのものがおもしろくてたまらなかったんだ」

「覚えているだろうが、僕はいつぞやいったことがある。あれはたしかメアリー・サザーランド嬢《じょう》がもちこんだ、ちょっとした簡単な事件に手をつけるまえだったと思うが、不思議な事実とか、異常な事柄《ことがら》とかいうものが経験したかったら、われわれは実生活そのもののなかをさがさなければならない。実生活こそはつねに、いかなる想像力の産物にもまして思いきった、何がおこるか底の知れぬ不思議なものである、という意味のことを言ったことがあったね？」

「うん、あの意見には、僕は疑問を呈しておいたはずだ」

「たしかにそうだった。しかしだね、ワトスン君、あのときはそうだったが、結局は僕の意見に賛成しなきゃならなくなるんだよ。賛成しないとでもいえば、実例につぐ実例を眼前につみかさねて、君の論拠《ろんきょ》がやぶれて、どうにも賛成しなきゃならなくしてみせるばかりだ。

ところで今朝は、このジェイベズ・ウィルスンさんがこうしてせっかく訪ねてくださって、おもしろい話を聞かしてくださろうというわけだが、いままで聞いたところでは、どうやら近来にない奇怪《きかい》きわまる事件らしく思われる。いつもいうとおり、世にも不思議で特異な事件というものは、大きな犯罪よりもかえって小さな犯罪に付随《ふずい》することが多いもので、じっさいどうかすると、犯罪があるか否《いな》かさえ疑わしいようなところに潜《ひそ》んでいることがあるものなんだ。

現にウィルスンさんの事件にしても、いままでうかがったところでは、犯罪があるともないともまだいえないが、事件としては未曾有《みぞう》の奇怪きわまるものらしい。ではウィルスンさん、恐縮《きょうしゅく》ですがお話をもういちど、最初からお願いいたしたいものです。

と申すのは、このワトスン君にはじめから聞かせたいためばかりではなく、事件が事件ですから、私としてもほんのちょっとした細かいことも聞きもらしたくないからです。一般《いっぱん》に私は、事件はほんの一端《いったん》だけ聞けば、あとはいままでの多くの経験に照らして、たいていわかるのですが、こんどばかりは私の見るかぎり、ほかに類例のない特異なもので、類推も何も許されないのです」

肥えた依頼人《いらいにん》のウィルスンは、いくらか得意そうにぐっと胸をそらして、外套《がいとう》の内ポケットから一枚のよごれて皺《しわ》だらけの新聞紙をとりだし、それを膝《ひざ》のうえでひろげて、皺をのばしながら、首をのばして広告欄《こうこくらん》に目をおとした。そのあいだに私は十分この男を観察し、ホームズ流を模して服装《ふくそう》や外観からこの男の人柄を見さだめてやろうと努めた。

けれども、見ても得るところはあまりなかった。どう見てもただ平凡《へいぼん》な、肥って鈍《どん》重《じゅう》な感じのするイギリス商人だというだけのことである。着ているものはすこしだぶだぶの鼠《ねずみ》いろ格子《こうし》縞《じま》のズボンに、あまりきれいでない黒のフロックをつけて、前のボタンをはずしており、うす茶いろのチョッキに真鍮《しんちゅう》の太い片さげ鎖《ぐさり》をからませて、その先に飾《かざ》りとして、四角な孔《あな》をあけた金属の小片《しょうへん》をぶらさげている。そばの椅子のうえには、すりきれたシルクハットと、襟《えり》につけたビロードも皺だらけの、全体に色のあせた茶いろの外套とがおいてある。というわけで、髪の毛が燃えるように赤いということと、ひどく悩《なや》ましそうな、また不服そうな顔をしていることのほかには、どう観察してもまったく得るところがなかった。

こんどはシャーロック・ホームズのす早い眼が、私のにとって代る。そして私の物いいたげな視線を認めると、彼は微笑《びしょう》をうかべて、頭を振《ふ》り振りいった。

「ひと目でわかるのは、このかたが過去に、手先の労働に従事したことのあること、かぎタバコをやること、フリーメーソン結社員であること、中国へ行ったことのあること、近ごろ何か非常にたくさん書きものをしたらしいことくらいのもので、それ以上のことはさっぱり僕にもわからないね」

これを聞くとジェイベズ・ウィルスン氏はとびあがって驚《おどろ》き、片方のひとさし指で新聞を押《おさ》えたまま、眼をじっとホームズに注いでいった。

「いったいぜんたいどんなところから、そんなことまでおわかりでした？　たとえば私が手先の労働をやったなんてことが、どうしておわかりでした？　まるで神さまのようですね。まったくのところ私は、船大工から身を立てたのです」

「そのお手ですよ。お手を拝見すると、右のほうがたっぷりひと回りは左より大きいですね。右はそれだけ余計に使われたために、筋肉がよりよく発達したのです」

「ふうむ！　ではかぎタバコのことは？　それからフリーメーソンのことは？」

「それを詳《くわ》しく申しあげるのは、賢明《けんめい》なるあなたにたいして、かえって失礼にあたりますから、控《ひか》えておきましょう。ことにあなたが現に、弧《こ》とコンパスの元部長章を胸におびていらっしゃることなどは、厳格であるべきフリーメーソンの規則にちと違反《いはん》していらっしゃるらしく思われますからね」

「ああ、なるほどね。うっかりしていました。しかし、書きものをしたとおっしゃるのは？」

「右の袖口《そでぐち》が五インチばかり、そんなに光っていますし、左は左で、書きものをするとき机に突《つ》かれたのでしょう、肘のところにつぎがあたっていますが、これは書きもの以外に原因は考えられませんからね」

「なるほど。では中国へ行ったとおっしゃるのは？」

「右の手首のすこしうえにある魚の形の刺青《ほりもの》は、中国でなければ見られないものです。私は刺青の構図に関しては、すこしばかり研究したこともありますし、その方面の文《ぶん》献《けん》に多少の寄与もしているものです。魚のうろこを感じのよい紅《べに》で染めるその技巧《ぎこう》は、まったく中国特有のものです。それに、そんなことを云々《うんぬん》するまでもなく、時計の鎖にぶらさがっているのが、中国のコインであってみれば、いっそう簡単に断言できるというものですからね」

ジェイベズ・ウィルスンは大いに笑って、「何のこった！　はじめはなんだかたいへんむずかしいことかと思っていましたが、そうかがってみるとまったくあっけないことなんですね」

「ワトスン君、僕は説明なんかして失敗《しま》ったと思うよ。『知らぬことは何でも大きく見える』というが、いまのようにあけすけに楽屋をさらけだしたんじゃ、僕の名声とかいうやつも、やがて地に落ちるのほかないね。――それでウィルスンさん、広告はまだ見つかりませんか？」

「いや、ありましたよ」とウィルスンはまっ赤な太い指で広告欄のなかほどを押えていった。「ここに出ています。こいつが事のおこりなんです。まずご自分で読んでみてください」

私は新聞をうけとって、つぎのとおり読みあげた。

赤髪組合へ――アメリカ合衆国ペンシルヴァニア州レバノンの人、故イゼキア・ホプキンズの遺志により、絶対軽微なる勤労あるのみにて各員に週給四ポンドを支給すべき当組合に今般一名の欠員を生じたり。世の頭髪《とうはつ》赤き男子にして心身ともに健全、年齢《ねんれい》二十一歳《さい》以上の諸君はすべて組合員たるの資格あり。月曜日午前十一時、フリート街ポープス・コート七番なる組合事務所内ダンカン・ロスまで本人来談あれ。

「いったいこれは何のこった！」

私はこの奇怪きわまる広告文を二度もくりかえして読んでみたあと叫《さけ》んだ。

ホームズはニタリと笑いをうかべ、上機嫌《じょうきげん》のときの癖《くせ》で、椅子のなかでもじもじからだを動かしながら、

「こいつは少々毛いろの変った話じゃないか、え？　ではウィルスンさん、はじめていただきましょうか。まずご自身のこと、ご家族のこと、それからこの広告が、あなたの身上にどういう結果をもたらしたかということなど、詳しく話してください。それからワトスン君は何より先にその新聞の名前や、日付を控えておいてくれたまえ」

「一八九〇年の四月二十七日だから、ちょうど二カ月まえの『モーニング・クロニクル』紙だ」

「ああそう。――ではウィルスンさん、どうぞ」

「そういうわけで、ただいまもあなたにお話しいたしかけておりましたとおり」とジ

エイベズ・ウィルスンは額の汗《あせ》をふきながらいった。「私は下町《シティ》にちかいコバーグ・スクエアで小さな質屋《しちや》をいとなんでおる者です。ひと口に質屋と申しましても、そう手びろくやっておりますわけではなく、とくに近年はどうも思わしくございませんで、やっとその日をすごしているだけの有様です。それでも、もとは人も二人は使ったものでございますが、ただいまのところは一人だけにしてしまいましたようなことで、それも、この商売を見習うためというので、半分の給料ですすんで来てくれましたからよろしいようなものの、さもなければ内職でもしないかぎり、給料も満足には払《はら》えそうにない有様でございます」

「その奇特な青年の名は何といいますか?」

「名はヴィンセント・スポールディングと申しますが、青年というほど若くはございません。といって老人と申すのでもなく、年のことは私にも判然といたしませんが、店員としては、あんな立派な店員がまたと得られるものではございません。自分でその気にさえなれば、あの男はもっとよい地位も得られますし、私のところで取るものの二倍は保証できましょう。しかし、まああ本人がそれで満足しているのに、何もはたから余計な知恵《ちえ》をつけるにも及《およ》びませんからねえ」

「まったくね。ほんとうの相場以下の給料で店員を使っておられるあなたは、まったくうらやむべき幸運児ですよ。当節人を使うには、なかなかそういうわけにゆくもんじゃありません。なんだかその店員のほうが、広告よりもおもしろそうじゃありませんか」

「しかし、この男にゃ欠点もあるんですからね。世の中にあんな写真きちががあるでしょうか。すこしは修養もしたらよかろうと思いますのに、あの男ときたら、暇《ひま》さえあればカメラをもちだしてパチパチやり、まるで兎《うさぎ》が穴へとびこむように、穴倉へ現像しに潜《もぐ》りこむのです。欠点と申しますのは、主としてそのことなんですが、全体としてはよく働いてくれますし、悪い行いなどはない男です」

「いまでもお店で働いているのでしょうね？」

「はい。その男と十四歳になる小娘《こむすめ》が一人、これが簡単な台所をやったり、ふき掃除《そうじ》をしたりしてくれます。私は家内に先だたれまして、子供もありませず、家族と申してはこれだけで、ごくつましく、何はおいても義理だけは欠かさぬようにと、正直に暮《くら》しておるのでございます。

で、ことのおこりはこの広告からです。ちょうど八週間まえのこの日でした。スポールディングが手にこの新聞をもって店へ帰ってきまして申しますには、

『旦那《だんな》、私のこの髪の毛が赤かったらなア』

『それはなぜだい？』

『なぜって、赤髪組合にまた一人欠員ができたそうですよ。誰《だれ》でも組合員になれさえしたら、ひと身代できるんですからねえ。思うに組合は欠員ばかり多く、適当な補充《ほじゅう》ができないので、管財委員は金の処置に困りぬいてるんですよ。この髪の毛が色さえ変ってくれたら、それこそ宝の山へふみこんで、濡《ぬ》れ手に粟《あわ》なんですがねえ』

『そりゃアいったい何の話なんだね？』私は尋《たず》ねました。と申しますのがホームズさん、私はもともとほとんど外出しない人間ですし、だいいちそう出歩いていては商売の妨《さまた》げになりますから、幾《いく》週間もぶっとおして一歩も家のそとへ出ないことだって、珍《めずら》しくはないのです。そんな関係で、世間にどんなことがあるのやら、あまり知らずにすごしていますので、何かちょっとした事柄でも、人から話を聞くのは大好きだったのです。

『旦那はまだ、赤髪組合の話を聞いたことはないんですか？』スポールディングは眼を丸くしました。

『ないね』

『へえ！　こいつは驚いた！　だって旦那は応募《おうぼ》資格がおありなんですぜ』

『してそれは、どんなありがたいことがあるのかね？』

『どんなって、一年わずか二百ポンドですけれど、仕事はほんのちょっとしたことで、しかもほかに本業をもちながらでも、片手間にできることなんですからねえ』

こう聞いて私が、急に乗り気になったのは申すまでもありません。何しろ近年商売がさっぱりおもしろくないところですから、一年二百ポンドの別途《べっと》収入とは、きわめて耳よりな話です。そこで私はスポールディングに頼《たの》みました。

『その話をひとつ、詳しく聞かせてくれないか』

『よござんすとも』とここで彼はこの新聞広告を私に見せてから、いいました。『このとおり組合には欠員が一人あるんです。そしてちゃんと申しこみ先も出ています。なんでも私の聞いたのでは、この組合はイゼキア・ホプキンズとかいうアメリカの富《ふ》豪《ごう》で変り者だった人が設立したもので、この人は生前髪の毛が赤かったものですから、世の赤髪の人にたいへん同情していたそうですが、死んでからわかったことには、自分の大きな遺産は自分の死後、一定の管財委員会に託《たく》して、それから生れる少なからぬ利息を、自分とおなじいろの髪の毛をもつ人に、ごく簡単な仕事をさせるだけで分配するようにと遺言《ゆいごん》があったのだそうです。話に聞くと、仕事はごく楽なことで、しかもすばらしい俸給《ほうきゅう》が出るのだとか申しますよ』

『しかし、髪の毛の赤い人といったら、応募者はゴマンとあるだろうな』

『それほどでもございますまいよ。何しろ応募者はロンドンの人で、しかも大人でなければいけないと申しますからね。何でもこのアメリカ人は、若いころロンドンから出たのだそうで、一つにはロンドンのため恩がえしをしようという意味もあるのだそうです。それに髪《かみ》の毛が赤いといっても、うす赤いだけや黒ずんだのではだめで、ほんとうに火のような、燃えるように赤いのでなければ資格がないとかいいます。ですから旦那さえかまわなければ、ともかくいちど行ってごらんなさい。すこしの金ならともかく、一年二百ポンド以上になる話なんですから、落第するにしても一応は行ってみる値うちが十分あると思いますがねえ』

ご覧《らん》のとおり私の髪の毛は、まことに申し分のないまっ赤な色をしております。毛の色で競《せ》りあいがあるとしましても、私の知るかぎりこれだけ有利な条件をもつものは、おそらくどこにもおりますまい。で、ヴィンセント・スポールディングはこの組合のことをたいへんよく心得ているようですから、きっと何かの役にたつのにちがいないと考えまして、一日だけ店をしめておいて、いっしょに組合事務所へ行くようにと命じました。ヴィンセントは店が休めるのをたいへん喜びまして、すぐに鎧戸《よろいど》をおろして、広告に出ています番地をさして二人で出かけました。

それからですが、ホームズさん、私は二度とあんな光景が見られようとは思いません。北から南から西から東から、すこしでも髪の毛の赤いと思う男はことごとく、広告によって下町《シティ》めざしておしよせてきたのです。下町のフリート街は、髪の毛の赤い人で埋《う》まってしまいました。なかでもポープス・コートは、まるでオレンジを積んだ八百屋の手車を見るようでした。あの広告たった一つで、こうもたくさん集まってくるほど全国に応募者があろうとは、夢《ゆめ》にも思いおよばなかったことです。藁《わら》いろ、レモンいろ、オレンジいろ、煉瓦《れんが》いろ、アイリッシュ・セッター犬に似たいろ、赤茶色、粘土《ねんど》いろ、ありとあらゆる種類の赤い頭が集まっているのです。けれどもスポールディングも申したように、ほんとうに燃えるように赤いのといっては、あんまり見あたりません。それでも、何しろあまりたくさんな人なので、私は失望して半ばあきらめかけていたのですが、スポールディングのほうがかえって聞きいれませんで、どうしてやったものか私にはさっぱりわかりませんでしたけれど、おおぜいの人のなかをかきわけ突きのけ、とうとう私を事務所の入口の石段のところまでつれてってくれました。見るとそこには、希望にみちて階段をのぼってゆく人と、はねられてしおしおと降りてくる者と、二つの流れになって、たくさんの人の列が昇《のぼ》ったり降りたりしていますま。で、私たちはうまくその一方の行列にわりこんでいますと、まもなく事務所までおし流されてゆきました」

「じつにおもしろい経験でしたねえ」とホームズは、ウィルスンがちょっと言葉をきって、記憶《きおく》を新たにするためかぎタバコをどっさり鼻から吸いこんだ時にいった。「どうぞ早くその先を聞かせてください」

「事務所のなかには松板《まついた》のテーブルが一つと木の椅子《いす》が二つあるだけで、がらんとしており、そのテーブルの向うがわに、髪の毛が私のよりも赤いかと思われる小柄《こがら》な男が一人、腰《こし》をおろしていました。応募者が部屋へはいってくると、この男はそれと二こと三こと話してみて、すぐにどこかに欠点を見つけて、はねつけてしまうのです。この調子ではどうも、合格するのは容易なことではあるまいと思われました。でも、そのうち私の番がきますと、その小柄な男はうって変って愛想《あいそ》よくなりまして、とくになにかと内談のできるように、私たちのはいったあとの入口をぴったりしめきってしまいました。

『このかたはジェイベズ・ウィルスンさんと申されまして、組合の欠員補充に採用されたいご希望なのです』とスポールディングが口添《くちぞ》えしてくれました。

『いや、これはうってつけの適任です』とその小柄な男はいうのです。『ピタリと資格が備わっている。こうまで備わったのは、ちょっと考えても思いだせないて』そういってその男は一歩さがって、首をかしげながら、しげしげと私の頭を見つめるものですから、こっちはかえってきまりが悪くなりました。それからつかつかと前へ出て、ギュッと私の手を握《にぎ》りしめ、熱誠こめて私の成功を祝福するといってくれました。そして言葉をつづけて、『これなら何もためらうことはない。しかし、しかしですぞ。失礼ながら、わかりきったことでも、一応の用心はしなければなりませんでな』と、いきなり私の髪の毛を両手でつかんで、グイと強く引いたので、こっちはその痛さに思わずあッと悲鳴をあげました。すると、『うん、涙《なみだ》が出たな』といって手をはなし、『万事《ばんじ》不都合はないようだ。じつは以前に仮鬘《かつら》で二度、絵具染めでいちどだまされたことがあるので、十分警戒《けいかい》することになっとるのです。そのほか靴糸《くついと》にひくワックスでごまかそうとした例など、話せばたくさんあるけれど、人間の浅ましさにいやな思いをさせるばかりですからな』とその男は窓のところへいって、力かぎりの声をはりあげ、合格者が決定した旨《むね》をそとをうずめる群衆に向ってどなりました。すると窓の下にがやがやと、失望した人々のざわめきがおこりましたが、やがて思い思いに散りさって、あたりには赤髪《あかげ》の人といっては一人も——いや、私とその小男とだけになってしまいました。

『私はダンカン・ロスという者です』小男はあらためて名のり、『私もこの偉大《いだい》なる人物の遺《のこ》された基金のおかげで、年金をうけている一人です。ウィルスンさんは奥《おく》さんは？　ご家族がおありですか？』

私はそのいずれをもたぬ旨を答えました。

するとダンカン・ロスはたちまち顔をくもらせ、重々しく、

『そうでしたか。それは重大問題ですな。いかにも残念です。じつのところこの基金の目的とするところは、赤髪種族を護持するだけでなく、その発展拡充《かくじゅう》をはかるにあるのですからね。あなたが独身であるというのは、まことに遺憾千万《いかんせんばん》です』

これを聞いて私は、ホームズさん、やれやれ組合員にはなれないのかと、がっかりいたしましたよ。でもロスはしばらく考えてから、まあいいだろうといってくれました。

『ほかの人ならとうていだめなのですが、あなたのようにみごとな髪の毛をもつ人のためには、いくぶんの譲歩《じょうほ》もしなければなりません。で、いつからこちらの仕事をはじめてくれますか？』

『さ、その仕事というのが少々困るのですが……じつはほかに職業をもっておりますので』

『なに、そんなことはちっともかまわないですよ、旦那。お店のほうは私がお引受けして、うまくやってゆきますから』とヴィンセント・スポールディングがそばから口

を出しました。

『勤務時間はどうなっていますか？』

『十時から二時までです』

質屋と申すものはホームズさん、ほとんど夜の商売です。ことに土曜日に給料の出るまえの木曜と金曜の晩が忙《いそが》しいのです。ですからひる間わきで働くことは、すこしも商売の妨げにはならなくて、まことに好都合なのです。それにヴィンセントはよい男ですし、店をまかせておいて十分間にあいます。で私は申しました。

『それなら私にもごく好都合です。で、俸給のほうは？』

『一週四ポンドです』

『そして仕事は？』

『仕事といってもほんの名ばかりです』

『ただ名ばかりとだけではわかりませんが……』

『さよう、時間中あなたは事務所に、いや、すくなくともこの建物のなかに詰《つ》めきっていなければなりません。もし一歩でもそとに出たら、そのときかぎり永久に、あなたはその地位を失います。その点は遺書にはっきりと指定されているのですからね。執務《しつむ》時間中の外出は違反《いはん》となりますから、くれぐれも注意してください』

『一日たった四時間のことですから、外出などしたくなるとは思いません』

『いかなる口実も通用しません。病気でも、用事があっても、その他いかなる事情でもいけません。とにかくそのあいだ事務所にいるか、でなければ地位を失うかのどちらかしかありません』

『で仕事は？』

『大英百科辞典を写すのです。あの戸棚《とだな》に第一巻がはいっています。机と椅子とはこれを使ってよいですが、ペンとインキと吸取紙は自弁です。明日からやっていただけますね？』

『承知しました』

『ではきょうはこれでお引取りください。あなたがこの得がたい地位を獲得《かくとく》されましたご幸運を祝福します』そういってロスは、私を送りだしました。私はヴィンセントをつれて帰途につきましたが、心のなかはこの幸運を得たうれしさでいっぱいで、何をしてよいか、何をいえばよいかもわからないほどでした。

さて、その日いちにち私はそのことばかり考えつづけていましたが、夜になってから元気がなくなりました。と申すのは、どう考えてみてもこのことは、誰かのとんでもない悪戯《いたずら》か騙《かた》りにちがいないという気がしてきたからです。ただ、それにしては何の目的でこんなことをするのだか、その点がまるきり見当もつかないのですが、世の中にそんな馬鹿《ばか》げた遺言をする人があろうとも思われませんし、たかが大英百科辞典を写しとるくらいのつまらない仕事に、週給四ポンドも払う者のあろう道理もありません。ヴィンセント・スポールディングは、はたから私の心をひきたてようとつとめてくれましたが、でも私は、寝《ね》る時分にはもうすっかりあきらめきっていました。それでも朝になってみると、とにかくいちど行くだけは行ってみようという気になりまして、インキの小瓶《こびん》と鵞《が》ペンとフールスカップ（訳注 約四十三センチ×三十三センチの大きさの洋けい紙。もとは道化師帽のすかしが入っていた）を七枚だけ買いととのえて、ポープス・コートさして出かけました。

ところが、行ってみて驚《おどろ》いたことには、そしてうれしかったことには、何もかもすっかりほんとうらしいのです。机もちゃんと用意してありますし、ダンカン・ロス氏が私の規則どおり仕事にかかるのを見とどけに来ていました。ロス氏は私にAの字から写しはじめさせておいて、帰ってゆきました。帰ったことは帰りましたが、ちょいちょい仕事ぶりを見にくるのです。そして二時になると、仕事のはかどったことをほめてくれ、もう帰ってもよいと申して、私の出るのを待ってドアにピンと錠《じょう》をかってしまいました。

この調子でおなじことを毎日くりかえしました。そして土曜日になると、ロス氏がやってきて、一週間分ソヴリン金貨で四枚耳をそろえて渡《わた》してくれました。そのつぎの週もおなじで、それからずっとおなじことがつづきました。毎朝十時には出勤し、二時には退《ひ》けて帰るのです。ダンカン・ロス氏はしだいに朝いちどだけしか見にこなくなり、そのうちにまったく顔を見せなくなりました。でも、絶対に来《こ》ないときめてしまうわけにはゆきませんから、むろん私は一歩だって部屋のそとへは出ません。何しろこんな割のよい仕事はまたとあるもんじゃありませんし、私にはもってこいなんですから、むやみなことをしてそれを失いでもしてはつまりませんからね。

　そういう状態が八週間つづきました。仕事のほうはABBOTS《アボッツ》, ARCHERY《アーチェリー》, ARMOUR《アーモア》, ARCHITECTURE《アーキテクチュア》, ATTICA《アッティカ》とすすんで、この調子でつづければ、もう一息でBの部にはいれると喜んでいました。フールスカップの代も相当のたかになりましたし、書きあげたものだって、ほとんど棚一つ占領《せんりょう》しそうになっていました。するとそこまできて、とつぜん、万事がパタリと行きどまってしまったのです」

「行きどまった？」

「そうです。それもたった今朝のことです。いつものとおり十時に出勤してみますと、ドアはしめきりで錠までかってあり、ドアの鏡板の中央に、小さな四角い厚紙が一本のびょうでとめてありました。これです。まア読んでごらんなさい」

ウィルスンはそういって、書簡用紙ぐらいの大きさの、白いボール紙をさしだした。それにはつぎのごとく書かれてある。

赤髪組合は解散した。一八九〇年十月九日。

この簡単な一片の発表書と、その向うにある悲しげなウィルスンの顔とを、ホームズと私とはじっと見つめていたが、いろいろと思慮《しりょ》せねばならぬことのあるのはさしおいて、何よりも事件のおかしさのほうが先にたち、二人はドッとふきだしてしまった。

「これは驚いた！　何がそんなにおかしいですか？」ウィルスンはまっ赤な髪の毛の生《は》えぎわまで顔をあかくしながら、ムッとして叫《さけ》んだ。「ひとを笑うばかりで、何もできないんなら、いつでも他所《よそ》へ頼みにゆきます」

「まア、まア」はや腰をあげかけたウィルスンを押《お》しもどしておいて、ホームズはいった。「こんな珍奇《ちんき》な、おもしろい事件をのがしてたまるもんですか！　しかし、失礼ながらたしかにおかしさもありますよ。で、ドアにこの紙の出ているのを見てから、あなたはどうされました？」

「腰をぬかしました。どうしていいか、私にはわかりません。で、とりあえず、おなじ建物のなかにあるほかの事務所をたずねまわりましたが、どこへ行っても何も知っている者はありません。最後に、一階で会計士をしている家主のところへ行って、赤髪組合はどうなったのかと尋《たず》ねましたところ、そんな組合のあることなんか、聞いたこともないという返事です。ではダンカン・ロスはときききますと、そんな人の名もいま聞くのがはじめてだといいました。

『あの、ほら、四号室の紳士《しんし》ですよ』とかさねて申しますと、

『四号室の？　ではあの髪の毛の赤い人ですね？』

『それですよ』

『あの人ならウィリアム・モリスというのですよ。あの人は事務弁護士で、新しい事務所ができあがるまで、一時の間《ま》にあわせに私のところを使っていたのです。きのうそっちへ引移ってゆきました』

『どこへ行ったら、あの人に会えるでしょう？』

『新事務所へ行けばよいでしょう。ええと、番地を聞いておきましたが……ああ、キング・エドワード街の一七番ですから、セントポール寺院のちかくですね』

私はその足でキング・エドワード街へ行ってみました。けれども一七番の家は、義《ぎ》膝蓋骨《しつがいこつ》の製作所で、ウィリアム・モリスという名もダンカン・ロスという名も、その人は誰《だれ》も聞いたことがないと申しました」

「ふむ、それからどうしました？」

「サクス・コバーグ・スクエアの家へ帰ってゆきました。そしてヴィンセントに相談してみましたけれど、あの男にもよい知恵《ちえ》はありません。ただ、じっと待っていれば、そのうち手紙か何か通知があるかもしれないというだけです。でもそれでは困りますよ、ねえホームズさん。あんなよい仕事を、むざむざ失ってなるものですか。それで、あなたは困った者の相談にのってくださるということを、かねて聞きおよんでいましたので、こうしてさっそくお訪ねいたしたわけです」

「それはたいへん賢明《けんめい》でした。この事件は非常におもしろいと思いますから、喜んで調べてあげることにしましょう。ただいまのお話によって考えてみるに、これは見かけによらぬ重大な結果に到達《とうたつ》するのじゃないかと想像されますよ」

「むろん重大ですとも！　何しろ一週四ポンドの口を失ったのですからねえ」

「あなたとしては、この奇妙《きみょう》な組合に対して、苦情などいえたわけのものじゃないと思いますよ。それどころか、私の考えでは、大英百科辞典のAの部に出ている項目に関して、精密な知識を得ただけでも得なのに、そのうえこの組合から合計三十ポンドあまりの金までもらっておられるのですよ。あなたとして、組合のためには、一文だって損はなかったわけですからね」

「それはそうですけれど、私としては、ぜひあの人をさがしだして、ダンカン・ロスのウィリアム・モリスとはいったい何者だか、悪戯だとすれば、どういうつもりでこんな悪戯をしたのか、そいつが知りたいと思うのです。みんなで三十二ポンドもらっていますから、悪戯にしては金がかかりすぎていますよ」

「それらの点は、いずれ明らかにしてあげるつもりです。そのまえに一、二お尋ねしておきたいことがありますが、最初あなたに新聞広告を見せたというその店員は、いつごろからいるのですか？」

「そのときから一月ばかりまえに雇《やと》いいれました」

「どんな手づるで来たのですか？」

「広告を見てきたのです」

「広告に応募《おうぼ》してきたのは、その男一人でしたか？」

「いいえ、十人あまりも来ました」

「そのなかから、どうしてその男を選んだのですか？」

「ころあいな男で、しかも安く来てくれると申すものですから」

「つまり、給料が半額でよいというんですね？」

「そうです」

「そのヴィンセント・スポールディングというのは、どんなふうな男ですか？」

「小柄《こがら》ですが肉づきがよくて、万事にぬけ目のない男です。もう三十はすぎていますのに、髭《ひげ》というものが一本もありません。額に白く痣《あざ》のようなものがあります」

ホームズはひどく気のりのした様子で、椅子《いす》のなかで半身を起しながらいった。

「ふむ、そんなことだろうと思った。その男の耳には、両方とも耳輪の穴があるのに気がつきませんか？」

「ありますよ。なんでも子供のじぶん、ジプシーが穿《あ》けてくれたのだとか言っていました」

「ふむ！」とホームズはまた椅子の背によりかかって、じっと考えこみ、「いまもいるのですか？」

「いますとも、たったいま店にのこして出てきたばかりですもの」

「あなたの留守中、お店のほうは大丈夫《だいじょうぶ》なのですか？」

「ちっとも心配はいりません。午前中はほとんど客のあった例《ためし》はないのですから」

「よくわかりました。一両日中には、何とか意見が申しあげられるつもりです。きょうは土曜日ですから、月曜にはまあ解決するだろうと思いますよ」

「ねえ、ワトスン君」ジェイベズ・ウィルスンが帰ってゆくと、ホームズが私に話しかけた。「この事件を君はどう解釈するね？」

「さっぱりわからん。じつに不可解な事件だねえ」私は正直なところを答えた。

「一般《いっぱん》に事件というものは、不可解であればあるだけ、解釈は容易なものだよ。ちょうど平凡《へいぼん》な顔というものが見覚えにくいように、平凡で特徴《とくちょう》のない犯罪というものこそ、ほんとうに解決がむずかしいものなんだ。しかし、この事件はぐずぐずしちゃいられない」

「では、これからいったいどうしようっていうんだい？」

「タバコさ。パイプでたっぷり三服というところだね、この問題は。すまないが五十分間だけ、話をしかけないでいてくれないか」

そういってホームズは椅子のなかにトグロをまき、やせた膝《ひざ》がしらがとがった鼻先にさわりそうなほど、えびのようにからだを曲げて黒い陶製《とうせい》のパイプを、怪鳥《かいちょう》のくちばしといったかっこうに口からつきださせ、じっと両眼《りょうめ》をとじて考えこんだ。見ているうちに、彼《かれ》は眠《ねむ》りこんだのにちがいないと思われるようになり、私自身もそろそろ眠けがさして、こくりこくりやりかけていた。とつぜん、やっと心がきまったかのように、彼はぬっと立ちあがり、パイプを静かにマントルピースのうえにおきながらいった。

「午後からセント・ジェームズ会館で、サラサーテの演奏があるんだが、どうだろうワトスン君、患者《かんじゃ》のほうは君が二、三時間留守にしては、困るだろうかね？」

「きょうはからだが空《あ》いてるんだ。だいたい僕《ぼく》は、いつでもそう忙しくはないんだがね」

「じゃ帽子《ぼうし》をかぶりたまえ。いっしょに行こう。はじめに下町《シティ》へよってゆくつもりだから、食事は途中《とちゅう》でやればよい。プログラムにはドイツものがだいぶ載《の》っているが、僕はいったいにフランスものやイタリアものよりも、ドイツものが好きだね。ドイツものは内省的だが、僕はいま大いに内省したいと思っているんだ。さア行こう」

私たちはオルダースゲートまで地下鉄で行った。そこからはちょっと歩くと、あの怪奇《かいき》な話の主人公ウィルスンの住んでいるサクス・コバーグ・スクエアに出られた。その町は小さな古びたむさくるしいコート（訳注 奥に四角な中庭的空地のある袋小路）で、すすけた煉瓦《れんが》だての二階家に四方をかこまれた中央の小さな空地《あきち》には、さくをめぐらしたなかに雑草といいたいほどの芝生《しばふ》があり、栄養不良の月桂樹《げっけいじゅ》が二、三本、煙《けむり》の多い不健康な外気にたいして、苦しい闘いをしていた。

角の家に金の球を三つ重ねてつるした質屋《しちや》の目じるしと、茶いろの板に白字でジェイベズ・ウィルスンと書いた看板の出ているのが、あの赤髪《あかげ》のウィルスンの店であると知れた。ホームズはその店のまえに立って頭をかしげ、眉根《まゆね》をよせて眼を輝《かがや》かせながら、縦横《じゅうおう》によく見ていたが、やがてゆっくり歩をうつして、いったん往来まで出て、引返してそのへんの家々を細かに見きわめながら、角の家までもどってきた。そして最後に、質屋のまえの舗石《しきいし》のうえをトントンと強く二、三度ステッキでたたいてから、ドアをたたいて案内を乞《こ》うた。するとなかからすぐにドアをあけて、利口者らしい髭のない若い男が現われてはいるようにといった。

「ありがとう。いえ、なに、ほかでもないけれど、ここからストランドへ出るには、どう行ったらよいか教えてもらいたいと思ってね」

「三つ目を右へ、四つ目を左へおいでなさい」相手の男はぶっきら棒にそういったなり、ピシャリとドアをしめてしまった。

「眼はしの利《き》きそうな男だね」ホームズは戸口をはなれて、私と肩《かた》をならべてその場を歩みさりながら、ちょっと顎《あご》をしゃくっていった。「眼はしの利くことにかけては、ロンドンで四番目の男なんだ。大胆《だいたん》さでは三番目の値うちはたしかだろう。あいつのことは、いささか知っているがね」

「ふむ、こんどの事件にはあの番頭が、たしかに何かの関係があるらしいね。それでわかったよ。用もないのに道をきいたりしたのは、あの男を一見したかったんだね？」

「あの男をではないよ」

「じゃ何だい？」

「あの男のズボンの膝をさ」

「それでどうだった？」

「予想したとおりだったさ」

「君はなんだってさっき、あんなに舗石をたたいたりしたんだい？」

「それもいいがワトスン君、いまはおしゃべりなんかしているときじゃないよ。観察しなきゃならない。われわれはいま、敵地に乗りこんだスパイなんだ。サクス・コバーグ・スクエアの状況《じょうきょう》はだいぶわかったから、こんどはこの表通りがどうなっているか、踏査《とうさ》してみよう」

裏町のサクス・コバーグ・スクエアからぐるっとまわって、反対がわの表通りへ出てみると、それはまるで一枚の絵の表と裏を見るような、著《いちじる》しい対照をなしていた。ここは大ロンドンの北部および西部と、下町《シティ》とをむすびつける大動脈にも似た主要街路の一つで、車道には往来する車馬が連続して二つの流れを形づくっており、歩道は急ぎあしにゆき交《か》う人の群れでまっ黒だった。美しい商店や、堂々たる事務所が軒《のき》をつらねているのを見ていると、いま出てきたあのむさくるしい町が、この裏に背中あわせになっていようとは、どうしても信じられないのだった。

「どれ、待ちたまえ」ホームズは角に立って、その軒なみを見わたしながら、「僕はこのへんの家々の、順序を記憶《きおく》しておきたいと思うんだ。ロンドンというものに対する、正確な知識をもちたいのが僕の道楽でね、ええと、一番がモーティマーの店で、つぎがタバコ屋、そのつぎが小さな雑誌屋、それからシティ・エンド・サバーバン銀行のコバーグ支店か。それから菜食者用レストランのつぎがマクファーレン馬車製造所の倉庫で角になっているね。じゃワトスン君、仕事はこれですんだから、こんどは音楽だ。サンドイッチとコーヒーを一杯《ばい》やって、サラサーテのヴァイオリンを聞きにゆこう。音楽の世界にはいれば、なごやかな調和と甘美《かんび》な陶酔《とうすい》とがあるばかりで、赤髪の男に奇怪な話をもちこまれて、悩《なや》まされる心配はもうないだろう」

シャーロック・ホームズは自身演奏がたいへん巧《たく》みであるばかりでなく、作曲にかけてもなみなみならぬ手腕《しゅわん》をもっているという、音楽熱心の男である。その午後いっぱいを彼は最大の幸福にひたって、細長い指を音楽にあわせて静かに動かしていた。こんなときのおだやかな、微笑《びしょう》をふくんだ顔つきや、夢《ゆめ》み心地《ごこち》のけだるそうな瞳《ひとみ》は、警察犬としてのホームズ、冷徹敏捷《れいてつびんしょう》な探偵《たんてい》としてのホームズとは、似てもつかぬものがあった。この不思議な性格は、二種の傾向《けいこう》が同時に対立することなく、交互《こうご》にまったく他を圧倒《あっとう》してしまうところからおこるのであって、一方の性質である極度の的確さとか慧敏《けいびん》さとかいうものは、一方の傾向である詩的な瞑想《めいそう》の世界に遊んだあとでは、その反動で、いっそうたちまさって目につくように思われるのである。

彼の気質は極端《きょくたん》なゆるみから極端な緊張《きんちょう》へ、また極端なゆるみへと移りかわって、その中間に停滞《ていたい》する場合というものがない。私はよく知っているが、だから、彼が幾《いく》日《にち》も幾日も、わき目には怠惰《たいだ》そうに肘掛椅子《ひじかけいす》にへばりついて、即興詩《そっきょうし》や古版の書物に埋《う》もれているときほど、しんじつ恐《おそ》るべきはないのだ。そうしているうちにとつぜん、あの活動欲がわきおこり、あのはげしい推理力が、まるで直感かと思われるばかり敏速に働きだし、彼の手法を知らぬ者の眼には人間以上の知能をもっているのではないかとまで、疑わせるにいたるのだ。

この日も私はセント・ジェームズ会館で、彼がすっかり音楽に浸《ひた》りきっているのを見て、この男に見込《みこ》まれたやつらにとって、一大危機が迫《せま》りつつあるのを感じたのである。

「ワトスン君、むろん君はすぐうちへ帰るだろうね？」会館を出ると、ホームズはこういった。

「さア、帰ってもいいけれど……」

「僕は少々手間どる用事がある。こんどのコバーグ事件は容易ならぬ事件だからね」

「なぜそうまで重大視するんだい？」

「途方もない犯罪をたくらんでいるやつがあるんだ。もっともわれわれの力で未然に防ぎうると信じてよい理由もあるんだが、ただきょうが土曜日だということが、すこしばかり問題を面倒にする。今晩は君の手を借りるかもしれないよ」

「何時に？」

「十時なら、十分間にあうだろう」

「じゃ十時にベーカー街へ行こう」

「頼《たの》む。そしてね、少々危険があるかもしれないから、軍用ピストルをポケットへ忍《しの》ばせてきたまえ」

そういってホームズはちょっと手を振《ふ》り、くるりとくびすをかえしたかと思うと、たちまち群衆のなかへ姿を消してしまった。

私は自分では、他人より頭が悪くはないつもりなのだが、ホームズを相手のときばかりはどういうものか、いつも自分が愚《おろ》かなものに見えていやになる。こんどだって私としては、彼とおなじく話を聞き、おなじだけのものを見ているのに、ホームズがすでに過去の事実はもとより、今後いかに事件が進展してゆくかについても、明らかな洞察《どうさつ》を下しているらしい口ぶりをもらしているのに反して、私には事件全体が、依《い》然《ぜん》として謎《なぞ》であり不可解であるのだ。

ケンジントンの家に帰る路《みち》すがら、私は馬車のなかでとっくりと、大英百科辞典の筆写をやらされた赤髪男の奇怪な物語から、午後に見たサクス・コバーグ・スクエアの家のこと、さては別れぎわにホームズのいった意味ありげな言葉などをくり返し考えてみた。だがさっぱりわからない。今晩は、夜の冒険《ぼうけん》があるというが、いったいどんなことをするのだろう？　なんのためピストルの用意がいるのだろう？　どこへ行って、どんなことをしようというのだ？　あのつるつる顔の質屋の番頭が恐ろしいやつ——恐ろしいことをたくらんでいるらしいホームズの口ぶりではあったが、どう考えてもこの謎は私には解けそうもない。でついにすべてを放棄《ほうき》して、自然にわかるときの来るのを待つよりほかあるまいと、私はあきらめてしまったのである。

私がその夜家を出たのは、九時十五分すぎであった。ハイド・パークをぬけて、オックスフォード街からベーカー街へ曲ってみると、ホームズの家のまえには二台の二輪馬車《ハンサム》が待っていた。入口をはいるとき、二階のほうで話声が聞えていたが、彼の部屋に通ってみると、ホームズは二人の男客と元気よく話をしていた。一人は私もかねて知りあいの警視庁のピーター・ジョーンズ君で、もう一人はやせて背がたかく、暗い顔つきの人で、いやに立派なフロックを着て、ピカピカとよく光るシルクハットをもっている。

「あ、来たね。これで人数はそろった」ホームズは私の姿を見ると、水夫ジャケットのボタンをかけながら、鞭架《むちかけ》から狩猟用《しゅりょうよう》の太い鞭をとりおろしていった。「ワトスン君は警視庁のジョーンズ君は知っていたね？　じゃ、メリーウェザーさんを紹介《しょうかい》しよう。今晩の冒険にお仲間いりを願ったんだ」

「また二人ずつ組になってやるわけですよ」ジョーンズが例のもったいぶった調子でいった。「ホームズさんは狩《か》りだしにはまったく妙《みょう》を得ていますよ。これで追いつめて仕とめる熟練した犬が一頭いれば、満点なんですがね」

「捕《とら》えてみたら鴨《かも》一羽、なんて結果にならなければよいですがねえ」メリーウェザー氏がぼそりといった。

「なに、ホームズさんのことだから、その点は信頼《しんらい》して大丈夫ですよ」ジョーンズが自分のことのように元気よくいった。「ホームズさんにはホームズさん独特のやり口があるんです。こう申しては失礼かもしれませんが、少々理屈《りくつ》にはしりすぎ、空想に傾《かたむ》きやすいところはありますけれど、それでも探偵としての素質は立派にもっています。正直なところ一、二度、たとえばあのショルトー殺しのアグラ大宝物事件(訳注『四つの署名』参照)のときなんか、本職の探偵よりも、見込みが真相にちかかったほどですからね」

「なるほど、ジョーンズさんがそうまでいわれるなら、大丈夫ですね」メリーウェザー氏はすなおに折れて、「しかし、私は勝負を棒にふってきたのですからな。正直なところ、土曜日の晩にカードの三番勝負をやらなかったのは、この二十七年間ついぞいちどもないことです」

「まア、見ていてごらんなさい」ホームズがいった。「今晩の勝負は、あなたもまだやったことのない大勝負になりますから。くらべものにならないほど、ハラハラさせられます。というのはね、あなたにとっては三万ポンドを失うかどうかの勝負だし、ジョーンズ君にとっては、かねがねねらっている男を首尾《しゅび》よく逮捕《たいほ》できるかどうかの大勝負になるのですからね」

「ジョン・クレーは殺人犯で窃盗犯《せっとうはん》で、贋金使《にせがね》いでかつ偽造《ぎぞう》犯人ですよ、メリーウェザーさん。まだ若い男ですが、悪事にかけては怖《おそ》るべき腕《うで》をもったやつです。ロンドンに悪人は多いですが、たとえほかのやつは全部とり逃《に》がしても、あいつだけはぜひ押《おさ》えてやりたいと思っているくらいなんです。それほどこのジョン・クレーというやつは若くてすごいのです。祖父は王族公爵《こうしゃく》で、彼自身もイートンの貴族学校やオックスフォード大学に学んだ男です。手先もよく働けば、頭も鋭《するど》くて、いたるところで痕《こん》跡《せき》は見うけるけれど、なかなか所在を知らせません。たとえば、今週スコットランドでどろぼうを働いたと思うと、来週はもうコーンウォールに現われて、孤児院《こじいん》建設をたねに金を集めているというやつです。私は多年、どうかしてこの男を捕えてやりたいとねらってきましたが、まだその正体を見たこともないという有様なのです」

「今晩こそ、そいつをうまくご紹介申したいもんだ。ジョン・クレーについては私も一、二回、ちょっとしたかかわりがあったが、あいつがその道の第一人者だというジョーンズ君の意見には、まったく賛成ですね。ところで、話しているうちに、もう十時をすぎました。そろそろ出かけましょう。あなたがたお二人は前の馬車に乗ってください。私はワトスン君とあとのに乗ります」

馬車に乗ってからは、ながい道中をほとんど口もきかず、ホームズは深々とうしろによりかかって、きょう聞いてきた曲を口ずさんでのみいた。ガス灯に照らされた夜の街路を、迷宮《めいきゅう》をさまようような気持で、馬車はごとごとと走りつづけ、ようやくファリンドン街までたどりついた。

「もうすぐだよ」ホームズがやっと口をきいた。「あのメリーウェザーというのは銀行の重役でね、こんどの事件には直接の関係があるんだよ。それに、ジョーンズにもいっしょに行ってもらったほうがよいと思ってね。あの男は探偵としちゃ、まるでなってない木偶《でく》の坊《ぼう》だが、人物はごくいい男だし、頼もしいところさえもっている。ブルドッグのように勇敢《ゆうかん》で、いったん捕えたが最後、牡蠣《かき》のように金輪際《こんりんざい》はなさない粘《ねば》りづよさをもっているのだ。さア、来たよ。みんなが待っている」

そこは今朝見にきた往来のはげしい通りだった。馬車をかえして、メリーウェザー氏の案内で狭《せま》い路地へはいり、彼のあけてくれた裏戸をくぐった。中は狭い廊下《ろうか》になっており、その先にひどく頑丈《がんじょう》な鉄門がある。それをあけて、石造りの回り階段を降りてゆくと、第二のいかめしいドアがあった。メリーウェザー氏はそこで立ちどまって、手さげ角灯をつけ、そのドアをくぐって土くさいまっ暗な通路をすすみ、第三のドアを越《こ》えてついに、ひろい地下の倉庫へと私たちをつれこんだ。周囲の壁《かべ》ぎわによせて木枠《きわく》や嵩《かさ》ばる木箱《きばこ》などがつみあげてある。

「これじゃ、うえのほうはそう不用心でもありませんね」ホームズは角灯をたかくあげて、あたりを見まわした。

「下だって大丈夫です」メリーウェザー氏はそういって、床《ゆか》に敷《し》きつめてある舗石のうえをステッキの先でトントンとついたが、「おや！　なんだかうつろな音がする！」と驚《おどろ》いて顔をあげた。

「もうすこし静かにしてくださらなければ困りますよ」ホームズがきびしくたしなめた。「せっかく出動したのが、おかげで台なしになりそうですよ。お願いですから、どうぞその箱のうえにでも腰《こし》をおろして、邪魔《じゃま》しないでいてください」

陰気《いんき》なメリーウェザー氏は苦りきって、木箱の端《はし》に腰をおろした。そのあいだにホームズは、床のうえに膝《ひざ》をついて、拡大鏡を出して角灯の光を頼《たよ》りに、舗石と舗石のあいだのつぎ目を調べはじめたが、二、三秒でたちまち満足したらしく、ぬっと立ちあがって、拡大鏡をポケットにしまいこんだ。

「すくなくともまだ一時間は余裕《よゆう》があります。というのは、あの人のよい質屋さんが床《とこ》につくまでは、手がつけられないでしょうからね。しかし、よしとなったら一分でもぐずぐずはしません。すこしでも早く仕事をすませば、それだけ逃亡《とうぼう》の時間が多くなるわけですからね。ワトスン君、もう気はついているだろうが、われわれはいまロンドン一流の大銀行の下町《シティ》支店の地下室にいるんだよ。メリーウェザーさんはその銀行の頭取だから、不敵な悪漢がなぜこの地下室に吸いつけられているか、その理由はメリーウェザーさんに尋《たず》ねてみたまえ」

「それはフランス金貨のためなんです」銀行頭取が低い声でいった。「襲《おそ》われそうだという警告は、すでに何回もうけていました」

「フランス金貨と申しますと？」

「私どもでは数カ月まえに、資金を強化する必要がありまして、フランス銀行からナポレオン金貨で三万枚、六十万フランだけ借りいれました。ところが、その金は封《ふう》をきる必要すらないことになりまして、そのまま地下室に放《ほう》りこんでありますが、その噂《うわさ》が、世間にパッとひろまりました。いま現に私の腰かけているこの木箱のなかにも、ナポレオン金貨が二千枚ずつ、鉛板《えんばん》に包んでおさめてあるのです。一支店として、こんなに多額の現金を保管しておくというのは例のないことでもあり、重役間でも憂慮《ゆうりょ》していたところです」

「無理もないことです」ホームズがいった。「ところで、こちらもいまのうちに計画をきめておくべきです。私の考えでは、一時間のうちにこの事件はやまばを迎えることになると思います。それまでは、メリーウェザーさん、その角灯に覆《おお》いをかけておいていただかないといけませんね」

「まっ暗ななかで待っているのですか？」

「仕方がありますまいね。私はカードを一組ポケットにいれてきました。ちょうど人数も四人だし、あなたのいう三番勝負もやれると思ったのですが、来てみると敵がわの準備が非常にすすんでいるようですから、あかりをつけておくのは危険です。それよりも、こちらの配置をよくきめておくのが第一です。相手は不敵なやつらですから、不意をつかれる不利が相手がたにあるとしても、よほど注意しないと、危害をうける恐れがあります。私はこの木箱のうしろに忍んでいるとしましょう。あなたがたはそちらへ隠《かく》れてください。そして私がパッと敵にあかりをさしむけたら、包囲するようにとびだすのです。もし向うが発砲《はっぽう》したら、ワトスン君はかまわないから容赦《ようしゃ》なくうち倒《たお》していいよ」

　私はピストルの安全装置《そうち》をはずして、隠れている木箱のうえに置いた。ホームズは角灯の前面にすべり板を入れて、あたりをまっ暗にしてしまった。まるきり何も見えない。こんな暗さというものは経験したことがない。真の闇《やみ》である。ただ金属の焼ける臭《にお》いがするので、いざといえばいつでも出せるように、あかりがまだ消さずにあることだけはわかった。いまかいまかという期待で、心が極度にはりつめているうえに、あたりは急に暗くなるし、地下室の空気は冷たくじめじめしているし、私はなんとなく圧迫《あっぱく》されるような胸苦しさを感じた。

「退路はただ一つ、サクス・コバーグ・スクエアの家へ逃げるしかない。ジョーンズ君、お願いしたとおりやってくれたでしょうね？」ホームズが小声でいった。

「警部に巡査《じゅんさ》を二人つけて、表に張りこませてあります」

「じゃ穴はすっかりふさがっているわけだ。あとはただ静かにして待つだけです」

それがいかにながく感じられたか。あとでみなと話しあってみると、一時間と十五分にしかすぎなかったのに、私にはもう夜があけて、地上では暁《あかつき》の光がさしはじめているのにちがいあるまいと思われた。身動きすら控《ひか》えていたので、手足の節々が痛んできたが、神経は極度に緊張して、聴覚《ちょうかく》など、みなの静かな呼吸音をさえ聞きとることができただけでなく、さらにすすんで、体格のよいジョーンズの深い呼吸と、メリーウェザー氏の細い、溜息《ためいき》のような息づかいとを聞きわけることすらできた。私のいるところからは、箱ごしに床の一部が見えていたが、そのうち突然《とつぜん》、ちらりと明るいものがひと条眼《すじめ》にうつった。

はじめは舗石《しきいし》のうえに一点、ちらと黄いろい光が見えただけであったが、しだいにひろがって黄いろい線になった。と不意に、なんの先ぶれもなく、音さえたてないで、舗石のあいだにわれ目ができたとみえ、そこから女のような白い手が一本現われて、その明るいところを手さぐりした。その間がおよそ一分間か、あるいはもっとだったろうか、指先でもぞもぞやっていると思ったら、ニュッといったん床の表につきでて、そのまま不意に引っこみ、われ目だけ明るくのこして、あたりはふたたび静かな暗黒となった。

けれども、その静寂《せいじゃく》はほんのつかの間で、ガラガラッとすさまじい音がして、大きな白い舗石が一枚横ざまにはね起され、四角い穴があんぐりと口をあいて、そこから角灯の光がさっと流れでた。と、その穴の口にクッキリした子供っぽい顔が一つニュッと現われて、鋭くあたりを見まわし、穴の両縁《りょうふち》に手をかけて肩《かた》をぬき、腰を現わし、片膝を縁にかけたと思うと、ひらりと上へあがってしまった。そしてすぐに、あとからあがろうとしている仲間——やはりやせて小柄《こがら》の、顔いろが青くて頭髪《とうはつ》のまっ赤な男をひきあげにかかった。

「上首尾だぞ」第二の男が低い声でいった。「タガネも袋《ふくろ》も持ってるだろうな、アーチイ？　おや！　いけねえ！　降りろ！　逃げるんだ！　早くしねえとしばり首だぞ！」

ホームズがいきなりとびだして、第一の男の襟首《えりくび》をつかんだのである。アーチイと呼ばれたほうは、穴のなかへ飛びおりた。その瞬間《しゅんかん》ジョーンズが、その男の着物をつかんだので、ビリビリと服の破れる音がした。ちらりとピストルの銃身《じゅうしん》が光った。と、間髪《かんはつ》をいれず、ホームズのむちがその手首をはっしとうったので、ピストルは下に落ちてカラリと音をたてた。

「そんなものが役にたつものか、ジョン・クレー。どんなことをしたって、もう絶対にだめだよ」ホームズがおだやかにいった。

「そうらしいや」相手は憎《にく》いほどおちつきはらって答えた。「しかし仲間のほうは大丈夫らしいね、着物の裾《すそ》だけはぶんどられたようだが」

「どっこい表には、三人であいつを張りこんでいるよ」

「えッ、ほんとかい？　そいつはまたばかに手回しよくていやがる。感服のいたりだよ」

「こっちもお前には感服するよ。赤髪《あかげ》組合の思いつきなんか、じつに新しくて効果的だったな」

「仲間にはすぐ会わしてやる」ジョーンズがいった。「あいつは穴もぐりにかけちゃ、おれより上手《うわて》だて。さア手を出せ。手錠《てじょう》をはめてやる」

「そんなけがれた手でさわるのはよしてもらいたいね」ジョン・クレーは手錠をはめられながらいった。「君は知るまいが、僕《ぼく》はこれで王室の血をうけている身だからね。僕に何かいうときは、『あなた』とか『どうぞ』とかいうきれいな言葉を使うようにしてもらいたい」

「よろしい」ジョーンズが眼を丸くし、苦笑をうかべていった。「では、恐《おそ》れいりますが、どうぞ上へおあがりください。馬車を求めて、殿下《でんか》を警察へご案内申しあげたいと存じます」

「それならよかろう」ジョン・クレーは静かにそういって、われわれ三人に頭をさげておき、ジョーンズに護《まも》られてしずしずと歩みさった。

「どうもホームズさん」メリーウェザー氏はそのあとにつづきながら話しかけた。「銀行はどうしてあなたに感謝したらよいか、どうしたらこのご恩に報《むく》いられるか、ほとほと途方《とほう》にくれますよ。何しろどうも、聞いたことすらない大胆不敵《だいたんふてき》な銀行どろぼうをさぐりだして、しかも、もののみごとにとり押えてくださったのですからねえ」

「私はこのジョン・クレーには、返してやらなければならないちょっとした借りがあったのです。きょうこそその借りをかえしてやったわけです。事件のためにはすこしばかり費用をかけていますから、それさえ払《はら》っていただけば満足なので、私としてはいろんな点から見て特異な経験を得ましたし、赤髪組合というおもしろい話も聞きましたから、それで十分報いられているのです」

「そこでね、ワトスン君」ホームズはその朝早くベーカー街で、ウイスキー・ソーダをやりながら説明してくれた。「あの赤髪組合の不思議な広告や、百科辞典を書きうつさせたことの真の目的は、ただ一つ、あまり利口でない質屋《しちや》の主人を、毎日何時間か留守にさせるという以外には、考えようのないことは、最初からわかりきっていたんだよ。考えてみるとおかしなやりかただけれど、そうかといって、ほかにこれ以上の名案もなかったろうからね。もちろん利口なクレーのやつが、相棒の頭の赤いところから思いついたのにちがいない。週四ポンドといえば、誰《だれ》でもとびつくからね。何万という仕事をたくらむ者にとって、そんな支出は何でもありゃしない。そこで新聞広告になり、一人は急ごしらえの事務所をかまえる、一人は主人を煽動《せんどう》してそれに応《おう》募《ぼ》させるというわけで、とにかく毎日家をあけさせるようにしたんだ。番頭が給金半額で来てくれたと聞いたときから、何かその位置を得なければならない強い動機の存在していることに、僕は気がついていた」

「しかし、その動機がどうしてわかったんだい？」

「あの質屋にもし女性がいたら、僕は単に卑俗《ひぞく》な情事関係の密計に見当をつけたかもしれない。しかし、じっさいその点は問題じゃなかった。つぎに、あの質屋はごくけちな店だから、あれほど手数のかかる準備行動をとったり、資本を投じたりする価値は、あの店そのものにはないはずだ。してみれば問題は、あの店以外にあるのでなければならない。では何だろう？　このときふと僕は、番頭が写真道楽――しょっちゅう穴倉へもぐりこむという話を思いだした。穴倉だ！　問題の中心は穴倉にある！　そこでなおよく番頭のことをきいてみると、そいつこそ冷静で大胆なことロンドンで無類のジョン・クレーだとわかったのだ。

ジョン・クレーが穴倉のなかで何かしている。幾月もひきつづき毎日数時間を要するほどの大仕事をしている。はたして何であるか？　ここまできて僕は、穴倉のなかからほかの家に向って、トンネルを掘《ほ》っているとしか考えようがないという結論に到《とう》達《たつ》した。

いっしょに質屋の付近を実地調査しに行ったとき、ここまで僕は推理をすすめていた。あのときステッキで舗石のうえを突《つ》いたので、変なことをすると思ったろうが、あれはね、トンネルがはたして家のまえのほうへ掘りすすめられているかどうか、それを確かめたんだよ。まえじゃなかった。それからベルを押《お》したら、うまい具合に番頭がでてきた。あいつとは、まえに二、三回小ぜりあいをやったことはあるけれど、おたがいに顔をあわすのははじめてなんだ。もっとも僕は、あのときほとんど顔なんか見なかった。見たかったのは膝がしらだ。あの膝がしらがどんなによごれ損《いた》んでいたか、君自身よく見たはずだ。いかに久しく穴掘りをやっているかを語るものだね。あとはただ、穴掘りの目的が何かという問題だけだ。そこで表通りへまわってみると、シティ・エンド・サバーバン銀行が、ちょうど質屋と背中あわせになっていた。そこまで見れば、もう問題は解けたというものだ。音楽会を出て、馬車で帰る君と別れてから、僕は警視庁へまわり、つぎにあの銀行頭取に会った。結果は、すべて君自身が見たとおりさ」

「しかし、彼《かれ》らが今晩仕事をするというのは、どうして知ったんだい？」

「赤髪組合の事務所を閉鎖《へいさ》したということは、彼らにとってジェイベズ・ウィルスンが家にいても、もう邪魔にはならなくなったのを意味する。言葉を変えていえば、トンネルが完成したのだ。トンネルが完成したら、一日も早く仕事にかかる必要がある。というのは、いつトンネルの奇計《きけい》が発覚するかもしれず、また、金貨がほかへ運びさられるかもしれないからね。それに、仕事をするには土曜日がいちばんいいのだ。月曜の朝までは露見《ろけん》の心配がまずないのだからね。そこで僕は、襲撃《しゅうげき》は今晩とにらんだのだ」

「じつにみごとな推理だ」私は心から感嘆《かんたん》した。「よくまアそこまで考えられたもんだねえ」

「おかげで退屈《たいくつ》がしのげたよ」ホームズはなまあくびをして答えた。「ああ、またそろそろ退屈がおしよせてきたようだ。僕の生甲《いきが》斐《い》は、生存の退屈さからのがれようともがくことで終始しているんだね。こうした事件があるので、ときどき退屈を忘れさせてくれるんだ」

「君は人類にとって恩人だよ」

ホームズは肩をすくめた。「うん、なアに、その、ほんの少しは役にたっているかねえ。L'homme c'est rien—l'œuvre c'est tout（人はむなしく、業績こそすべてだ）とギュスターヴ・フローベールもジョルジュ・サンドに書き送っているようにね」

——一八九一年八月　『ストランド』誌発表——

花婿《はなむこ》失踪《しっそう》事件

ベーカー街の彼《かれ》の下宿で、暖炉《だんろ》を両方からはさんでいるときだった。シャーロック・ホームズはこんなことをいいだした。

「ねえ君、人生というものは、人の考えだしたどんなものにもまして、不可思議千万《ふかしぎせんばん》なものだねえ。われわれの思いもよらないようなことが、実生活では平凡《へいぼん》きわまる実在として、ごろごろしているんだからなア。たとえば、いま二人が手に手をとってあの窓からぬけだし、この大都会の上空を飛行しえたとしてね、家々の屋根を静かにめくって、なかでいろんなことの行われているのをのぞいてみると仮定しよう。そこには奇怪《きかい》きわまる偶然《ぐうぜん》の暗合とか、いろんなたくらみとか、反目とか、そのほか思いもよらぬできごとが、それからそれへ連綿と行われており、そこからまた奇怪な結果が生みだされるというわけで、それにくらべたら、小説家の考えだした月並《つきなみ》ですぐ結末のわかる作品なんか、気のぬけた、愚《ぐ》にもつかぬたわごとにすぎないと思うよ」

「僕《ぼく》にはそうばかりとも思えないねえ。新聞で明るみに出されるいろんな事件なんか、きまって平凡で、卑俗《ひぞく》だよ。警察の調書といえば、写実主義を極度におしひろげたものだが、しかもその結果はといえば、いっこう魅惑的《みわくてき》でもなければ、芸術的だともいえないじゃないか」

「写実的効果を出すには、一定の取捨裁量が必要なんだ。警察の調書にはこれが欠けている。そしておそらく役人のねごとのほうが、事件の細目以上に重視されているんだ。事件の細目こそは、観察者にとって死活を制する要素だのにねえ。要するに、世の中に月並なものほど、不自然なものはありゃしないんだよ」

私は笑って反対した。「君がそう考えるのはよくわかる。それは君というものが、全世界の困りはてた人たちを助けてやる立場の私立探偵《しりつたんてい》として、世の中の奇怪な事象ばかりを見せつけられているからにきまってるよ。だがそいつを」と私は下に落ちていた新聞を拾いあげ、「ひとつ実地にためしてみようじゃないか。一番目につくのが、ええ、『妻を虐待《ぎゃくたい》する良人《おっと》』か。半段も書きたててあるが、内容は読まなくてもわかりきっている。むろんこれは、ほかに女がある。酒をのむ、突《つ》きとばす、なぐる、痣《あざ》ができる、そこへ同情者として姉妹とか家主のおかみとかがとびだすという筋だ。どんな粗末《そまつ》な作家でも、こんな粗雑な小説は書くまい」

「ふむ、あいにくなことに、こいつは君の論旨《ろんし》を裏切る実例なんだぜ」ホームズは新聞をとって、その記事に目をとおしながらいった。「これはダンダスの離婚《りこん》問題だが、偶然にも僕はこの問題に関連して、ちょっとした調査を依頼《いらい》されたことがある。それで知ってるのだが、良人というのは禁酒家で、ほかに女があるわけでもない。不和のおこりは、良人が食事の終るたびに義歯《いれば》をはずして、細君のほうへ放《ほう》りだすという悪《あく》癖《へき》がしみついたというにある。これなんかは、普通《ふつう》の小説家の想像力では及《およ》びもつかないのは、君だって認めるだろう？　どうだい、かぎタバコは？　君のほうからもちだした実例で、完全にやりこめられたんだから、口惜《くや》しくてもグウの音も出やしないだろう？」

ホームズは蓋《ふた》の中央に大きな紫水晶《むらさきずいしょう》を飾《かざ》った金のかぎタバコいれをさしだした。その美しさは、彼の簡素な生活ぶりに似あわしからぬものだったので、私は何とかいってみないではいられなかった。するとと彼は早くもそれと察して、

「ああ、忘れていたが、君とはずいぶん久しく会わなかったんだね。こいつは例のアイリーン・アドラーの写真事件で、僕の援助《えんじょ》に感謝するため、ボヘミア王から記念として贈《おく》られたのだよ」

「そしてその指輪は？」私はさっきから彼の指でいやに光っているものへ目をやった。

「こいつはオランダの王室からさ。だがこいつばっかりは、問題が非常に微妙《びみょう》だから、

いくら君でも話せないよ。僕の事件を丹念《たんねん》に記録してくれた特別の仲だけれどね」

「いま、何か手がけているおもしろい事件はないかい？」

「十あまりあるが、おもしろそうなのは一つもないね。おもしろくないからって、かるくあしらっていいという意味じゃないよ。それどころか、とるに足らぬ事件のなかにこそ、つねに観察の場があり、原因と結果とを敏速《びんそく》に分析《ぶんせき》する活《い》きた舞台があり、そこにこそこの仕事のもつ魅力があるのだと思う。大きい犯罪というものは、とかく簡単でありがちだ。というのは、犯罪が大きければ大きいだけ、がいして動機が明瞭《めいりょう》なものだからね。いま手をつけているうちでは、マルセイユから頼《たの》んできているのが一つだけ、やや複雑な趣《おもむき》をおびているが、あとは一つとしておもしろくなりそうもない。でも、こうしているうちにも、何かおもしろい事件がまいこんで来《こ》ないものでもない。たとえば、あの女なんか、僕のところへくる依頼者でなかったら、僕はよっぽどどうかしているよ」

彼はこのとき立って、半ば押《お》しあけたブラインドのあいだから、どんよりしたロンドンの往来を見おろしていたのであるが、そういわれて、彼の肩《かた》ごしにのぞいてみると、向うがわの歩道に、大きな毛皮のボアを首にかけた大柄《おおがら》な女が、大きな赤い鳥の羽根をうねらせた鍔《つば》びろの帽子《ぼうし》を、ゲインズボロ（訳注　一七二七—八八。イギリスの肖像・風景画家）の有名な

『デヴォンシャーの公爵夫人《こうしゃく》』のようになまめかしく傾《かたむ》けてかぶって立っていた。彼《かの》女《じょ》はこの非凡な服装《ふくそう》で、からだを前後にゆらせて、手袋《てぶくろ》のボタンをまさぐりながら、おずおずとこっちの窓を見あげていると思ったら、とつぜん、まるで水泳選手のスタートのときのように、勢いよく往来へとびだして、こちらがわへわたってきた。そしてすぐに、ベルの音がはげしく鳴りひびいた。

「こういう徴候《ちょうこう》を見かけるのは、これがはじめてじゃない」といって、ホームズは吸いかけのタバコを暖炉のなかへ投げすてた。「入口まで来てためらうのは、必ず恋愛《れんあい》問題だ。相談はしたいが、人にうちあけるにはちと恥《は》ずかしい気がする。もっともこれにも差異はある。男にひどい目にあわされたのなら、その女はためらいなぞしていない。その場合の徴候は呼鈴《よびりん》の紐《ひも》のきれるのが普通だ。きょうのやつは、恋愛問題であることは間違《まちが》いないと思うが、女は当惑し、悲しんでこそいるけれど、怒《おこ》ってはいないらしい。いずれにしても、本人が来たようだから、どっちだかはっきりとするだろう」

このときドアをノックして、制服の少年給仕が現われ、メアリー・サザーランド嬢《じょう》の来訪した旨《むね》をとりついだが、小さな給仕の黒服姿のすぐうしろには、水先案内船を先にたてた満帆《まんぱん》の大商船とでもいった形で、大柄の彼女自身がぬっと立っていた。ホームズはもちまえのものなれた調子で彼女を招じいれ、ドアをしめると肘掛椅子《ひじかけいす》をすすめておいて、彼独特の入念な、それでいてどこかぼんやりした態度で、じっと彼女を見つめた。

「お眼《め》がちかいのに、そうタイプライターをたたきつめるのは、さぞお骨の折れることでしょうね」

「はじめは困りましたけれど、いまではいちいち見ませんでも、字のある場所がわかっていますから」と彼女はいったが、ホームズの言葉のもつほんとうの意味に気がついて、ハッとした様子で、あけっぱなしな人のよい顔いっぱいに不安と驚《おどろ》きをうかべて見あげた。「あら、私のことご存じでいらっしゃいますのね？　だって、それでなきゃそんなことおわかりになるはずがございませんわ」

「まアいいですよ」ホームズは笑って、「何によらず物事を知るのは、私の商売ですからね。それできっと、ほかの人なら見おとすことも、つい見てとる習練ができているのでしょう。さもなければ、あなただって、私のところへ相談にいらっしゃるわけがないじゃありませんか」

「きょう伺《うかが》いましたのは、エサリッジ夫人からお名前をうかがったからでございます。エサリッジ夫人はご主人の行方《ゆくえ》が知れなくなって、警察へ頼んでもどこへ頼んでも、死んだものとして捜査《そうさ》をうちきってしまったのを、あなたにお願いしたら造作もなく見つけてくださったといって……ホームズさん、お願いでございます。どうぞ私にもお骨折りくださいまし。私はお金持ではございませんけれど、自由になりますお金が一年に百ポンドと、そのほかタイプライターで取れますのがすこしございますから、ホズマー・エンゼルさんの行方さえわかりましたら、これをみんなさしあげてもよいと思っております」

「なぜそんなに急に、相談にいらしったのですか？」ホームズは両手の指先をつき合せて、天井《てんじょう》を見あげながらいった。

どこかぬけたところのある彼女の顔に、このときふたたび驚きのいろがうかんだ。

「ええ私、家をとびだしてまいりましたの。それと申すのが、ウィンディバンクさん――私の父なんでございますけれど、それがあんまり平気な顔をしているんですもの。くやしくって……警察へも届けてくれなければ、あなたのところへご相談に来てくれるではなし、何もしようとしないで、ただ心配はないとくりかえしているだけで、あんまりですから、じりじりして、夢中《むちゅう》で支度《したく》だけしてとびだしてまいりましたの」

「お父さまとおっしゃったようですが、お名前がちがっているところをみると、義理のお父さまなんですね？」

「ええ、継父《けいふ》なんでございますの。でも、父と呼んでいますわ。年が五年と二カ月しかちがいませんから、すこし変なんですけれど」

「それで、お母さまはご存命ですか?」

「はい、達者でおります。父が亡《な》くなりまして、あまり早く母が再婚いたしましたので、それもその相手が十五も年下なのですから、いい気持はいたしませんでした。実父はトーテナム・コート通りで鉛管《えんかん》工事屋を経営いたしておりましたが、相当手びろいその仕事を遺《のこ》して亡くなりましたので、それからは母が職長のハーディと商売をつづけておりました。ですが、ウィンディバンクさんが来てから、この人はお酒の外交員なのでございますけれど、たいへん気位のたかい人でございますから、母にすすめてそのお店を売り払《はら》わせてしまったのです。お得意も営業権もそっくりふくめて四千七百ポンドでございましたけれど、父が生きていましたら、とてもそんな額で手ばなすことはございますまい」

こんな取りとめない、脈絡《みゃくらく》を欠く話には、我慢《がまん》できまいと思ったのに、意外にもホームズは非常な熱心さで、一心に耳を傾けていた。

「あなたの収入は、その事業のほうから来るのですか?」

「いいえ、それは別ですわ。このほうはオークランドのネッド伯父《おじ》から私のもらいました遺産で、四分五厘《りん》のニュージーランド公債《こうさい》で二千五百ポンドでございますけれど、利子だけしか手をつけられないことになっていますの」

「たいへんおもしろいお話です。年に百ポンドも利子がはいるうえに、働いてお金をおとりになるとすれば、さだめし旅行をしたり、そのほかいろんな好きなこともなされるわけですね。独身の女性なら、一年に六十ポンドもあればずいぶん結構にやってゆけますでしょうから」

「そんなにいりますものですか。でも家にいるあいだは、あの人たちに厄介《やっかい》をかけたくないと思いますから、いっしょに暮《くら》しているあいだだけ、そのお金はあの人たちの自由にさせてありますの。どうせここしばらくのあいだなんですもの。利子は四半期ごとにウィンディバンクさんが取ってきて、母に渡《わた》していますけれど、私はタイプのほうからはいるお金だけで、十分やってゆけますわ。一枚二ペンスで、一日に十五枚から二十枚は打てる日もございますから」

「それであなたの現在のご境遇《きょうぐう》はたいへんよくわかりました。ところでこちらはワトスン博士で、私同様どんなことをお話しになっても心配はない人です。ではどうぞ、ホズマー・エンゼルさんとの関係をお話しください」

メアリー嬢はぽっと赤くなり、もじもじとジャケットの飾りをまさぐりながら、

「ガス工事人の舞踏会《ぶとうかい》で知りあったのが最初でございますの。父の存命中から、切符《きっぷ》は送ってくれていましたけれど、亡くなってからも私たちのことを忘れずに、母あてに送ってくれるようになりました。でもウィンディバンクさんは、私たちがそこへ行くのに反対しました。あの人は私たちをどこへも出したがりません。私が日曜学校の娯楽会《ごらくかい》へ行きたがるのにさえ、むきになって反対する人です。でも、そうそうはいいなりになっておりません。こんどばかりは行かずにおくものですか。行きますとも。どうしてあの人に、それをとめる権利がありましょう？　父のお知りあいのかたが、みなさんいらっしゃるはずですのに、あの人ったら、私たちの交際にふさわしくない者ばかりだからと申しますの。そして、めったに簞笥《たんす》から出したことさえない紫のビロードの服がありますのに、お前はだいいち着てゆくものがあるまいと申しますの。そして、どうしてもとめられないとわかると、会社の用だとかってフランスへ行ってしまいました。でも私たち、母と私は、もとの職長のハーディさんにつれていってもらいましたわ。そしてそこではじめてホズマー・エンゼルさんと知りあいましたの」

「ウィンディバンクさんはフランスから帰ったとき、舞踏会へ行ったと聞いて、さぞご機嫌《きげん》が悪かったでしょうね？」

「いいえ、機嫌はようございましたわ。仕方がないというふうに笑って、女にはいけないといってみても、どうせ勝手に行ってしまうのだから、何もならないと申したのを覚えております」

「ふむ、ガス工事人の舞踏会でホズマー・エンゼルという紳士《しんし》と知りあって、それからどうしました？」

「その晩に会って、次の日は、ゆうべは無事に帰りましたかって、様子を見にきてくださいました。そのあとで私たちは二度ばかりいっしょに散歩をいたしました。でもそのあとで父が帰ってまいりましたので、エンゼルさんはもう家へは訪ねていらっしゃれなくなりましたの」

「来《こ》れなく？」

「はい。それは、父がそういうことをきらいますの。父は、できればお客さまはいっさい来てもらいたくないのでございます。女は家庭を楽しんでおればそれでよいのだと口癖《くちぐせ》に申します。でも私、いつも母にそう申しますのよ。女だってまずお友達を作って、交際のお仲間をもちたいのに、私まだそんな人一人もないのですもの」

「それでエンゼルさんはどうしました？　何とかしてあなたに会おうとはしなかったのですか？」

「それがね、父が一週間すればまたフランスへ行くはずでしたから、あの人から手紙で、それまでは会わないでいたほうが心配がなくてよいからと申してまいりましたの。会わなくても、手紙というものがあるんですもの。あの人毎日くれましたわ。毎朝私がとりに出ますから、父に知れることなんかありませんの」

「そのときはもう、婚約ができていたのですか？」

「そうですの、最初の散歩のとき、そのお約束《やくそく》ができましたの。エンゼルさんはレドンホール街のある会社の会計係で……」

「何という会社ですか？」

「それがホームズさん、困ったことにわかりませんの」

「家ならわかっているでしょう？」

「会社のなかに寝泊《ねとま》りしていらっしゃいますの」

「会社の番地もわからないのですか？」

「ええ、ただレドンホール街とだけしか」

「だって、手紙を出すときはどうするのですか？」

「レドンホール街の郵便局留置《とめおき》で出しますの。会社へ女文字の手紙など行くと、みんなして冷やかして困るのですって。それで私、あの人もそうですから、タイプにしようといったのですけれど、あの人いやだと申しますの。書いた手紙ですと、さも私から来たような気がしてうれしいけれど、タイプですと機械が中にはさまっているようで、気持がぴたりとしないのですって。あの人がどんなに私を愛しているか、そしてどんなに細かいところまで気のつく、心のやさしい人か、これでもおわかりになりますでしょう、ホームズさん？」

「よくわかりました。たいへん得《う》るところがありました。私はもとから、ほんの細かなことこそ、何より役にたつものだというのを金言にしていますが、エンゼルさんのことで、細かなことで結構ですがほかに何か思いだすことはありませんか？」

「あの人はたいそう羞《はに》かみやさんですの。私といっしょに散歩するのだって、目だつのがいやだからって、夜にしたがるくらいですもの。ほんとに引込《ひっこ》み思案の、おとなしいかたでございますのよ。声までそうですわ。若いとき扁桃腺《へんとうせん》と腺腫脹《せんしゅちょう》を患《わずら》ったので、いまでも咽喉《のど》が弱くって、何かいうのにどもるような低い声で話す癖がついたのですって。身なりはいつも立派で、きちんとしていますけれど、私とおなじに眼が弱いので、強い光線を防ぐため色めがねをかけています」

「それで、お父さまのウィンディバンクさんがフランスへお発《た》ちになってから、どんなことになりました？」

「エンゼルさんが宅へいらしって、父の帰らないうちに結婚《けっこん》してしまわなければと、お話がございました。そして恐《おそ》ろしいほど真剣《しんけん》で、私に聖書のうえに手をおいて、どんなことがあってもけっして心がわりはしないと誓《ちか》いをたてさせました。母はそのことを、あの人として無理のないことだ、それもこれもあの人の情の深さがさせるのだと申しておりました。母ははじめからあの人が大のお気にいりで、どうかすると、母のほうが私よりも深くあの人を愛していたかもしれません。

一週間のうちに結婚という話が、母も加えた席で出ましたので、私は一応父の帰りを待ったほうがよいと申しましたのですが、あとで話せばよいのだからと二人でそう申します。母は大丈夫《だいじょうぶ》私がうまく話してあげると引受けてくれました。でも私としてはそれでは気がすみません。いくつも年のちがわない父に、許しを求めると申すのもすこし変ですけれど、何事によらず陰《かげ》でコソコソするのは私きらいですから、会社のボルドー支店あてで父に手紙を出しました。でもその手紙が、ちょうど結婚式の日の朝になって、そのままもどってまいりましたの」

「お父さまの手にはいらなかったのですね？」

「ええ、ちょうど父の発ちましたあとへ着きましたの」

「ほう、そいつは不運でしたね。それで、結婚式の日どりはこの金曜日というとりきめで、場所は教会ですか？」

「ええ、でもごく内輪にね。場所はキングス・クロス駅にちかい聖《セント》セーヴィア教会で、式のあとで聖《セント》パンクラス・ホテルで披露宴《ひろうえん》をすることになっていましたの。その日ホズマーは二輪馬車《ハンサム》（訳注　二人乗り）で宅へ迎《むか》えに来てくれましたけれど、こちらは母と二人ですから、あの人はまず私たちをそれへ乗せてくれ、自分はちょうどそのときタクシー馬車は四輪馬車しか見あたりませんでしたから、それへ乗って出かけました。

教会へは私たちが先に着きました。そしてあとからきた四輪馬車から、あの人が降りるのを待っていますと、どうしたものか待っても誰《だれ》も降りて参りません。駆者《ぎょしゃ》も、駆者台から降りてなかをのぞいてみて、びっくりしていました。いるはずのあの人がいないのですもの！　駆者は、あの人が乗るのをたしかに見とどけてから、車を走らせたのだから、それがどうしていなくなったのかわけがわからないと申しておりました。それがこの金曜のことで、それからあの人はどうなったのですか、手紙一本参りませんし、誰にきいてみてもわからないのでございます」

「ひどい恥ずかしめをおうけになったものですね？」

「いいえ、それはちがいますわ。あの人にかぎって、私をすててしまうなんて、そんなひどいことのできるかたではございません。だってその朝もあの人は、どんなことがあってもけっして心がわりをしないように、たとい何か思いもよらぬ不幸なことがおこって、万一二人が別れ別れになるようなことがあっても、誓ったことをけっして忘れないように、いつかは必ずお前を引取りに名のり出るからって、それぱっかりいってたくらいですもの。式の朝にそんなことをいうのは妙《みょう》だと思いますけれど、あとでおこったことと考え合せてみますと、これには何か深いわけがあるようにも考えられますの」

「たしかに何かありますね。それであなたのお考えでは、エンゼルさんの身のうえに、何か思いがけない不幸なことでもおこったという……」

「ええ、何か虫の知らせがあったのだと思います。さもなければ、あんなことを口にするわけがありません。虫の知らせがほんとうだったのです」

「ただそれが何であったか、あなたにもまるで見当がつかないというわけですね？」

「そうですの」

「もう一つお尋《たず》ねしますが、お母さまは何とおっしゃっています？」

「母は怒《おこ》って、二度とこのことを口にしてくれるなと申しました」

「お父さまは？　お父さまにはお話しになりましたか？」

「ええ、父も私とおなじ考えで、何か思いがけないことがおこったのだろうから、いまに何とかいってくるだろうと申しております。父も申しますように、私のような者を結婚するとだまして、教会の門口《かどぐち》までつれだして逃《に》げてみても、何になりましょう？　これがもし、私からお金でも借りているとか、結婚によってあの人のものになったお金でもあるというのならば、話がわからなくもありませんけれど、お金のことでホズマーは他人に頼《たよ》るような人ではございません。一シリングだって私のものに目をくれたことなぞございません。それなのにまア、いったいどうしたのでしょう？　どうして手紙一本よこさないのでしょう？　考えていると私、気が狂《くる》いそうになりますわ。夜だってまんじりともやすめませんの」

彼女はマフから小型のハンカチを出して顔におしあて、はげしくすすり泣きだした。

「調べてあげましょう」ホームズは腰《こし》をあげながらいった。「必ずある成果が得られるものと思いますから、すっかり私におまかせなさい。そしてあなたはもう何も考えないことです。何よりもまず、ホズマー・エンゼルさんのことをお忘れなさい。本人が消えさったのですから、あの人の記憶《きおく》をいっさいあなたの胸の底から追いだしてしまうのです」

「ではもうあの人には、二度と会えないのでございましょうか？」

「お気の毒ですけれどね」

「ではあの人はどうなったのでしょう？」

「そのことは私にまかせておきなさい。それよりも、エンゼルさんの正確な人相が知りたいものです。それに、手紙がありましたら、どんなのでも一通見せていただきたいものです」

「土曜日の『クロニクル』新聞に、尋ね人の広告を出しました。その切抜《きりぬ》きがここにあります。手紙は、四通だけもってまいりました」

「ありがとう。そしてあなたのお住居《すまい》は？」

「カンバウエル区のライオン・プレースの三一番でございます」

「エンゼルさんの住所はわからないのだし……お父さまの会社はどこにありますか？」

「フェンチャーチ街の有名なクラレット（訳注　ボルドー・ワイン）輸入業のウェストハウス・エンド・マーバンク商会でございますの」

「ありがとう。お話はたいへんよくわかりました。この手紙と切抜きはお預りしておきます。さっき申しあげたことをお忘れにならないように。こんな問題は全然知らなかったことにするのです。こんなことで、あなたの生甲《いきが》斐《い》を台なしにされないようにしなくてはなりません」

「ご親切ありがとうございます。でも私にはそうはまいりません。いつまでもホズマーに誠《まこと》をたてとおすつもりでおりますの。いつまでも、帰ってくれるのを待っておりますわ」

ばかげた帽子《ぼうし》をかぶり、まのぬけた顔はしていても、彼女《かのじょ》の単純な誠実さのなかには、どこかけだかいものすら感じられ、自然に頭のさがる思いであった。彼女は手紙と切抜きとをテーブルのうえにおき、用事があればいつでも来るからといいおいて、帰っていった。

彼女が帰っていってからもしばらくは、ホームズは両脚《りょうあし》を投げだし、両手の指をつき合せて、じっと天井《てんじょう》の一角をにらみつけていたが、やがて脂《やに》のしみた陶製《とうせい》の古いパイプをとりあげ、その古いなじみの相談相手に火をうつして、ふかぶかと椅子《いす》にかけなおし、濃《こ》い紫《むらさき》の煙《けむり》をもくもくと渦《うず》まかせながら、さもものうくてたまらぬという顔つきをしていった。

「あの娘《むすめ》さん、なかなかおもしろい研究ものだぜ。もってきた事件よりも、あの女自身のほうがずっとおもしろいや。事件といえば、これはいっこうに珍《めずら》しいものじゃない。僕《ぼく》の索引《さくいん》をくってみたまえ、一八七七年にアンドーヴァーの町でおなじような事件があったし、オランダのハーグでは去年も似たようなことがあった。趣向《しゅこう》はふるいものなんだ。もっともこんどのは二、三、目あたらしい点がないではないけれど、それにしてもあの女自身ほど啓発的《けいはつてき》なものはない」

「僕にはさっぱりわからなかったけれど、君はあの女を見て、よほどいろんなことを読みとったらしいね」

「わからないのは見えないのじゃなくて、不注意だからさ。見るべき場所を見ないから、それで大切なものをすべて見おとすのさ。袖口《そでぐち》やおや指の爪《つめ》や靴《くつ》の紐《ひも》が、どれほど重要なものであるか、どんなに暗示に富んでいるか知れやしないのだぜ。君はあの女の外見から何を知りえたか、それを言ってみたまえ」

「そうさ、石板いろで鍔《つば》のひろい麦藁《むぎわら》帽子に、煉瓦《れんが》いろの鳥の羽根を一本飾《かざ》っていた。ジャケットは黒で、それに黒いビーズを縫《ぬ》いつけ、黒い玉の縁飾《ふちかざ》りがあった。衣裳《いしょう》はコーヒーよりもすこし濃いめの茶いろで、襟《えり》と袖口に紫のビロードの飾りが小さくついていた。手袋《てぶくろ》は鼠《ねずみ》いろで、右のひとさし指に穴があいていた。そのほか靴は見なかったが、小さな丸い金のイヤリングをつけていた。全体の様子は、下品で、無反省ではあるが、暮《くら》しむきは相当ゆたかだと思った」

ホームズはフフと笑って、かるく拍手《はくしゅ》した。

「これは驚《おどろ》いた。君は大いに進歩してきたね。まったく大出来だよ。重要なことをすべて見おとしているのは事実だが、方法だけは会得《えとく》したのだから偉《えら》い。それに色の感覚が鋭敏《えいびん》だよ。概念的《がいねんてき》な印象に頼るのをやめて、細かい点に注意力を集中することだね。僕は女を見たら、いちばんに袖口に注意する。男ならズボンの膝《ひざ》のほうがよかろう。君も気のついたように、あの女は袖口にビロードを使っていたが、これくらいあとのつきやすい生地《きじ》はない。手首のすぐうえのところに、条《すじ》が二本ついていたが、タイプを使うときに、あそこをテーブルに押《お》しつけるわけなんだ。手回しのミシンでもおなじ条ができるが、この場合は左手だけだ。左手のおや指からいちばん遠い部分に条がつく。あの女のように右手に幅《はば》ひろくつくことはない。それから顔に目をうつすと、鼻すじの両がわに鼻めがねではさんだあとがのこっていた。それで近眼でタイプを打つ云々《うんぬん》とやったのだが、ちょっと驚いていたようだね」

「僕だって、あれには驚かされたよ」

「何も驚くほどのことじゃないさ。それよりも僕は、だんだん下へいって、はいている靴が右と左とだいたい似た品物ではあるけれど、よく見るとじつは片チンバなのを発見したときは、おもしろくもあったけれど、それこそ驚いたぜ。あの靴は、一方は先皮にちょっとした飾りがあるし、一方はそれがなくて、まったくの片チンバなんだ。しかも一方は五つあるボタンのうち下の二つだけしかかけてないし、一方は一番と三番と五番だけしかかけてないんだ。若い婦人が、ほかのところはきちんととりすました服装《ふくそう》をしているのに、靴だけが片チンバで、しかもボタンを満足にかけていないとしたら、よほど急いで家をとびだしてきたものと考えてもよかろうじゃないか」

「もっと何かあるだろう？」いつものことながら、ホームズの鋭《するど》い推理に、私はすくなからず興味をそそられたのである。

「そういえば、すっかり着がえをすませてから、出がけに手紙を書いたことに気がついた。右の手袋のひとさし指に穴のあるのは、君も気がついたようだが、その手袋にもひとさし指にも紫インキのついていたのは、見おとしたらしいね。非常に急いでいたため、ペンをインキ瓶《びん》に深く突《つ》っこみすぎたのだ。しかもそれが手袋ばかりでなく、指にものこっているのは、今朝のできごとである証拠《しょうこ》だ。いささか初歩的なきらいはあるが、こう拾いあげてみると、なかなかおもしろいね。しかしおもしろがってばかりいちゃいけない。仕事にかからなきゃね。ホズマー・エンゼルの人相の示されている尋ね人広告を読みあげてみてくれないか」

私は小さな切抜きをとって、明るいほうへかざした。

尋ね人――十四日朝以来ホズマー・エンゼルという紳士《しんし》行方《ゆくえ》不明。身長五フィート七インチぐらい、体格よく顔色浅黒し、髪《かみ》黒く中央少々はげ、黒い顎鬚《あごひげ》と頬髯《ほおひげ》深く、色めがねを用い言語少々不明晰《ふめいせき》。絹裏折返しつき黒フロックコートに黒チョッキ、片さげ金鎖《きんぐさり》を用い、鼠いろスコッチのズボンに深ゴム靴、茶いろスパッツを着用。レドンホール街の某《ぼう》商会に勤務のはず、下記へ同伴《どうはん》くださった方には……

「おっと、そこまでで結構だよ。手紙のほうは、ごく平凡《へいぼん》なものだ」とホームズはそれに目をとおしながらいった。「バルザックの言葉が一度引用してあるだけで、これという手掛《てがか》りはない。もっとも一つだけは特徴《とくちょう》がある。こいつは君を喜ばすね、きっと」

「タイプで打ってあるね」

「うん、本文ばかりじゃなく、署名までそうなんだ。このとおり最後に、ホズマー・エンゼルときちんと打ってあるぜ。日付はあるが、住所ははいっていない。レドンホール街にてとあるだけだ。この署名がすこぶる暗示的だて。いやむしろ、決定的といってもよい」

「決定的とは何が？」

「ワトスン君、この事実がこの事件にどれほど重大な意味をもつか、よもやわからないというんじゃあるまいね？」

「さア、エンゼルは万一婚約不履行《ふりこう》で訴訟《そしょう》にでもなったときに備えて、あらかじめ署名の有無《うむ》で争う下心じゃなかろうか。それ以外僕には見当もつかないね」

「いや、そんなことじゃないんだ。が、まア、僕は手紙を二通書くが、それで問題は解決すると思う。一通は下町《シティ》のある会社あてに、一通はメアリー・サザーランドの継《けい》父《ふ》ウィンディバンクへ、あすの晩六時にここへ来てもらえまいかと頼《たの》むのだ。すべて問題は男どうしで話をつけたほうがよかろうからね。この手紙の返事の来るまでは、これといってべつにすることもないのだから、問題はしばらくお預けとしておこうよ」

ホームズの鋭い推理力と異常な活動力とを、多くの理由から深く信頼《しんらい》していた私は、この奇怪《きかい》きわまる事件をかくも無造作に扱《あつか》い、さも自信ありげな口ぶりをもらすからには、何か確乎《かっこ》たる根拠《こんきょ》をもっているのにちがいないと思った。私もいちどだけは彼の失敗したのを知っている。ボヘミア王の事件、すなわちアイリーン・アドラーの写真事件である。しかしかのうす気味わるい「四つの署名」事件や、世にも不思議な「緋色《ひいろ》の研究」事件を回顧《かいこ》してみるとき、ホームズならどんなに複雑な事件でも、必ず解決するにちがいないと信じざるをえないのである。

そこで私は、依然《いぜん》としてまっ黒になった陶製のパイプを燻《くゆ》らしつづけるホームズを、椅子のなかにのこして帰途《きと》についたが、彼のその態度には、あすの夕方君のやってくるまでには、メアリー・サザーランドの失踪《しっそう》した花婿《はなむこ》が何者なるかを知るべき、あらゆる手掛りを手中におさめておくよといわぬばかりの、堅《かた》い信念がうかがわれた。

そのころ私は重態の患者《かんじゃ》を一人引受けていたので、翌日は終日その患者につききりだった。そして六時まぢかになってやっとぬけられたので、通りあわせた二輪馬車《ハンサム》にとびのり、事件に手を貸すには遅《おそ》すぎたろうと心配しながら、ベーカー街へと急がせた。だが行ってみるとホームズは独りで、やせたひょろ長いからだを肘掛《ひじかけ》椅子のなかにまるめ、半ば眠《ねむ》っている様子だった。室内には瓶やら試験管の類がおそろしくたくさんならべられて、鼻をさす塩酸の臭気《しゅうき》がただよっている。またしても好きな化学実験をやって、一日をすごしたのにちがいない。

「どうだ、わかったかい?」私ははいるなり尋ねた。

「うん、重土の重硫酸塩《じゅうりゅうさんえん》だったよ」

「いや、それじゃない。事件のほうだよ」

「ああれか。僕はまた、いままで分析《ぶんせき》していた塩類のことかと思った。事件のほうならきのうもいったとおり、ちょっとおもしろい点もあるにはあるが、解けるも解けないもないのだよ。唯一《ゆいいつ》の障害ともいうべきは、悪いことをしたやつを罰《ばっ》する法律がなさそうなことだけさ」

「じゃいったい何者なんだね？　何が目的でメアリーをすてたんだろう？」

この言葉の終るか終らないかに、そしてホームズが何か答えようと口を開きかけたところへ、廊下《ろうか》に重い足音がして、ドアをノックする者があった。

「義父のウィンディバンクが来たんだよ。六時に来るという返事がきている。――どうぞ」

はいってきたのは三十そこその、中柄《ちゅうがら》ながら屈強《くっきょう》の男で、血色のわるい顔をきれいにそっており、態度には世なれたはだざわりの柔《やわ》らかさがあって、灰いろの双眼《そうがん》は射るような異様な鋭さをもっていた。まず私たちをじろりと見てから、ピカピカ光るシルクハットをサイドテーブルのうえに置き、かるく一礼してから手近の椅子に斜《なな》めに腰をおろした。

「ジェームズ・ウィンディバンクさん、よくいらしてくださいました。このタイプで打ったお手紙はあなたがくださったのですね。六時においでくださるとあります」

「はい、少々遅《おく》れましたが、自分の自由にばかりもならぬ身なものでして。こんどのことでサザーランドの娘がお手数をおかけしたのは、まことに不本意でした。こうした問題で内輪のボロを世間にさらすのは、トンと感心しませんでねえ。あの娘がこちらへ伺《うかが》うのは、かたく私からさしとめておいたのですが、何しろご覧《らん》のとおり激《げき》しやすい、わがまま者のことで、いったんこうときめたら、なかなか承知しないので閉口させられます。むろんあなたは警察とは関係のないかたですから、あなたに知れるのはさほど厭《いと》いもしませんが、それでもこうした家庭内の不幸がよそさまに知れるのは、よい気持はしませんからねえ。だいいち無用の出費というものですよ。どんなにお骨折りくださっても、ホズマー・エンゼルの行方はわかりっこありますまいからねえ」

「ところがね、私はホズマー・エンゼルさんを首尾《しゅび》よくさがしだすことができると確信をもっていますよ」ホームズが澄《す》ましていった。

ウィンディバンクはギクリとして、手袋をとり落した。

「それは何よりのことです」

「タイプライターは妙なものでしてね。打った文字には、人の書いた肉筆文字とおなじに、それぞれ個性のあるものですよ。器械がまったく新しければ別ですが、さもなければ、どの二つをとってみても、打った文字がまったくおなじというのは一つもありません。ある文字がほかのよりも磨滅《まめつ》がひどいとか、片寄って磨滅しているとかするものです。そこであなたのこのお手紙ですが、どれを見てもｅの字がすこしぼやけていますし、ｒは耳のところがすこし欠けています。特徴は全部で十六ありますが、この二つはとくにわかりやすいのです」

「事務所の通信はみんなこの器械で打つのですから、むろんすこしは損じてもいましょう」

ウィンディバンクはその鋭い小さな眼で、じろりとホームズを見た。

「そこで、たいへんおもしろい問題があるのですがね、ウィンディバンクさん。いったい私は、タイプライターと犯罪の関係について、小論文をもう一つ書こうと思っているのですが、これはかねてからすこしばかり研究している題目なのです。で、ここに失踪したホズマー・エンゼルさんから来たという手紙が四通だけありますが、みんなタイプで打ったものです。ところが、どの一つを見ても、eがぼけ、rの耳が欠けているばかりでなく、その拡大鏡で見ていただけばわかりますが、さっき申した十六の特徴が、そっくり現われているのですよ」

ウィンディバンクはすっくと立ちあがって、帽子を手にとった。

「こんなとりとめもない話に費やしている時間はありません。あの男が捕《つか》まるなら、どうぞ捕まえてください。そして捕まったら、私に知らせてください」

「承知しました」ホームズはつかつかと戸口へ行って、ドアに錠《じょう》をかけた。「それではお知らせしますが、私はもう捕まえましたよ」

「えッ、なに？　どこに？」ウィンディバンクはまっ青になって、鼠とりにかかった鼠のように、あたりをキョロキョロ見まわした。

「だめですよ。ほんとにもうだめです」ホームズはおだやかにいった。「どんなにもがいても、逃げられません。あまりにも見えすいていますからねえ。それにあなたは、こんな簡単な問題を、お前には解けっこないとおっしゃったが、あれはまことによくないご挨拶《あいさつ》でしたよ。しかし、まアよろしい。そこへおかけなさい。とっくりご相談しましょう」

客は色青ざめ、額に汗《あせ》をにじませて、椅子にくず折れた。

「そ、そ、訴訟にはなりますまいな？」

「残念ながら、たぶんなるまいと思いますよ。しかしウィンディバンクさん、この場かぎりの話ですが、これはながい私の経験にもかつて見ない残酷《ざんこく》な、得手勝手な、無情きわまる詭計《きけい》でしたな。それではこれから私が、順序を追って問題の顚末《てんまつ》を話してみますから、もし間違《まちが》ったところがあったら、遠慮《えんりょ》なく注意してください」

ウィンディバンクは小さくなって腰《こし》をおろし、まったくうち挫《ひし》がれた形で深くうなだれた。

ホームズはマントルピースの一角に足をかけ、両手をポケットに、からだをうしろへ突っぱるようにして、独りごとでもいっているような調子で話しだした。
「その男は相手の金に目をつけて、たいへん年うえの女と結婚《けっこん》した。その女の娘《むすめ》の金も、娘がいっしょに暮しているかぎり、自分の自由になった。娘の金は、彼らの身分としてはかなりの額だから、それを失えば手痛い打撃《だげき》になる。何とかしてそれをのがさぬ算段をめぐらす価値は十分あった。娘は気だてもよく、愛らしいうえに、愛情ぶかいところがあるばかりか、自分名義の財産があるのだから、世間がいつまでも放《ほう》っておかないのはわかりきっていた。娘の結婚は一年百ポンドの損失を意味するとなれば、彼女《かのじょ》の継父としてどんな手段を考えたらよいか？

さしあたり彼女を家のなかに引きとめ、おなじ年ごろの男との交際を禁じてみたが、いつまでもそんなことでは効果のないのがわかった。娘はいうことをきかなくなり、自分の権利を主張し、はてはある舞踏会《ぶとうかい》へ行くことについて、積極的な意思表示をするまでになった。そこで抜《ぬ》け目のない継父として、どうすればよいか？　彼は情に訴《うった》えることをやめ、もっぱら理智《りち》の力による一つの方策を案出した。というのは妻の黙《もく》認《にん》と援助《えんじょ》のもとに、彼はその鋭い眼光を色めがねで隠《かく》し、鼻下と両の頬に濃いつけ髭《ひげ》をつけ、その明晰な音声をころしてやさしいつくり声を使い、娘が近眼であるためいっそう安心して、ホズマー・エンゼルという架空《かくう》の人物になりすまし、みずから彼女に恋愛《れんあい》をしかけて、ほかの男たちをよせつけないという方法です」

「はじめはただ冗談《じょうだん》にしたことです。娘があんなに本気になるとは、二人とも思いもよらぬことでした」

「そんなことでしょう。それはともかく、娘さんはすっかり夢中《むちゅう》になって、継父はフランスへ行っていると信じきっていることでもあり、そんな裏ぎりが行われていようとは夢《ゆめ》にも思わない。男の心づくしにすっかり喜んでしまい、母親が公然と男をほめちぎったことも手つだって、有頂天にのぼせあがってしまった。そこでエンゼルは娘を訪問するようになった。実質的な効果を期待するなら、行きつくところまで事をすすめなければならないのは申すまでもありません。

それから何回かの会合があり、婚約とまでなった。この婚約こそは、娘の心をほかの男に向けさせない決定的な保証なのだ。けれども、いつまでもだましておくというわけにはゆかない。それにいちいちフランスへ行った顔をするのもいささか煩《わずら》わしい。ではどうしたらよいか。それにはこの婚約にドラマチックな結末を与《あた》えて、娘の胸に終生忘れられぬ深い印象を植えつけ、当分ほかへ心を向けさせぬようにするのがよいのは申すまでもありません。

そこで聖書にかけて真実の誓約《せいやく》となり、結婚式の朝になって、何かおこった場合のことを仄《ほの》めかすことになったのだ。ジェームズ・ウィンディバンクの望むところは、メアリー・サザーランドがあくまでもホズマー・エンゼルを忘れず、しかも生死のほどが知れぬため、すくなくとも十年間は、ほかの男に心を向けないでくれることだ。そこで彼は、教会の戸口までは彼女を送りつけることはできても、それから先はまさかはいってもゆかれないのだから、四輪馬車の一方の口から乗って、そのまま反対がわへぬけるという例のふるい手を使って、姿を隠してしまったのだ――どうです、これで経過はつくしているつもりですがね」

ホームズの話しているあいだに、ウィンディバンクはいくらか度胸をすえなおし、いまはその青じろい顔に冷笑さえうかべて立ちあがった。

「そうかもしれず、そうでないかもしれない。いずれにしても君がそれほど目端《めはし》が利《き》くというんなら、法を犯《おか》しているのはこの私じゃなくて、君自身だということくらい、わかりそうなもんだね。私ははじめから、訴えられるようなことは何もしてやしない。しかもあのドアに錠をかっておくというのは、人権を侵害《しんがい》するものであり、君自身不法監禁《かんきん》の罪を犯しているというものだ」

「仰《おお》せのとおり、法律はあなたに制裁を加えることができない」ホームズは鍵《かぎ》を出してドアを大きくあけはなちながらいった。「しかもこれほど罰せられてよい人物はないのだ。メアリーにもし兄弟か男の友人でもあったら、きっとあなたの背に鞭《むち》を加えているにちがいなかろう。そうだ！」と相手の顔にますます冷笑のひろがるのを見て、さっと顔を染め、「これは依頼者《いらいしゃ》から頼まれているわけではないが、幸いここに狩猟《しゅりょう》用《よう》の鞭があるから……」

ホームズはすばやく二歩ばかり鞭のほうへちかづいたが、それを手にする暇《ひま》もなく、階段をあらあらしくふみならす音、つづいて玄関《げんかん》の重いドアがバタンと大きく鳴りわたった。急いで窓からのぞいてみると、一目散に逃《に》げてゆくウィンディバンクのうしろ姿が見られた。

「冷血無情の悪党だ」ホームズは笑って、ふたたび椅子に身を投げかけた。「悪事のうえに悪事を重ねて、最後に絞首台《こうしゅだい》にのぼるほどの大罪を犯すやつだよ。こんどの悪事なんか、ある意味では、ちょっと興味がないでもなかったがね」

「僕《ぼく》にはまだ、君の推理の過程にわからない部分があるよ」

「そうかい。このホズマー・エンゼルという男の不思議な行動には、何か強い目的の潜《ひそ》んでいることが、はじめからわかりきっていた。同時に、この事件によって利益をうける人物が、継父以外にないことも明らかだった。つぎに、話を聞いてみると、この二人――エンゼルとウィンディバンクはけっして同時に現われてこない。一方のいないときにかぎって、一方が現われるというのは、暗示的だった。同様に、色めがねや変な声は、もじゃもじゃの深い髭とともに、変装《へんそう》を思わせるものがある。そして署名までタイプで打ってあるというにいたって、僕の疑惑《ぎわく》は確信に変ってきた。もとより自分の筆跡《ひっせき》がよく知られており、たとい字数は少なくとも、たちまち見やぶられるのがわかっているからだ。こうした個々の事実や、そのほかの細かいところまでが、すべておなじ方向を指しているのがわかるだろう?」

「しかしそいつをどうして実証したのだい?」

「いったんこれと目星をつけたら、実証をあげるのはわけもないことさ。彼の勤めている会社はわかっている。そこで新聞広告の人相がきのなかから、変装と思われる点をとりのけてみた。頰髯《ほおひげ》、色めがね、声などがそうだ。のこるところを会社へ書き送って、外交員のなかにそれに該当《がいとう》する人物がいるか教えてほしいと依頼した。それから、メアリーあての手紙を打つのに使ったタイプの特徴がわかっていたから、べつに会社あてウィンディバンクに手紙をやって、ここへ来てくれぬかと頼んだ。すると予期したとおり彼からはタイプで打った返事が来たが、まったくおなじ特徴が出ている。同便できた別の一通は、フェンチャーチ街のウェストハウス・エンド・マーバンク商会からで、お申し越《こ》しの人物はすべての点で当商会の使用人ジェームズ・ウィンディバンクに該当いたし云々《うんぬん》とあった。それだけあればたくさんじゃないか！」

「メアリーには何といって……」

「彼女には、ほんとうのことを知らせても、おそらく信じまい。ペルシャの古語にあるじゃないか――虎児《こじ》を捕《とら》うる者には危険あり。女性より幻影《げんえい》を奪《うば》う者にもまた危険ありとね。ハーフィズ（訳注　一三〇〇？―八八？　ペルシャ随一の抒情詩人。本名は、シャムス・ウッディーン・ムハマッド。「コーランの暗記者」を意味するハーフィズをとって筆名とした）は、ホラティウス（訳注　紀元前六五―前八。ローマの詩人。諷刺詩、抒情詩、書翰詩など多数の詩形を駆使し、その「詩論」は後世の文学に大きな影響を与えた）に劣らず知恵があるよ。世故に長じているよ」

――一八九一年九月『ストランド』誌発表――

ボスコム谷の惨劇《さんげき》

ある朝妻とさしむかいで食事をしていると、女中が電報をもってきた。シャーロック・ホームズから来たもので、電文はつぎのとおりである。

二日バカリ暇《ヒマ》ナキヤ？　ボスコム谷惨劇ニツキ西部イングランドカラ招電ウケタ。同行デキレバ好都合。空気景色トモニヨシ。十一時十五分パディントン駅ヲ発《タ》ツ。

「どうなすって？　いらっしゃる？」妻は私の顔をのぞきこんだ。

「どうしたもんかなア。患者《かんじゃ》もかなりあることだし……」

「あら、患者ならアンストルザーさんに代っていただけばいいわ。近ごろお顔の色がすこしよくないようよ。気分が変れば、きっとよくなりますわ。それにあなたは、シャーロック・ホームズさんのお仕事といえば、あんなに興味をもっていらっしゃるじゃありませんか」

「そりゃ、お前とこうしていられるのも、彼《かれ》が手がけた仕事のおかげなんだから（注訳『四つの署名』参照）興味がなかったら恩しらずというものさ。だが行くとすればすぐ支度《したく》にかからなきゃ、三十分しか時間がないね」

アフガニスタンの戦場で送った陣中《じんちゅう》生活の経験は、すくなくとも私を気軽に、いざといえばすぐにも旅に出られる男にする効果があった。私の必要とする品は簡単ですくないのだから、その三十分のうちにはちゃんと支度を整えて、手さげ鞄《かばん》一つをもってタクシー馬車で、パディントン駅へとガタガタゆられていた。

行ってみるとホームズはもうホームをブラブラしていたが、ながい鼠《ねずみ》いろの旅行用外套《がいとう》を着て、ピタリとあったハンチングをかぶったところは、そのやせた長身をいっそう細長く目だたせていた。

「よく来てくれたねえ。心から信頼《しんらい》のできる者がいっしょだと、これで非常なちがいだからね。現地警察の助力なんて、役にもたたないか、さもなければいつでも見当ちがいばかりやっている。君が隅《すみ》のほうに席をとっておいてくれれば、切符《きっぷ》は僕《ぼく》が買ってくる」

列車は横に小さく仕切った隔室式《かくしつしき》で、私たちの乗りこんだところは私たちの独占《どくせん》であり、ホームズのもちこんだ多くの新聞が散乱しているほか、相客は一人もなかった。

彼はその新聞を読みちらし、ときどきノートをとったり、黙想《もくそう》にふけったりしていたが、レディングをすぎたころ、とつぜん多くの新聞をかき集めてクルクル大きな束《たば》にまるめ、網棚《あみだな》のうえに放《ほう》りあげてしまった。

「君、こんどの事件について、いくらか知ってるかい？」

「全然。何しろ近ごろ新聞をさっぱり見ないもんだからね」

「ロンドンの新聞には、あまり詳《くわ》しいことが出ていない。要点を頭にいれておこうと思って、いま最近の新聞に全部目をとおしたんだが、総合しえたところによると、こいつは例の簡単な、それでいておそろしくむずかしい事件らしい」

「簡単でむずかしいとは、なんだかすこし逆説めいているぜ」

「ところがまったくそのとおりなんだ。事件の異常さというやつは、それ自身一つの手《て》掛《が》かりになる。犯罪は特色のない、平凡《へいぼん》なものほど、犯人を突《つ》きとめにくいものだ。こんどの事件では、殺された男の息子《むすこ》が、すっかり犯人にされてしまっている」

「すると殺人事件なんだね？」

「そうさ、他殺という推定になっている。僕としては、実地にあたってよく調べたうえでないと、何とも断定は下されないがね。それじゃ、いま僕にわかっているところだけ、かいつまんで事情を話しておこうか。

ボスコム谷というのは、ヘリフォードシャーのロスの町からそう遠くないいなかなんだ。その地方いちばんの大地主をジョン・ターナーといって、これはオーストラリアで金をこしらえて、先年帰ってきた男だという。

ターナーは所有の土地の一部を、これはハザリー農場という場所だが、おなじくオーストラリア帰りのチャールズ・マッカーシーという男に貸していた。二人は出先の植民地で知りあった仲だというから、故国へ帰ってきておちつくのに、なるべくちかいところをと選んだのも、べつに不思議はなかろう。

二人のうちではターナーのほうが金持で、自然マッカーシーはその土地を借りることになったが、交際は従前どおりまったく対等だったらしい。二人とも妻はもうないが、マッカーシーには十八になる息子があり、ターナーには同いどしのひとり娘《むすめ》がある。どちらの家でも近所づきあいは避《さ》けるようにして、隠退的《いんたいてき》な生活を送っていたが、ただマッカーシー父子《おやこ》はスポーツが好きで、ちかくの競馬場などにはよく姿を見せたものだった。マッカーシーには召使《めしつかい》が二人――下男と下女といるが、ターナーのほうはかなりおおぜい、すくなくとも五、六人はいるらしい。これがこの両家について僕の知りえたことの全部だ。

さて、こんどは事件のほうだ。この月曜日、というから六月三日になるが、マッカーシーは午後の三時ごろハザリーの家を出て、ボスコム沼《ぬま》のほうへ行った。これはボスコム谷を流れる川がひろがってできた小さな湖水なんだ。その朝彼は下男をつれてロスの町へ出かけたが、そのとき下男に、三時には人に会う大切な約束《やくそく》があるから、急がなければならないといっている。そしてその約束の人物に会いに出かけたきり、彼は生きて帰らなかったのだ。

ハザリー農場の家からボスコム沼までは四分の一マイルあって、その途中《とちゅう》で二人の人物がマッカーシーの姿を認めている。一人は婆《ばあ》さんで、名は書いてない。もう一人はウィリアム・クローダーといって、これはターナー家の猟場《りょうば》番人だ。二人とも口をそろえて、マッカーシーは独りで歩いていたと証言している。そしてクローダーのほうは、マッカーシーの通るのを見かけて二、三分たってから、息子のジェームズ・マッカーシーが鉄砲《てっぽう》を小脇《こわき》に、父の行った方向へ歩いてゆくのを見たと申したてている。番人の信ずるかぎりでは、その時父親の姿はよく見えていたのだから、息子は父のあとを追っていたのだと思うとある。しかしそのことは、晩になって事件の報を耳にするまですっかり忘れていたという。

猟場番のウィリアム・クローダーが見かけたあとで、この父子の姿を見たものがもう一人ある。ボスコム沼というのは深い森のなかにあって、水ぎわには雑草や蘆《あし》が生《お》いしげっている。そのボスコム谷地所部の番小屋の娘でペーシェンス・モーランという十四になる少女が、そのとき森のなかで花を摘《つ》んでいた。この少女がいうのに、沼からちょっと森のほうへはいったところで、マッカーシー父子がはげしくいい争っているのを見かけたが、父親がひどく乱暴に息子を罵《ののし》ったので、息子は手をふりあげて打ってかかろうとした。それで彼女《かのじょ》は恐《おそ》ろしくなって家へ逃《に》げ帰り、いまボスコム沼のところでマッカーシー父子がはげしく口論していたが、いまにもつかみあいになりそうだったと母親に告げた。

少女がそれを話し終ったところへ、息子のジェームズが駆《か》けこんできて、父が森のなかで死んでいるから、モーランさんに手を貸してほしいと頼《たの》んだ。その様子がひどく興奮して、帽子《ぼうし》もかぶらず、鉄砲ももたず、ことに、右手とその袖《そで》には新しい血がついていた。で、息子を案内にみんなで沼の縁《ふち》へ行ってみると、父親が草のうえに長くなっていた。頭を重い鈍器《どんき》でめちゃめちゃになぐられているのだが、死体から数歩のところに息子の鉄砲がころがっていて、さもこの台尻《だいじり》でなぐり殺しましたといわぬばかりであり、傷口もそれにふさわしいものであった。

こういう状況《じょうきょう》なので、息子は時をうつさず逮捕《たいほ》され、翌火曜日の査問で故殺と陪審《ばいしん》団《だん》から評決を下され、水曜日にはロスの町の治安判事のまえに引きだされ、つぎの巡《じゅん》回裁判《かい》に付すという決定を与《あた》えられた。——以上が検屍官《けんしかん》や軽犯罪裁判所の取調べで判明した事実の主なるものなのだ」

「こんなはっきりした事件はないじゃないか。こんなに判然と犯人を指示している状況証拠《しょうこ》の実例というものは、どこをさがしたってあるもんじゃない」

「状況証拠というやつ、すこぶる油断のならないものでね」とホームズは考えぶかくいった。「どう疑いようもなく、ある一つの点を指しているかと思うと、一歩退いてほんのすこしちがう見地から見なおすと、まったくおなじ確実さをもって全然別の方向を指していることもあるものだ。

もっともいまの場合では、息子がきわめて不利な立場にあることは認めねばなるまい。じっさいこれが真犯人なのかもしれないのだ。しかし、近隣《きんりん》の人で息子の無実を信じている人が何人かあって、地主の娘アリス嬢《じょう》もその一人なのだが、これが、君も覚えているだろう、『緋色《ひいろ》の研究』で働いたロンドン警視庁のレストレード警部、あの男に頼んで息子のため尽力《じんりょく》してもらっている。ところがこのレストレードが、いささか事件をもてあまして、僕のところへ応援《おうえん》を求めてきたものだから、二人の中年紳《しん》士《し》が朝飯のあと休みもせずに、一時間五十マイルの高速でこうして西のほうへ急行することになったというわけさ」

「事件があんまり明白だから、せっかく行っても君の名声を高める余地なんか、ありそうもないぜ」

「明白な事実ほど、あやまられやすいものはないよ」とホームズは笑っていった。「それに現地へ行ってみれば、レストレードにはわからなかった全然別の、明白な新事実にぶつかるかもしれないしね。君は僕をよく知っているから、こんなことをいっても僕がほらをふくとは思うまいが、僕はレストレードのやりえない、いや理解することすらできない方法で、彼の説を裏書きすることも、微塵《みじん》に論破することもできるつもりだよ。手近な例をとっていえば、君の寝室《しんしつ》は右がわに窓があるのを僕ははっきりと認めるが、レストレードにはこんな自明の事実さえ気がつくかどうか、疑わしいからね」

「えッ、どうしてそんな……」

「まア君、僕は君をよく知っている。君の特性になっている軍人風の身だしなみのよさはよく知っているが、君は毎朝髭《ひげ》をそる。それもこのごろの季節では日光のあかりでそるのだけれど、君の顔を見ると左のほうへゆくにしたがって、そりかたがぞんざいになり、顎《あご》をまわったところにいたっては、まったくだらしないほど不完全だ。これは明らかに、左がわは光線が不足していることを語るものにほかならない。君のようなキチンとした習慣の男が、左右おなじ明るさのところで髭をそったとすれば、そんなそりかたで満足しているはずがないじゃないか。これは観察と推理のほんの一例としてあげたにすぎないが、そこに僕の専門的境地があり、こんどの事件でも、これが何かの役にたつこともあるだろうというものさ。現に査問中に判明した細かい問題で、考えてみる価値のあるものが二、三ある」

「どんなことが？」

「息子はその場で捕《つか》まったのじゃなくて、いったんハザリー農場へ帰ってから拘引《こういん》されたらしいが、逮捕に行った警部がそのことを告げると、すこしも意外ではない、捕まるのがむしろ当然の報《むく》いだといったそうだ。そのために、検屍陪審員たちの心の一《いち》隅《ぐう》にのこっていたかもしれぬ疑念も、いっぺんであとかたもなく消えさって、有罪の決定をみたわけだ」

「一種の自白なんだね」

「いや自白じゃない。息子はそういっておいてすぐあとから、身に覚えはないと抗弁《こうべん》している」

「重なる事実がみんな息子に不利なところへ、そんなことを口走ったのでは、すくなくとも聞きずてにはできないじゃないか」

「ところが反対に、いまのところ僕は、それをもって暗黒のなかに認める一条《ひとすじ》の光明だと思っている。息子がどんなに無邪気《むじゃき》な青年だとしても、状況がはなはだしく不利なことのわからぬほどの低能でもあるまい。捕まるとき驚《おどろ》いた態度を示すとか、さも憤慨《ふんがい》するふうを装《よそお》うとかだったのなら、それこそ僕はきわめて怪《あや》しい証拠だと思う。というのは、そうした事情のもとで、いまさら驚いたり怒《おこ》ったりしてみせるのは不自然なばかりでなく、たくらみある男ならばそうするのが最良の策だからね。それが平然として縄《なわ》をうけたということは、まったく身に覚えがないか、さもなければよくよく自制力に富んだ、しっかり者なのを意味する。当然の報い云々《うんぬん》は、その日彼が父の死体のそばに立っていたこと、子としての本分を忘れて父と口論したこと、また非常に重要な証言をしている番人の娘のいうところに従うと、父親に向って手をふりあげていたという点などを考えあわせてみれば、けっして不自然な言葉でないのがわかる。当然の報いという言葉のなかに現われている自責と後悔《こうかい》とは、身に覚えがあることからきたものじゃなくて、精神の健全なことを物語るものだと僕は思う」

「でも、これよりはるかに薄弱《はくじゃく》な証拠で、絞首台《こうしゅだい》に立たされたものがたくさんあるからねえ」私は同意しかねた。

「それはある。まったく誤審で死刑《しけい》になった者もたくさんある」

「息子自身は、いったいどう弁明しているんだ？」

「それがね、あんまりパッとしない弁明なんで、擁護派《ようごは》は気がもめるらしい。もっとも二、三有望らしい点もあるが、――ここにあるから、自分で読んでみたらよかろう」

ホームズはヘリフォードシャーの新聞を一枚さがしだして、不幸な青年の供述の出ているところを出して折り、私に渡《わた》してくれた。私はそれをもって座席の隅に身をおちつけ、注意ぶかく目をとおした。その記事はつぎのとおりである。――

つぎに被害者《ひがいしゃ》の独り息子ジェームズ・マッカーシーが呼びだされ、つぎのごとく証言した。

「私は三日まえからブリストル市へ行っており、六月三日の月曜日の朝帰ったばかりでした。帰ってみると父は留守で、女中にきくと馬丁《ばてい》のジョン・カブをつれて、馬車でロスの町へ行ったとのことでしたが、まもなく庭のほうで馬車の音がしましたので、窓からのぞいてみると、父が馬車から降りて、急いで庭を出てゆくところでしたけれど、どっちへ行ったのか、私にはわかりませんでした。

それから私は銃《じゅう》をとって、沼の向うがわにある兎《うさぎ》の猟場へ行くつもりで、ボスコム沼のほうへ出かけてゆきました。途中で、猟場番ウィリアム・クローダーの証言にもありましたとおり、彼に会ったのは事実ですけれど、私が父のあとを追っていたというのは、彼の思いちがいです。父が私の先を歩いていようとは、そのときは夢《ゆめ》にも気がつきませんでした。

沼へ百ヤードばかりのところで、とつぜん私は『クーイ』という声を聞きました。これは父と私とのあいだで呼びあうのにいつも使う合図ですから、急いで行ってみますと、父が沼の縁に立っていました。父は私を見てひどく驚いた様子で、そんなところで何をしているのかと、すこし乱暴な調子でとがめました。

それから話がはじまって、口論になったあげくが、あわやつかみあいというところまでゆきました。というのが、父は元来たいへん気性《きしょう》のはげしい男だからです。それで、これは父の激情《げきじょう》がとてもなだめられなくなっていると思いましたから、私は父をその場へのこして、独りハザリーの家へと帰りかけました。

すると、百五十ヤードも歩かないうちに、うしろで恐ろしい叫《さけ》び声が聞えましたから、急いで引返してみますと、父が頭にひどい怪我《けが》をして、虫の息で倒《たお》れています。鉄砲を投げだして、急いで抱《だ》きおこしましたが、すぐに息をひきとってしまいました。それでしばらくは父の死体のそばに跪《ひざまず》いていましたが、ターナーさんの番小屋がいちばんちかいものですから、そこへ助けを求めに行ったのです。
叫び声を聞いて駆けつけたとき、ほかには誰《だれ》もいませんでしたし、父がどうして
あんな怪我をすることになったものか、私にはまるっきりわかりません。父はすこ
し冷たい、近づきにくい男でしたから、人からあまり好かれていたとはいえません
けれど、それでも私の知るかぎりでは、積極的に恨《うら》みをいだいている者があったと
は思いません。私の知っていることはこれだけです」
検屍官「父親は死ぬまえに、何か証人にいわなかったか？」
証　人「何か口のなかでブツブツいいましたけれど、鼠《ねずみ》がどうとかいうのだけしか、
　聞きとれませんでした」
検屍官「それを何と解したか？」
証　人「何のことですかわかりません。たぶん譫言《うわごと》かと思っております」
検屍官「沼の縁で父親と口論したのは、何事に関してか？」
証　人「申しあげたくありません」
検屍官「答えてもらわぬと困る」
証　人「なんとおっしゃっても、これればかりは申しあげられません。ただ、つづい
　ておこった悲しいできごととは、何の関係もないということだけ、はっきり

申しあげておきます」

検屍官「関係があるかないかは、法廷《ほうてい》のきめることだ。いうまでもないことだが、当方の尋《たず》ねることに答えなければ、今後おこりうる事態に処して、証人の立場が非常に不利となることは注意するまでもあるまい」

証　人「それでも申しあげられません」

検屍官「クーイという合図は、証人と父親とのあいだでふだん使っていたのだね？」

証　人「はい」

検屍官「それではきくが、父親は証人の姿を見たわけでもなく、ましてブリストル市から帰ったとも知らずにいたはずなのに、どうしてその合図をしたのだろう？」

証　人（ひどく当惑《とうわく》して）「存じません」

陪審員「悲鳴を聞いて引返し、父親が大怪我をしているのを知ったとき、何か怪しいと思われるものを認めなかったか？」

証　人「はっきりこれと申しあげられるものは見ませんでした」

検屍官「どういう意味か？」

証　人「その空地《あきち》へとんでいったとき、私はたいへん心配で頭が混乱し、考えることといっては父のことよりほかありませんでしたが、それでも駆けてゆくとき、左手の地面に何かあるのには、ぼんやりと気がついていました。何だか灰いろのもので、服の類かそれとも肩掛《かたか》けだったかもしれません。いずれにしても、父をそっとねかして立ちあがったときには、もうそんなものは見あたりませんでした」

検屍官「助けを求めにゆくときには、もうそこになかったというのか？」

証　人「はい」

検屍官「何であったか、はっきりしないのだね？」

証　人「わかりません。何かそこにあるように、ぼんやりと感じただけです」

検屍官「死体からの距離《きょり》は？」

証　人「約十二、三ヤードです」

検屍官「森のはずれからは？」

証　人「おなじくらいです」

検屍官「すると、もし何かがあったのが事実とすると、証人から十二、三ヤードのところから消えさったことになるのだね？」

証　人「はい。でも私はそちらへ背中を向けていました」

これにて証人調べを終る。

「検屍官の最後の言葉は、ジェームズ青年にとってすこしきびしすぎるようだね」私は新聞のその欄《らん》に目をおとしながらいった。「父親が息子《むすこ》の姿を認めもしないで合図したという矛盾《むじゅん》や、息子が父親との喧嘩話《けんかばなし》の内容をいうのを拒《こば》んだこと、父親が死にぎわにもらしたという妙《みょう》な言葉などに注意を喚起《かんき》しているが、なるほどこれは検屍官のいうのが道理で、みんなジェームズ青年にとって、きわめて不利なことばかりじゃないか」

ホームズはおだやかな笑いをうかべて、座席にながくなりながらいった。「君も検屍官も、ジェームズ青年にとってきわめて有利な点を、骨折って拾いだしてくれたことになるんだよ。君たちはこの青年を、想像力のありすぎることにしたり、なさすぎることにしたりしているわけだが、それがわかるかい？　陪審員の同情を得られそうな口論の原因をこしらえられなかったとすれば、それは想像力のなさすぎることを意味するのだし、父親が死にぎわに鼠のことを口走ったとか、服が消えてなくなったとかいう不思議を、意識的にデッチあげていったとすれば、それは想像力のありすぎることを意味する。そこで僕《ぼく》は、ジェームズ青年のいうことを事実だとする見かたから出発して、この事件を手がけてみようと思う。その結果、どういうことになるかだが、いまはこのポケット版ペトラルカ詩集だ。現場に着くまで、もう事件の話はしないことにする。スウィンドンへ着いたら午飯《ひるめし》だが、あと二十分ある」

景色の美しいストラウドの深い谷や、ゆったりと輝《かがや》くセヴァーンの広い流れをすぎ、美しいいなか町のロス駅に着いたのは、もう四時にちかかった。やせた、鼬《いたち》のような感じの男が、人目をしのぶずるそうな格好で、ホームに待っていた。まわりのいなか風に調子をあわせて、うす茶いろのダスターコートを着こみ、革《かわ》の脚絆《きゃはん》をつけてはいるが、ロンドン警視庁のレストレード君であるのはすぐにわかった。三人で、私たちのため部屋をとってあるというヘリフォード館へと馬車を駆った。

「馬車も命じておきましたよ」宿に着いて茶を飲みながら、レストレードがいった。「あなたの精力的な性格はよく知っていますから、何はともあれ現場を見るまでは、気のすむ人じゃないと思いましてね」

「ありがとう。それは恐縮《きょうしゅく》でしたね。だがこいつはまったく気圧の問題でね」ホームズが答えた。

「何のことですか?」レストレードは面くらっている。

「気圧計はどうかな？　二十九インチか。無風で空には一片《ぺん》の雲もない。まきタバコは箱《はこ》にいっぱいもってきているし、ソファはいなかホテルにしては上等だし、今晩はどうも、馬車はいりそうもないですがね」

レストレードは鷹揚《おうよう》に笑った。「ははあ、新聞を見て、だいたいの見きわめをつけてきましたね。じっさい事件は明らかで、調べてみればみるほど、疑いの余地がなくなりますよ。しかし、いったいが婦人のいうことは断わりにくいのに、それがとても自信をもっているのでねえ。あなたの名をどこかで聞いてきて、ぜひご意見をうかがいたいっていくらホームズさんでも私以上のことはできないのだからと、口を酸《す》っぱくしていい聞かせても、聞きいれないのですからね。おや、これは驚いた！　噂《うわさ》をしていたら、いま着いたのがその人の馬車ですよ」

レストレードの言葉の終るか終らぬうちに、めったに見られないほど美しい娘《むすめ》さんが、部屋へ駆《か》けこんできた。紫《むらさき》いろの眼《め》を美しく輝かせ、頰《ほお》を紅潮させ、唇《くちびる》をほころばせて、抑《おさ》えても抑えきれぬ異常な興奮に、つねのつつましさを忘れているらしかった。

「シャーロック・ホームズさま……」彼女《かのじょ》はそこにいる者を見まわし、女性特有の鋭《するど》い直感でこれがホームズと目星をつけていった。「よくいらしてくださいました。うれしゅうございます。早く申しあげなければと思って、急いで参りましたの。ジェームズではけっしてございません。私よく知っています。あなたもどうぞ、そのことをおふくみのうえで、お調べをおはじめねがいとうございます。どうぞそればかりはけっしてお疑いになりませんように。子供のときからよく知りあったあいだ柄《がら》で、私には誰よりもよくあの人の欠点がわかっております。あのかたは虫一つ殺せない、気のやさしい人でございます。こんな恐《おそ》ろしい疑いをかけるなんて、あのかたをほんとうによく知っている者からみましたら、これほど馬鹿げたことはございません」

「なんとか証《あか》しを立ててあげたいものです。まア、万事《ばんじ》は私のすることに信頼《しんらい》していらっしゃい」

「でも、供述書をお読みになりましたら、何かご判断がございましたでしょう？　どこかに血路はございませんでして？　証拠《しょうこ》に欠陥《けっかん》はございませんでした？　あなたのお考えでは、あのかたは潔白なのでございましょうね？」

「そうなりそうだと思いますね」

「それごらんなさい！」彼女は顎《あご》をしゃくって、侮蔑的《ぶべってき》な態度でレストレードを見やった。「お聞きになったでしょう？　ホームズさんはあんなにおっしゃってくださいますわ」

「ホームズさんの断定は、すこし早まってやしないですかねえ」レストレードはわれまた何をかいわんやというふうに肩をすくめた。

「いいえ、ホームズさんのおっしゃるのがほんとうですわ。私よく知っています。けっしてジェームズではございません。お父さまと口論したのも、その原因をどうしても検屍官《けんしかん》に明かさないのも、私に関係したことだからですわ」

「どう関係があるのですか？」ホームズが尋ねた。

「こうなれば、もう何事も隠《かく》しだてなぞしていられません。ジェームズは私たちのことで、お父さまと意見のあわないことがたくさんございました。お父さまのマッカーシーさんは私たちの結婚《けっこん》を熱心に望んでいらっしゃいました。私たちは兄妹のように愛しあってはいましたけれど、ジェームズはまだ若くて、世間のこともわかってはいませんし、それに、それに、あの、結婚問題なんかまだほんとに考えたこともありませんの。そのことでいつも口論ばかりしていたのですから、こんどだってきっとそれなんですわ」

「そしてあなたのお父さまは？　この話にはご賛成だったのですか？」ホームズが尋ねた。

「いいえ、父もやはり不承知でございました。賛成なのはマッカーシーさん一人ですわ」

アリス嬢《じょう》は、ホームズが例の鋭い、さぐるような視線をじろりと浴びせたので、ういういしい顔をぽっと赤らめた。

「よいことを聞かせてくだすった。ありがとう。あすお宅へうかがったら、お父さまにお目にかかれますか？」

「先生のお許しが出そうにもございませんわ」

「先生といいますと？」

「まだお聞きになっていらっしゃいませんの？　父は久しいまえから健康がすぐれませんでしたが、こんどのことですっかり弱りまして、どっと床《とこ》についてしまいました。ウィロウズ先生のお話では、からだもすっかり傷《いた》めていますし、精神的にも衰弱《すいじゃく》しきっているのだそうでございます。何しろヴィクトリア州時代の古いお知りあいと申しては、いまではマッカーシーさんだけでございますからねえ」

「ほう、ヴィクトリア州ですか。これは大切なことだ」

「ええ、ヴィクトリア州の鉱山でございますの」

「ふむ、金山ですな。そこでお父さまはお金をこしらえたわけですね？」

「ええ、そうですわ」

「ありがとう。おかげで大いに参考になりました」

「明日何かよいことがわかりましたら、どうぞお聞かせくださいませ。それから留置場へ、ジェームズにお会いになりにいらっしゃいますでしょ？　いらっしゃいましたらどうぞ、誰よりもこの私が、あの人の潔白は信じているからと、そうおっしゃってくださいませ」

「承知いたしました」

「では、父の容態がたいそう重うございますから、これで失礼いたさねばなりません。それに私がいませんと、たいそう寂《さび》しがりますから。さようなら。神さまがどうぞあなたのお仕事をお助けくださいますように」

彼女は来たときとおなじように、あわただしく出ていったが、まもなく、街路を去りゆく馬車の音が遠ざかっていった。

「あなたにも困りますな、ホームズさん」苦りきっていたレストレードが、ホームズをしかりつけた。「あとで失望するにきまっているのに、なぜあんな希望なんかもたせるんです？　私もけっして気の弱いほうじゃないが、いくらなんでもいまのような残酷《ざんこく》なことはいえませんよ」

「ジェームズ・マッカーシーの証しを立てる途《みち》はあると思う。留置場で面会のできる許可証はもっていますか？」

「それはありますが、あなたと私と二人だけですよ」

「きょうは外出しないといったけれど、それではひとつ考えなおすかな。これから汽車でヘリフォードへ行って、今晩の面会に間にあいますか？」

「十分間にあいます」

「じゃ行きましょう。ワトスン君、ずいぶん退屈《たいくつ》だろうけれど、ほんの二時間くらいで帰れると思うから……」

私は二人を駅まで送っていって別れ、狭《せま》いいなか町をさんざん歩きまわってから宿へ帰ってきた。ソファにながくなって、黄表紙の通俗小説でも読もうと思ったが、いま現に当面している事件の底知れぬ神秘さにくらべたら、プロットがいかにも貧弱《ひんじゃく》で、いおもしろくもなんともない。いつしか現実の問題のほうへ頭が向いて、小説がお留守になっているという状態なので、ついに小説は断念して、もっぱらきょうのできごとを考えてみることにした。

まず、この不幸な青年ジェームズのいうことを、うのみに信用するとして、父と口論して別れてから、悲鳴を聞いてその空地《あきち》へ駆けもどるまでのあいだに、何事がおこったのであろう？　どんな恐ろしい、思いもかけない災難が、どんな形で襲《おそ》ってきたのだろう？　怖《おそ》るべき、戦慄的《せんりつてき》なもの——いったいそれは何であろうか？　傷口でも調べてみたら、医者として何か得るところがあるのではなかろうか？

私はベルを鳴らして、週刊の州新聞をとりよせてみた。査問の模様が逐語的《ちくごてき》に出ているからである。外科医の証言によれば、左頭頂骨《ひだりとうちょうこつ》の後方三分の一と、後頭骨の左半分とが、鈍器《どんき》による強打で粉砕《ふんさい》されているという。私は自分の頭のその部分をさぐってみたが、これは明らかに背後から打たれたものだった。ということは、向いあって口論していたというから、容疑者にとって多少の利益となる。とはいっても、父親がくるりと向うを向いたところを打ったかもしれないのだから、たいして有利だとは断じられない。それでも一応ホームズに注意しておく価値はあるだろう。

つぎに、死にぎわに鼠《ねずみ》のことを口走ったという奇妙《きみょう》な事実だが、これは何と解釈したものか？　まさか譫言《うわごと》ではあるまい。いったいとつぜんなぐりつけられて死にかけた者は、譫言をいう状態にはならぬのが普通《ふつう》だ。これはむしろ、いかにして何者にやられたか、それを説明しようとした言葉の断片と見るのが真相にちかいのではあるまいか。そうだとすると、いったい何を意味するのだろう？　何か納得のいく説明はつけられないものか、私は頭脳をしぼって考えてみた。

それからまた、ジェームズ青年がぼんやり視野のそとに意識したという灰いろの服の一件だ。ジェームズのいうのが事実だとすると、加害者が逃《に》げるとき、身につけていたもの、おそらく外套か何かを落してゆき、ジェームズがそっちへ背を向けて、父の死体のそばに膝《ひざ》をついているあいだに、大胆《だいたん》にも十二、三ヤードのちかくまで引返してきて、もちさったものにちがいない。

考えてみれば、事件全体が何という不可思議な、通常ではありうべからざることばかりにみたされていることだろう！　私はジェームズをもって真犯人とするレストレードの意見に、あえて驚《おどろ》きはしないが、さればといってホームズの見識には十分の信頼がもてるのだ。そのホームズが、新しい事実を知るたびに、ジェームズの無実を信ずることといよいよ深くなってゆくのをみては、あるいはという一縷《いちる》の希望もすてかねるのである。

その晩ホームズの帰ったのは遅《おそ》かった。レストレードは別に宿をとっていたので、独りで帰ってきたのだが、すわるなりこんなことをいった。

「晴雨計の水銀はまだたかいね。現場へ行くまで雨の降らないこと、これが大切なんだ。といって、こうした慎重《しんちょう》を要する仕事をやるには、心も頭も十分さえていないとだめだから、ながい道中でクタクタに疲《つか》れたあとじゃ困るんだよ。ときにジェームズに会ってきたよ」

「何か聞きだしたことでもあるかい?」

「何もなかった」

「何の得《う》るところもなかったのかい?」

「まったくだめだった。一時はジェームズが犯人を知っていて、それを庇《かば》っているのかとも思ったが、会ってみて、彼《かれ》もみなとおなじに何一つ知らないで、五里霧中《ごりむちゅう》なのがわかった。ジェームズは顔だちの美しい青年だが、たいして機転の利《き》くというほうじゃない。気だてはしっかりしているようだがね」

「僕はまた、アリスのようなかわいい娘さんとの結婚に、かぶりを振《ふ》っているのが事実だとすれば、気の知れぬ男だと思うよ」

「うん、それには少々哀《あわ》れな話があるんだ。ジェームズもアリスのことは心から愛しこがれてはいるんだが、二年ばかりまえ、まだほんの少年で、アリスのことはよく知らないころ――というのはアリスが五年ばかり寄宿学校へはいっていたからだが、こともあろうにブリストル市の酒場の女に捕《つか》まって、秘密に登記所へ結婚届を出してしまっているんだ。これはいまのところ誰《だれ》も知らない事実だ。

というわけで、アリスとの結婚は咽喉《のど》から手の出るほど熱望するところだけれど、何としても不可能なことだ。その不可能を父親から強《し》いられ、従わないといってしかられる気持は、君にも十分想像できるだろう。最後の会見のとき、アリスに結婚を申しこめと、またしても父親から責められて、手までふりあげたというのも、じつはそうした半狂乱《はんきょうらん》な気持からだったのだ。

といってジェームズには自活の力はないのだし、父親はお話のほかの頑固《がんこ》な男だから、万が一秘密結婚の一件でも知れたが最後、勘当《かんどう》されてしまうのはわかりきっている。最近ブリストル市へ三日も行っていたというのは、この女に会うためだったのだが、父親はむろんそんなこととは夢《ゆめ》にも知らない。よく覚えておきたまえ。ここが大切なんだよ。しかし禍《わざわ》い転じて幸いとなったというのは、新聞でこんどのことを知ったその女が、ジェームズが死刑《しけい》にもなりそうだと見て、すっかり見かぎってしまい、自分にはすでにバーミユーダ造船所に、良人《おっと》と定《き》まった人がいるのだから、いままでの行きがかりはいっさい水に流したものと思ってもらいたいと、手紙をよこしたのだ。苦しいなかにもジェームズは、これでほっと胸をなでおろしたことだろう」

「それにしてもジェームズが犯人でないとすれば、いったい誰がやったのだろう？」

「さア、誰がやったのかなア。僕はただ、二つの点でとくに君の注意を喚起《かんき》しておきたいと思う。その一つは、被害者《ひがいしゃ》が沼《ぬま》の縁《ふち》で誰かに会う約束《やくそく》のあったことだ。その誰かが、息子《むすこ》のジェームズでなかったのは確実だ。ジェームズは当時留守で、しかもいつ帰ってくるかも、父親としては知らなかったんだからね。その第二は被害者が、息子の帰ってきているのはまだ知らないのに、クーイという合図の呼び声を発している点だ。この二つはこの事件の決定的な要点をなすものだが、どうだい、今夜はジョージ・メレディス（訳注　一八二八―一九〇九。イギリスの小説家、詩人。難解だが、すぐれた心理的洞察にみちた作品を残している）の話でもするとして、細かい問題はあすの朝の話にしようじゃないか」

ホームズの予報どおり、雨は降らず、一点の雲もないほがらかな朝があけた。九時に、レストレードが馬車をもって迎《むか》えにきたので、私たちはそれに乗って、ハザリー農場からボスコム沼のほうへと出発した。

「今朝大きな聞きこみがありました。地主のターナーの病気が重態で、もう見込《みこ》みがないそうです」レストレードが報じた。

「相当の年なんでしょうね？」とホームズ。

「六十くらいですが、植民地生活ですっかり健康を害してしまったので、まえから相当わるかったらしいです。そこへこんどの事件なので、からだに障《さわ》ったのでしょう。マッカーシーとは昔《むかし》から親しい仲で、ハザリー農場だって地代もとらずに貸していたんだというから、まア、マッカーシーには恩人になるわけですね」

「なるほどそれはおもしろい」

「それればかりではなく、ターナーはそのほかいろんな点で、ずいぶんマッカーシーを援助《えんじょ》していたそうです。その点土地の者は誰でも、ターナーの親切をほめぬ者はありません」

「ほう！　それにしても、そういうことがすこし変だとは思いませんかね？　自分の資産といっては何もないらしいマッカーシーが、そんなにターナーの世話になっておりながら、推定上先方の財産相続人であるターナーの娘に、自分の息子を娶《めあ》わせたがって、しかも息子のほうから申しこみさえすれば、話はすらすらと運ぶものか何かのように、自惚《うぬぼ》れの強い態度でいたのは、すこし変だとは思いませんか？　ターナー自身がこの結婚には反対だったと聞いて、いっそう妙な気がする。そのことはアリスから教わったのだけれど、ここから何か推論できませんかね、君？」

「いよいよ十八番の推理推論が出てきましたぜ」レストレードは私にウインクしてみせた。「どうも私は事実にぶつかると、それととっ組みあうのが不得手《ふえて》でしてね。必ず空理空論に飛んでってしまうんですよ」

「まったくだ。君は事実ととっ組みあうのが苦手ですね」ホームズがすましていった。

「とにかく私は、事実を一つだけしっかり握《にぎ》っていますからね。こいつはホームズさんにもちょいともちこたえられますまいて」レストレードはややムッとしたらしい。

「というと？」

「マッカーシー老人を殺したのは、その息子だという事実です。これに反するすべての仮説は、太陽のまえの月光にすぎないという事実です」

「月光でも霧《きり》のなかにいるよりは明るいですからね」ホームズは笑っていった。「それはそうと、あの左手に見えるのがハザリー農場でなかったら、僕《ぼく》はよっぽどうかしている」

「そうです。あれがそうですよ」

それはひろびろとした住み心地《ごこち》よさそうなスレートぶきの二階家で、灰いろの壁《かべ》は黄いろいこけでところどころが大きくまだらになっていた。だがいまは窓々の鎧戸《よろいど》もとざされ、何本かの煙突《えんとつ》は煙《けむり》も見えず、家じゅうがこんどの事件の恐ろしさからまださめやらぬかのごとくに、その姿はどこか寂しげであった。

玄関《げんかん》に訪《おとな》うと、女中が出てきた。ホームズの要求で、主人が殺されたときはいていたという靴《くつ》を見せてもらった。ジェームズのも見せてくれたが、これは当日はいていたものではなかった。この二足の靴を、いろんな方向から七、八カ所も寸法をとってから、ホームズは中庭に案内を頼《たの》んだ。そしてそこから私たちは、ボスコム沼へ通じるうねうねした路《みち》をたどっていったのである。

シャーロック・ホームズは、このような犯罪の現場へやってくると、まるで人がちがってしまう。彼を単にベーカー街の冷静な思索家《しさくか》、理論家としてのみ知っている人々には、これがホームズだとは思われないであろう。顔面は紅潮して陰気《いんき》になり、眉《まゆ》はかたく引きよせられて二条《すじ》の堅《かた》い黒線と化し、その下で二つの眼《め》が研《と》ぎすました鋼《はがね》のように鋭《するど》い輝《かがや》きをおびてくる。そういう顔をうつむき加減に、すこし猫背《ねこぜ》になり、唇《くちびる》をキッとむすんで、ながくたくましい首すじには、むちのような青筋が怒張《どちょう》する。鼻孔《びこう》は獲物《えもの》を追う純然たる動物的欲望だけでひろがるかと思われ、心はまったく眼前の問題にのみ集中されて、何を尋《たず》ね何をいっても上のそら、たとえ耳にはいることがあっても、返事はたかだか早口に、いらいらと何かどなりかえすくらいのものである。

牧場をつらぬく小路を足早に、黙々《もくもく》として彼はすすみ、森をぬけてボスコム沼のほうへと降りていった。あのへんの土地一帯がそうであるけれど、ここはとくにじめじめした土地で、小路にも両がわの短い草のうえにも足跡《あしあと》はたくさんあった。ホームズはときに歩を速めるかと思うと、ときにピタリと立ちどまったり、いちどなどは牧場のなかへとまわり路したりさえした。レストレードと私はそのあとへついてゆくのだが、警部のほうは無関心な、侮蔑的《ぶべってき》態度を持《じ》していたけれど、私はホームズの一挙一動が、確乎《かっこ》たる目標のもとになされているのを信じていたから、深い興味をもって彼の動きを注視していた。

ボスコム沼は直径五十ヤードばかりの、周囲に蘆《あし》の生《お》い茂《しげ》った小さな水たまりで、ハザリー農場と大地主ターナーの私有猟場《りょうば》との中間にはさまれており、沼の向うがわを縁どる森のこずえのうえはるかに、いくつかの赤い小さなとがった塔《とう》が見えて、地主の家の位置を示していた。

沼のハザリーがわは深い森だけれど、その森と蘆の茂る水辺《みずべ》とのあいだには二十歩ばかりの幅《はば》で、じめじめした草地が沼をとりまいていた。レストレードは死体の発見された正確な地点を教えてくれたが、土地がきわめて湿潤《しつじゅん》だから、被害者が倒《たお》れるときに付けた痕跡《こんせき》が私にも明らかに認められた。ホームズには、私などには見えない多くのことが、ふみにじられた雑草のうえに看取《かんしゅ》されたことであろう。それは熱心な顔つきや眼いろでよくわかった。彼はまるで獲物の臭気《しゅうき》をほじくり出す猟犬のように、あたりを駆《か》けずりまわっていたが、やがてレストレードのほうへ向きなおって尋ねた。

「君は何だって沼のなかまではいりこんだんです？」

「熊手《くまで》で底をさぐってみたんです。凶器《きょうき》か何か、手掛《てが》かりになるものでも出てくるかと思ってね。だが、どうしてあなたはそれを……」

「君、君、そんな暇《ひま》はないんだ。君のその内曲りの左足のあとが、いたるところにのこっているじゃないか。モグラにだってわかる。そいつが蘆のなかに消えていれば……。みんなして水牛の群れみたいにこのへんを捏《こ》ねまわさないうちに僕が来ていたら、どんなに造作なかったか知れやしない。ここが番小屋の連中の来たところだな。この連中が死体のまわり七、八フィートのところをふみにじって、あとかたもなくしているが、さあ、ここに三つだけおなじ足跡がのこっている」

こういってホームズはレンズを出し、防水外套《ぼうすいがいとう》を敷いたうえに腹ばいになった。そのあいだも私たちに話しかけるというよりは、むしろ独りごとのように、たえずしゃべりつづけるのはやめない。

「こいつはジェームズの足跡だな。二度歩いている。一度は走ったものだから、踵《かかと》のほうはほとんどなくて、爪先《つまさき》だけが深くのこっている。これはあの男のいうことに符合《ふごう》する。父親の倒れているのを見て、走ったんだな。ここに父親がいらいらして歩きまわった足跡がある。おや、これは何かな？　ジェームズが父親のいうことを聞いていたときの鉄砲《てっぽう》の台尻《だいじり》のあとだな。こいつは？　ふむ！　こっちにあるのは？　ぬき足さし足だ。爪先が角ばって、ちょっと風がわりな靴だぞ。いちど来て帰り、また来ている。むろん外套をとりにやってきたんだな。はて、こいつはどこから来たのだろう?」

彼は立ちあがって、そのへんを駆けまわり、ときに足跡を見失うかと思うと、また見つけたりして、ついに森の中へちょっとはいりこんだところにある、そのへんでいちばんの大木の椈《ぶな》の木の下まで行った。木の向うがわへまわると彼はうれしそうな声をたてて、またもや地上に腹ばいになった。そしてかなり長いあいだそこで、おち葉や枯《か》れ枝《えだ》をかきのけたり、芥《ごみ》としか思えないものを集めて、大切そうに封筒《ふうとう》へおさめたり、レンズを出して地面ばかりでなく、手の届くかぎりその木の幹を調べたりした。苔《こけ》のあいだにギザギザの石が一つあったが、これもていねいに検《あらた》めてしまいこんだ。それから小路をたどって街道《かいどう》へ出たが、そこですべての足跡は断《た》たれていた。

「なかなかおもしろい事件だったよ」ホームズはようやくふだんの態度にもどっていった。「その右に見える灰いろの家が番小屋だろうから、ちょっと寄ってモーランに会ってくる。短い手紙を一本書くかもしれないが、すんだら帰って午飯《ひるめし》にしよう。君たちはここからまっすぐに馬車のほうへ歩いていってくれたまえ。すぐあとから行く」

十分で馬車のところへたどりつき、あとから来たホームズを加えて、ロスの町へと引返していったが、ホームズは森のなかで拾った石をまだ大切そうにもっていて、馬車のなかでそれをとりだした。

「レストレード君、おもしろいものを見せましょう。こいつで殺《や》ったんですよ」

「痕跡がないようですね」

「そんなものはありません」

「それでどうしてわかります？」

「石の下に草が生えていましたよ。そこへ置いてから、二、三日にしかならないわけです。といって付近には、まえからこの石のあったらしい跡《あと》はないし、被害者の傷とも符合します。凶器となりうるものは、ほかには見あたらなかったですからね」

「そうすると、加害者は？」

「背のたかい左ききの男で、右足がびっこで厚底の猟靴をはき、灰いろの外套を着て、パイプを使ってインド産の葉巻を吸うやつです。ポケットにはよく切れないペンナイフをいれていたり、ほかにも特徴《とくちょう》は五つ六つあるけれど、捜査《そうさ》にはこれだけあれば十分でしょう」

レストレードは笑った。「私にはまだ納得《なっとく》がゆきかねますがねえ。話の筋はそれで通っているかもしれないけれど、何しろ頭のかたいイギリス陪審員《ばいしんいん》が相手ですからねえ」

「いまにわかるさ」ホームズはおだやかにいった。「君は君の方法でやりたまえ。僕《ぼく》は僕の信ずるところをすすみます。午後はだいぶ忙《いそが》しいつもりだが、たぶん晩の汽車でロンドンへ帰るようになるでしょう」

「事件を中途《ちゅうと》はんぱにして帰るんですか？」

「いや、ちゃんと解決してさ」

「だって、この謎《なぞ》を……」

「謎はもう解けている」

「じゃ真犯人は何者です？」

「いまいった人物ですよ」

「誰です、該当《がいとう》するのは？」

「それを決定するのは、さして困難はないでしょう。このへんは人口もそう多くないのだから」

レストレードはツンと肩《かた》をそびやかしていった。

「私は実践的《じっせんてき》な男です。びっこで左ききの人はいませんかって、このへんをいちいちさがし歩くようなまねはできませんよ。それこそロンドン警視庁のいい笑いものにされてしまいます」

「わかりました。僕はただ君に機会を与《あた》えただけです。さア、君の宿へ来ました。じゃさようなら。発《た》つまえには手紙をあげますよ」

レストレードを降ろしておいて、宿へ帰ってみると、食卓《しょくたく》の用意がちゃんとできていた。食べるあいだホームズは黙《だま》りこんで、当惑《とうわく》しきった人のように、苦しそうな表情で考えふけっていたが、テーブルが片づけられると静かにいった。

「ねえワトスン君、まアこっちの椅子《いす》へ来て、僕にすこし講釈をさせてくれないか。どうしてよいか大いに迷って、ぜひ君の助言がほしいのだ。葉巻でもやりながら、聞いてくれないか」

「うん、聞くよ」

「さてと、こんどの事件でジェームズの話を聞いて、われわれの注意をひいたものが二つある。もっともそれを聞いて、僕はジェームズに有利に解釈するし、君はその反対だったが、第一は父親が息子の姿を見もしないのに、クーイと合図の叫《さけ》び声を発したこと。もう一つは死にぎわに鼠《ねずみ》がどうしたとかいう妙《みょう》な言葉をもらしたという点だ。父親はもっと何かいったのだが、ジェームズに聞きとれたのは鼠の一語だけだったという。そこで、この二つの点から研究をすすめなければならないが、それにはまず、ジェームズのいうことが絶対に嘘《うそ》のない事実だと仮定してかかろう」

「あのクーイというのは何だろう?」

「むろんこれは、息子に向って発した合図でないのは明らかだ。息子はブリストル市へ行って留守だと、父親は思いこんでいるのだ。それを息子がちかくにいて聞きつけたというのは、単なる偶然《ぐうぜん》にすぎない。してみるとこのクーイは、誰《だれ》だかわからないが父親の会う約束になっていた人物に向って発したものということになる。いったいクーイはオーストラリアの言葉で、豪州人《ごうしゅうじん》のあいだに使われている呼び声なのだ。そこでマッカーシー老人がボスコム沼で会う約束の相手というのは、オーストラリアへ行ったことのある人物だという、きわめて強い推定がでてくるわけだ」

「では鼠のほうは?」

ホームズはポケットから折りたたんだ紙を出して、テーブルの上にひろげた。

「これはオーストラリアのヴィクトリア州植民地の地図だ。ゆうべ電報でブリストルからとりよせた」といって地図の一部を手で隠《かく》し、「これは何と読める?」

「アラット——ARAT(訳注 一匹の鼠)」

「ではこれでは?」ホームズは手を引いた。

「バララット——BALLARAT」

「そのとおり。それが死にぎわの言葉だったんだ。息子は終りの二音節だけ聞きとって、鼠《ア・ラット》だと思ったんだ。バララットはヴィクトリア州の首都メルボルンにつぐ商業都市で、同時に金鉱の中心地でもある。マッカーシーは死にぎわに、犯人はバララット市のこれこれと、名前をいっていたんだよ」

「なアるほど！」

「そう驚《おどろ》くほどのことでもないのさ。そこで、よほどこれで範囲《はんい》が狭《せば》められたわけだ。つぎに、ジェームズのいうことが正しいとすれば、犯人はたしかに灰いろの外套をもっていた。これでわれわれは、いままでのぼんやりした手さぐりから脱《だっ》して、バララットから来たオーストラリア人で灰いろの外套をもつ人物という、はっきりした観念にまで到達《とうたつ》したわけだ」

「なるほど」

「と同時に、その者はこの土地に慣れているということもいえる。なぜならボスコム沼《ぬま》は農場のほうからか、さもなければターナーの地所を通らなければ行かれないが、そこは他所者《よそもの》のうろつく場所ではないからだ」

「そのとおりだ」

「そこできょうの実地踏査《じっちとうさ》だが、現場を調べた結果僕は、さっきレストレードの低能児に教えてやったような、犯人の特徴を捕《とら》えたわけだ」

「あれはどうしてわかったのだい？」

「僕のやりかたはよく知ってるじゃないか。みんな細かいことの観察からきているんだ」

「背のたかさは歩幅でだいたい判定がつくし、靴のことも足跡でわかる」

「そうさ、妙な型の靴だったからね」

「それにしても、びっこはどうしてわかるんだい？」

「右の足跡がいつでも左よりぼやけていたからさ。歩くとき左足にばかり体重がかかるからだが、その理由は、すなわちびっこだからさ」

「じゃ左ききだというのは？」

「査問会で読みあげた医者の診断書《しんだんしょ》で気がついたはずだがね。背後から殴打《おうだ》したものだが、傷は左うしろにあった。左ききとしなければ、説明のつけようがないじゃないか。父子《おやこ》が口論しているあいだ、あの木のうしろに隠れて、タバコさえ吸っている。現に葉巻の灰を見つけたが、タバコの灰に関する特別の知識から、インド産の葉巻と鑑定《かんてい》したわけさ。このタバコの灰の問題に関しては、君も知っているとおり少々研究もしたし、刻みタバコ、葉巻、紙巻など百四十種の灰を調べて、小論文を書いたこともある。灰を見つけたので、あたりをよく見ると、苔のなかに吸いのこりがすててあったが、これはインド産でロッテルダムでまいている種類のものだとわかった」

「パイプを使ったというのは？」

「吸いのこりの端《はし》に、口へいれた様子がない。だからパイプを使うのだ。端は歯でかみきらないで、刃物《はもの》できってあったが、そのきり口がきれいにきれていないのは、もっているペンナイフがきれないからだろう」

「そこまでわかってしまったら、この真犯人はとうていもうのがれられっこないね。同時に君は、罪のない男の生命を、文字どおり絞首台《こうしゅだい》の綱《つな》を断ちきるようにして、あやういところで助けたことになる。僕もどうやら見当がついてきたが、真犯人は――」と私のいいかけたとき、

「ジョン・ターナーさんがおいでになりました」といってホテルの給仕が、ドアをあけて一人の客をとおした。

はいってきたのは奇妙《きみょう》な、印象的な人物であった。びっこでゆっくりした歩きぶり、背の曲ったところなど、いかにも老衰《ろうすい》したという感じではあるが、それでいて線の深いとげとげした顔だちや、巨大《きょだい》な四肢《しし》を見ると、非凡《ひぼん》な体力と強い性格の持主であるのを思わせた。もじゃもじゃの顎鬚《あごひげ》、白毛《しらが》まじりの頭髪《とうはつ》、ピンと起きて垂れさがった眉毛《まゆげ》などが一つになって、一種の威厳《いげん》と力量とを表わしているが、顔いろは死灰のよ

うに青じろく、唇《くちびる》や小鼻のあたりは紫《むらさき》いろをおびていて、ひと目で私には、慢性《まんせい》の死病にかかっているのがわかった。

「どうぞそちらのソファへおかけください。手紙はご覧《らん》くださいましたか？」ホームズはおだやかに声をかけた。

「はい、番小屋の者が届けてくれましたので、拝見しましたところ、何か世評をはばかるから、この宿まで出向くようにとのご内意でしたが……」

「私のほうからお館《やかた》へうかがうと、世間で勝手なことをいいだすと思いましてね」

「してご用件はどんなことですな？」彼《かれ》は返事も聞かぬうちから、その疲《つか》れきった双《そう》眼《がん》に絶望のいろをうかべて、ホームズを見まもった。

「じつはそれですが」とホームズは相手の言葉よりも眼つきに答えていった。「私はマッカーシーのことをすっかり知っています」

老人は両手に顔をうずめて「おお神さま！」と叫んだ。「私はあの若者を罪に落すつもりはけっしてありません。誓《ちか》っていうが、巡回《じゅんかい》裁判でもしあの若者の疑いが晴れぬようならば、何もかもいうつもりでいたのです」

「それをうかがって私もたいへん満足です」ホームズがおもおもしくいった。

「娘《むすめ》のことさえなければ、いまでも名のり出たいのだが……私が捕われたと聞いたら、娘はどんなにか、どんなにか嘆《なげ》くだろう！」

「そんなふうにはなりますまい」

「えッなんと？」

「私は警察の者ではありません。私がこの地へ来るようになったのは、お嬢《じょう》さんの意志によるものと承知していますが、したがって私はお嬢さんの味方として働いているものです。ただ、ジェームズ君だけは助けなければなりません」

「私はもう先の短い身です。久しく糖尿病《とうにょうびょう》を患《わずら》って、医者もあと一月がおぼつかないといっておる。ただおなじ死ぬならば、牢屋《ろうや》で死ぬよりも自分の家で死にたいと思うばかりです」

ホームズは立って机のまえにすわりなおし、紙をひろげてペンをとった。

「ではありのままを話してください。私がそれを書きとって、あとであなたの署名をいただき、ここにいるワトスン君に証人になってもらいましょう。いよいよというときは、この告白書によってジェームズ君を救いだすことができます。ただ絶対に必要という場合のほかは、これは使わないことをかたくお約束《やくそく》しますが」

「それもよろしかろう。巡回裁判まで生きていられるかどうかもおぼつかない身だから、私としてはどうなってもかまわないけれど、ただ娘だけはそっとしておいてやりたいのです。それでは何もかも申しましょう。実行するまでには久しいことかかったが、口でいうのはいくらも暇はとりません。

あなたがたは死んだマッカーシーをご存じでないが、あれはまったく悪魔《あくま》の化身《けしん》でした。いまだから悪くいうのではけっしてない。ほんとに悪いやつでした。あんな男に係《かか》りあわなかっただけでも、あなたがたはしあわせです。私は二十年間も押《おさ》えつけられ、かみつかれとおして、寿命《じゅみょう》さえ縮まりました。それでまず、どうして私があの男に咽喉首《のどくび》を扼《やく》されるようになったか、それから話をすすめましょう。

一八六〇年代のはじめです。オーストラリアの金鉱地方でのこと、私もまだ血気ざかりの向うみずな若者で、どんなことでも平気でやってのけようという元気さです。ふとしたことから悪い仲間にまぎれこんで、酒をのむようになり、鉱区割当には運がわるいし、山地へ逃《に》げこむようなことになって、手取《てっと》り早くいえば追いはぎ強盗《ごうとう》の大道かせぎも同然なことをするまでに落ちてゆきました。仲間は六人、牧場を荒《あら》しまわったり、金鉱行きの幌馬車《ほろばしゃ》を途中に待伏《まちぶ》せて襲《おそ》ったり、乱暴な気まま生活に明け暮《く》れていました。バララットの黒ジャックというのが私の通り名で、いまでもバララット・ギャングといえば、あの土地で怖《おそ》れられているほどなのです。

ある日のこと、バララットからメルボルンへ出る金塊護送隊《きんかい》があったので、私たちは待伏せてそいつを襲ったが、向うも騎馬巡査《きばじゅんさ》が六人なら、こっちの人数も六人、頭数《あたまかず》は互角《ごかく》だったけれど、こちらは最初の一斉射撃《いっせいしゃげき》で、早くも相手の馬を四頭も鞍《くら》はだかにしてやりました。その代りこっちも、獲物《えもの》を手にいれるまでには三人殺されました。私は荷馬車の馭者《ぎょしゃ》の頭にピストルを押《お》しつけたが、こいつが何と死んだマッカーシーだったのです。

ああ、あのときなぜひと思いに殺してしまわなかったろう！　マッカーシーは小さな険《けわ》しい眼《め》で、よく顔を覚えておこうとでも思ってか、じっと私を見ていたが、それでも命は助けてやりました。金塊が手にはいって金持になったから、イギリスへもどってきたけれど、それまで誰にも怪《あや》しまれさえしませんでした。

帰ってから仲間とは別れて、どこかへおちついて静かに堅気《かたぎ》の生活をと思っていると、ここが売物に出ていたので買いとり、過去の罪ほろぼしのため、すこしでもよいことをと心掛《こころが》けることにしました。結婚《けっこん》もしました。妻は若くて死んだけれど、あとにかわいいアリスというものを遺《のこ》してくれました。まだほんの赤ン坊《ぼう》で、何一つ自分ではできないころから、アリスのかわいい手が私を正しい道へと導いてくれるような気がしたものです。ひと口にいえば、私はすっかり心をいれかえ、過去の罪障消滅《しょうめつ》に全力をつくし、いっさいがうまくいっているときに、とつぜん、あのマッカーシーの鬼に捕まることになったのです。

ある日私は投資の用事でロンドンへ出たとき、リージェント街で、服とは名ばかりのボロを身にまとい、靴《くつ》のなごりの革《かわ》を足につけたマッカーシーに偶然めぐりあいました。

『しばらくじゃないか、ジャック』彼は私の袖《そで》にそっと手をかけていいます。『お前のことは親類同様に思っていたよ。こっちは悴《せがれ》と二人だ。面倒《めんどう》さえみてくれたらいいんだよ。いやだといえば、そうさ、この国は法律のきびしい結構な国だからな。お巡《まわ》りさんはいつでも手近にいらアね』

というわけで、どうにも振《ふ》りはなす方法はなく、二人をこっちへ引取って、私の地所のうちいちばんよい農場に無料で住まわせることになりましたが、それ以来私には一日として心の休まるときもなければ、昔《むかし》を忘れることもできず、どこへ行くにもあの男の狡猾《こうかつ》なニヤニヤ顔がつきまとって、はなれません。しかもそれは、アリスの大きくなるにつれて、もっと悪くなってきた。というのは、私が昔の秘密を警察に知られる以上に、娘に知られるのを怖れているると、あの男は見ぬいてしまったからです。

どんなことでも、あの男のいいなりにならなければならなかった。地所でも、金でも、家でも、いわれるがままにくれてやりました。そのあげくにあの男は、何としても承知のできないことまで望むようになりました。アリスをよこせというのです。

向うの悴もあのとおり成人するし、アリスも大きくなりました。私の健康のすぐれないのがわかっているので、あの男は悴に私の全財産を継《つ》がせるといううまい方法を考えついたものらしい。だがそこで私はふみとどまった。がんとしてこの要求には応じなかった。あの男ののろわれた血を、私の家系にまぜたくなかったのです。

あの悴がきらいというのではない。あいつの血が流れているというだけで、私は我《が》慢《まん》できなかったのです。私は断然はねつけました。マッカーシーは脅迫《きょうはく》した。私は勝手にするがよいといい放った。そのあげくに、ともかくもその問題について話しあうため、両家の中間にある沼の縁《ふち》で会う約束をしたのです。

約束の場所へいってみると、あの男は悴と話している様子なので、木の陰《かげ》で葉巻を吸いながら、独りになるのを待っていました。だが、話を聞いているうちに、私の凶《わる》い性質が心の底からムクムクと憤《いき》りたってくるのを感じました。あいつは悴に向って、アリスとの結婚を強《し》いているのだけれど、そのいいかたが、娘の気持にはすこしの斟《しん》酌《しゃく》もなく、まるで町の自《じ》堕落女《だらくおんな》かなんぞを相手のような口ぶりです。私ばかりか、何よりも愛《いと》しいアリスまでが、こんな男の自由にされるのかと思うと、気が狂《くる》いそうになってきます。何とかしてこのいまわしい束縛《そくばく》を断《た》つ方法はないものか？

老いさき短いからだでもあるし、私は死にもの狂いです。まだ気力もたしかだし、手足もしっかりしている。ただ先の知れた寿命です。このままでは死後にどんな悪名をのこすことになるかもしれない。そして娘の行末はどうなるだろう？　ここで憎《にく》むべき男の口さえ封《ふう》じることができたら、二つながら救われるのだ。ホームズさん、私はやりましたよ。こんな羽目になれば、何度でもやってのけます。犯《おか》した罪が深いとはいえ、その罪の償《つぐな》いのため殉教《じゅんきょう》の生活を送ってきた私です。しかも罪のない娘までが、同じ網《あみ》のなかでもがかねばならぬのは、何としても耐《た》えられぬことでした。私は憎むべき害獣《がいじゅう》でも殺すような気持で、良心の呵責《かしゃく》もなくあの男をうちすえました。悲鳴で悴の引返してきたときは、森のおかげで何とか姿を隠すことができたけれど、逃げるときとり落した外套《がいとう》だけは、とりにもどらねばならなかった。以上が、すこしの包み隠しもないありのままの事実です」

「あなたを裁くのは私の役目でありません」ホームズは書きあげた供述書に、老人の署名をうけながらいった。「おたがいに、二度とこんな誘惑《ゆうわく》にはあいたくないものですね」

「まったく同感です。で、どういう処置をとるおつもりですか？」

「あなたの健康状態からみて、何も処置いたしますまい。あなたはほどなく、巡回裁判よりもはるかに高い裁きの廷《にわ》に立って、ご自分の行為《こうい》の責を果す覚悟《かくご》でおいでです。私はこの告白書をお預りするにとどめましょう。万一ジェームズ青年が死刑《しけい》の宣告でもうければ、やむをえませんが、さもないかぎりこれは永久に人の目には触《ふ》れさせません。あなたの秘密は、あなたの生死いかんにかかわらず、私どもの手で安全に守りとおします」

「さらばお別れです」老ターナーはおごそかにいった。「私の死の床《とこ》に魂《たましい》の安らぎを与《あた》えてやったと思えば、あなたがたの死の床も、やがてそれのくるときは、いっそうおだやかでありましょう」

老人は巨体をゆるがしながら、よろめき出ていった。

「ああ驚いた」しばらくたってホームズがいった。「運命はなぜこうも弱い人間に悪戯《いたずら》するのだろう？　僕《ぼく》はこんな哀《あわ》れな話を聞くと、いつでもバクスター（訳注 リチャード・バクスター。一六一五—九一。イギリスの清教徒神学者）の言葉を思いだしていわざるをえないよ。——神のめぐみのなかりせば、汝もかくなるべし、シャーロック・ホームズよとね」

ジェームズ・マッカーシーは、ホームズの作成して弁護士に託《たく》した多くの項目《こうもく》にわたる異議申請書《しんせいしょ》の力によって、巡回裁判で放免《ほうめん》になった。ターナー老人はあの会見後七カ月生きていたが、いまはもう亡《な》き人の数に入る。そしてアリスとジェームズの二人は、その過去を覆《おお》う暗い陰はまったく知らず、やがて楽しい共同の生活にはいろうとしているようである。

――一八九一年一〇月『ストランド』誌発表――

オレンジの種五つ

一八八二年から同九〇年までの、シャーロック・ホームズが手がけた事件を書きとめた私の記録をくってみると、怪奇《かいき》な、興味ある事件が非常に多いので、どれをとりどれをすてるべきか、その選択《せんたく》は容易でないのである。けれどもそのなかには新聞ですでにひろく報道しつくされたものもあるし、また、ホームズのきわめて多分にもつ特殊《とくしゅ》な才能を駆使《くし》するほどの余地もなく、したがってここに説きしるす目的にそわないものもいくつかはある。なおまたなかには、彼《かれ》が、練達な分析《ぶんせき》も空《むな》しく、物語としてははじめあって結末のないという事件もあるし、一部分だけしか疑問が解決されず、結局彼のあれほど好きな純理論的証明は得られずして、揣摩臆測的《しまおくそくてき》説明を下しえたにすぎぬというのもいくつかはある。

だが、この最後の部類に属するもののなかに、一つだけあまりに珍《めずら》しい内容をもち、その結末のあまりに意外なものがあって、そのなかの二、三の点はホームズにもわからなかったし、将来とても、永久に解けることはないであろうが、それにもかかわらず私はこの事件の顚末《てんまつ》を、ここに筆にしてみたくてならないのである。

一八八七年という年は、私たちに興味深い事件や、さほどでもないものを数多く提供してくれた。いちいち記録をとっているが、この一年間の事件の表題をみると、「パラドールの部屋」事件だの、ある家具倉庫の地下室に贅沢《ぜいたく》なクラブを設けていた「素人乞食《しろうとこじき》協会」事件だの、三檣《しょう》のイギリス帆船《はんせん》ソフィ・アンダースン号の失跡《しっせき》にからまる事件だの、アファ島におけるグライス・ピータースン一家の怪奇な事件だの、カンバウェル区の毒殺事件だのがある。

この最後の事件では、まだ記憶《きおく》する人もあるかもしれぬが、ホームズは死人の時計のねじをまいてみて、それが二時間まえにすっかりまかれたものであること、したがって被害者《ひがいしゃ》が寝床《ねどこ》へはいってから、二時間以上を経過していないことを証明した。この推断こそはじつに、この事件解決の最大の鍵《かぎ》となったのである。これらの事件はいずれ機を見て書くこともあろうけれど、そのうちのどれをとってみても、いまここに書こうとしているもののように、つぎつぎと怪奇なできごとの続発するという異常な様相を備えたものはないのである。

九月下旬の、例年になく強い彼岸嵐《ひがんあらし》の吹《ふ》きあれているときだった。終日風は吹きすさび、雨は窓をたたきつけ、ここ人為《じんい》のかぎりをつくした大ロンドンのまっただなかにいてさえ、しばしわれわれは心を日常生活の常軌《じょうき》からひきはなし、おりのなかにとじこめられた慣らされていない野獣《やじゅう》のように、文明の鉄格子《てつごうし》のあいだから、人類めがけてほえつづけているこれら大自然の威力《いりょく》の存在を、改めて認識《にんしき》させられるのだった。日の暮《く》れかかるにつれて、嵐はますますひどくなり、風は煙突《えんとつ》のなかで子供のように泣き叫《さけ》んだり、しゃくりあげたりしていた。シャーロック・ホームズは暖炉《だんろ》の片がわに陣《じん》どって、むっつりと、例の犯罪記録に索引《さくいん》をつけているし、私は反対がわでクラーク・ラッセル（訳注　ウィリアム・クラーク・ラッセル。一八四四―一九一一。イギリスの小説家。長編の海洋小説を書いた）の海洋小説に夢中《むちゅう》になっていたが、戸外に荒《あ》れ狂《くる》う嵐が本のなかに溶けこんで、雨のしぶきがひろがって、波の飛沫《ひまつ》のようにさえ思われるのだった。妻がおばの家へ泊《とま》りに行ったので、二、三日まえから私は、ベーカー街の古巣《ふるす》にホームズといっしょの朝夕をすごしていたのである。

「おや！」ふと私は顔をあげて、ホームズを見た。「呼鈴《よびりん》が鳴ったようじゃないか。こんな晩に誰《だれ》が来たのだろう？　君の友人だろうね？」

「僕《ぼく》は君のほかに、友達は一人もないよ。話しに来《こ》いと人にすすめたこともない」

「じゃ依頼人《いらいにん》かな？」

「もしそうなら、重大な事件だね。さもなければこんな日に、しかもこんな時刻になって来るはずがないよ。だが僕は、下宿のかみさんの仲よしでも来たとするほうが、あたっていると思う」

だがホームズのこの臆測は誤っていた。やがて廊下《ろうか》に足音がして、ノックするのが聞えたのである。ホームズは手をのべてランプを自分のそばから遠のけ、はいってきた者のかけなければならない椅子《いす》ちかく押《お》しやってからいった。

「どうぞ」

はいってきたのはせいぜい二十二くらいの若い男で、髪《かみ》かたちも服もきちんとして、態度にはどこか洗練された上品さがあった。手にした傘《かさ》からタラタラ水の垂れているところといい、ながい雨外套《あまがいとう》の濡《ぬ》れ光っているところといい、彼の冒《おか》してきた嵐が、どんなにひどいものであるかを物語っていた。彼は明るいランプの光を浴びて、不安そうにあたりを見まわした。非常な心痛にうち挫《ひし》がれでもした人のように、その顔は青ざめ、その眼《め》ははれぼったかった。

「どうも相すみません」金縁《きんぶち》の鼻めがねを顔にあてながら彼はいった。「お邪魔《じゃま》じゃありますまいね。きれいなお部屋へこんな態《ざま》でとびこんできまして……」

「外套と傘をこちらへお出しなさい」ホームズがいった。「ここへかけておけば、すぐかわくでしょう。あなたは西南地方からいらしたのですね？」

「はい、サセックス州のホーシャムから参りました」

「靴《くつ》の先についている粘土《ねんど》と白堊《はくあ》の混合物は、かなり独特のものですからね」

「じつはご意見をうかがいにまいったのですが……」

「おやすいご用です」

「それにご助力も願いたいので」

「そのほうは、おやすいご用とゆきかねることもありますよ」

「ご名声は承《うけたまわ》っています。プレンダーガスト少佐《しょうさ》から、タンカーヴィル・クラブの醜聞《しゅうぶん》問題で、あなたがどんなふうにあのかたをお救いくだすったか……」

「ああ、あれですか。少佐はカードでインチキをしたという無実の罪をこうむったのですよ」

「あなたにお願いすれば、どんな難問でも必ず解決してくださると少佐は申しています」

「それは少佐がすこし買いかぶっていますよ」

「あなたはまだ失敗したことのないかただといって……」

「失敗は四回しています。男を相手に三回、女で一回ね」

「でも成功の場合に比較《ひかく》すれば、そんなのは物の数でもございますまい」

「まアたいていの場合、成功するのは事実ですがね」

「それなら私の場合にも、成功なさらぬはずはありますまい」

「どうぞ椅子を火のそばへよせて、あなたの事件の要点を話してみてください」

「じつはたいへん異様な事件なのでして……」

「私のところへくる事件で、そうでないのは一つもありません。どこでももてあました事件を、最後に私のところへもちこむのですから」

「そうかがってもまだ私は、数多いご経験のうちにも、私の一家におこった事件ほど不思議な、わけのわからぬ話をお聞きになったことがおありかどうか、疑問だと思います」

「お話はなかなかおもしろそうです。どうぞはじめから順を追って、要点だけ聞かせてください。そのうえで私のほうから、最も重要だと思う点を、詳《くわ》しくお尋《たず》ねすればよいと思います」

青年は椅子を前へすすめ、濡れた足を火のほうへ出しながら話しだした。

「私は名をジョン・オープンショウと申します。私の考えるところでは、私自身はこの恐《おそ》ろしい事件とは何の関係もありません。ただ問題は先代から引きつづいているのですから、はっきりおわかりねがうためには、昔《むかし》にさかのぼって申しあげなければなりません。

まず、私の祖父には二人の息子《むすこ》のあったことから申しあげなければなりません。兄がイライアスで、弟が私の父ジョゼフです。父ジョゼフはワリックシャーのカヴェントリーに小さな工場をもっていましたが、自転車の発明されたころで、それに乗じて工場をずいぶん拡張しました。オープンショウの耐久《たいきゅう》タイヤのパテントをもっていましたからで、たいへん成功して、のちにそれを売ってかなり資産を得、安楽な隠居《いんきょ》生活にはいりました。

おじのイライアスのほうは若くしてアメリカに渡航《とこう》し、フロリダで農場を経営して、かなりの成功をみたといわれますが、南北戦争で南軍のジャクスン将軍の部下として戦い、一八六三年将軍陣没《じんぼつ》後は、フッド将軍のもとにあって大佐《たいさ》まで昇進《しょうしん》しました。しかし六五年南軍の総帥《そうすい》リー将軍降伏《こうふく》後は、ふたたび農場へ帰って、三、四年そこで暮《くら》していましたが、一八六九年か七〇年かにこちらへ帰ってきて、サセックス州のホーシャムのちかくに小さな地所を買いとって、そこに住むことになりました。

おじはアメリカでかなりの財産をこしらえましたが、それがアメリカを去ったわけは、黒人ぎらいなのと、その黒人に公民権を与《あた》える共和党の政策が気にいらなかったからです。偏屈《へんくつ》で、いたって短気な癇癪《かんしゃく》もちで、怒《おこ》るとずいぶんひどい毒舌《どくぜつ》をはきますが、ふだんはごく引込《ひっこ》み思案の人でした。何年となくホーシャムのちかくに住んでいながら、いちどだって町へ出たことがあるかどうか疑わしいくらいです。家には庭もあり、畑も二、三ありましたから、よくそこで運動していましたが、どうかすると何週間もぶっとおして部屋にとじこもってばかりいることも、珍しくはありませんでした。ブランディをたいへんのみ、タバコもずいぶんやりましたが、交際というものがきらいで、友人をほしがらず、肉親の弟とさえあまり往《ゆ》き来《き》はしませんでした。

でも私だけは特別でした。はじめて会ったのが私の十二、三の腕白《わんぱく》のころでしたから、私だけはお気にいりだったのです。これが一八七八年と思いますから、イギリスへ帰ってきてから七、八年目のことです。おじは父に話して私を屋敷《やしき》へ引取っていっしょに暮すことになりましたが、おじ流にひどくかわいがってくれました。そして酒をのんでいないときは、私を相手に好んで双六《すごろく》や碁《ご》をして遊び、召使《めしつかい》や出入り商人にたいしては、私に代理をつとめさせましたから、十六の年にはいっぱし家事を心得るようになりました。鍵《かぎ》もすっかり預っていますし、隠居のおじの邪魔をしないかぎり、勝手にどこへでも行き、したいことは自由に何でもしていました。

それでもたった一つだけ、妙《みょう》な除外例がありました。屋根裏に年中鍵をかけた物置部屋が一つあって、私にかぎらず誰でもそこへはいることは絶対に許されないのです。子供らしい好奇心《こうきしん》から、いちど鍵穴からのぞいてみたことがありますが、なかは古トランクだの何かの包みだの、物置部屋相当のものがごたごたといれてあるだけのことでした。

ある朝、一八八三年の三月のことですが、外国の切手をはった手紙が一通、食卓《しょくたく》のおじの席においてありました。おじの一家の買物はすべて現金払《げんきんばら》いですし、友達というものを一人ももたない人のことですから、これはじつに珍しいことだったのです。おじはそれをとりあげてみて、

『インドからだな。ポンディシェリの消印がある。はて何だろう？』といいながら急いで封《ふう》をきりますと、なかからかわいたオレンジの種が五つ、ぱらぱらとこぼれて皿《さら》の上をころがってゆきました。

私はそれを見て笑いだしましたが、おじの顔つきに気がつくと、急にその笑いが引っこんでしまいました。唇《くちびる》はだらりと垂れ、両眼はとびだし、顔いろはまるで土のよう、震《ふる》える手にまだもったままの手紙を見つめていましたが、『K・K・Kだ！　ああ、とうとう思い知る日がきたのか！』としぼりだすような声で叫びました。

『どうしたんです。おじさん？』

『死だ』

おじはひと言いったきり、立って自分の部屋へ引っこんでしまいました。のこされた私は、恐怖《きょうふ》に胸をわなわなさせながら、封筒《ふうとう》を手にとってみますと、折って封じる耳の内がわの、ゴム糊《のり》のすぐ下のところに赤インキでKの字が三つつづけて書いてあります。そのほかにはかわいたオレンジの種が五つあるだけで、何もはいっていません。何をおじはあんなに大騒《おおさわ》ぎして恐れるのでしょう。

食事をやめて二階へあがってゆきますと、階段の途中《とちゅう》で、片手には屋根部屋のにちがいない古びたさびだらけの鍵をもち、片手には手さげ金庫のような形の真鍮《しんちゅう》の小箱をもって降りてくるおじとぱったりであいました。

『やるならやってみるがいい。あべこべにこっぴどい目にあわせてくれるから』おじは口ぎたなくそんなことを罵《ののし》っていましたが、私を見て、いいました。『おおジョンか。きょうはわしの部屋に火がいる。メアリーにそういってな。それからホーシャムの町へフォーダム弁護士を呼びにやっておくれ』

私はいいつけられたとおりに運びましたが、弁護士が来ると、私も二階のおじの部屋へ呼ばれてゆきました。見ると暖炉にはあかあかと火が燃えていて、紙でも燃したらしい黒い灰がたくさんあり、そばに例の真鍮の箱が蓋《ふた》をとって、空っぽのまま置いてありました。ちらと見るとその箱の蓋にも、封筒にあったのとおなじに、Kの字が三つあるではありませんか。

『ジョンや、お前に頼《たの》むことがある。遺言状《ゆいごんじょう》の証人になっておくれ。わしはここの地所家屋とその権利義務のいっさいを、弟すなわちお前の父に遺《のこ》そうと思う。自然それはお前に伝わることになるのだが、無事に相続できたら、これに越《こ》したことはない。だがもしそれができないようだったら、悪いことは言わぬ、憎《にく》むべき敵ではあるけれど、潔《いさぎよ》くくれてやるがよい。こんな曖昧《あいまい》な財産を伝えるのは、お前にも気の毒ではあるけれど、事情がどう変ってゆくことか、わしにも判断がつかないのだ。どうかフォーダムさんのいう場所へ署名しておくれ』

いわれるとおり証書に署名しますと、弁護士がそれをもって帰りました。この奇怪な事件に私はむろん強く心を動かされ、つくづく考えさせられました。いろいろと心を砕《くだ》いてみるのですが、わけがわかりません。ただ漠然《ばくぜん》とした恐怖が心の隅《すみ》にのこるばかりでしたが、それも日のたつにつれてしだいにうすらぎ、かくべつ変ったことも起らないで、平凡《へいぼん》な日常生活がつづきました。

けれどもおじは変りました。酒もこれまでよりも多くのむようになり、交際という交際はいっそう避《さ》けるようになりました。たいていはピンと錠《じょう》をかった自室にとじこもっているのですが、どうかすると酒乱のようになって家のそとまで躍《おど》りだし、ピストルを手に庭中を駆《か》けずりまわって、おれは何者も怖《おそ》れはしないぞ、羊かなんかじゃあるまいし、誰が来たって、たとい悪魔が来たって一間へ押しこめられるはずはないぞと、わめきたてるのでした。でも、そうした気違《きち》いめいた発作《ほっさ》が去ると、あわてて部屋へ駆けこむなり、ピンと錠をかってしまう有様は、心の底に食いいった恐怖にすっかりうち挫《ひし》がれた人でした。そういうときのおじの顔は、寒中でも、まるで水でもかぶったように、汗《あせ》でテラテラしていました。

さて、もうすぐ終りですから、もうすこしのご辛抱《しんぼう》をお願いしますが、ある晩おじはいつもの酒乱状態で家をとびだしたきり帰ってきませんでした。さがしに出てみますと、庭の隅にある青みどろの浮《う》いた小さな池に、うつ伏《ぶ》せに浮いて死んでいました。暴行をうけた様子もなく、深さが二フィートしかない場所のことですから、陪審団《ばいしんだん》はおじの日ごろの変人ぶりを考慮《こうりょ》にいれて、自殺と評決を下しました。けれどもおじが生前あれほど死を怖れていたのを知る私には、なかなか腑《ふ》に落ちないことが多く、過《あやま》って死んだのだという解釈で、ようやく自分を納得《なっとく》させました。でも事件はそれでおさまって、父がおじの家屋敷と、一万四千ポンドばかりの銀行預金とを相続いたしました」

「ちょっと待ってください。お話の内容はまれに見る異常なもののようですが、おじさんへ手紙のきた日と、亡《な》くなった日とをおききしておきましょう」ホームズが質問した。

「手紙のきたのは一八八三年三月十日で、死んだのはそれから七週間目、五月二日の晩です」

「ありがとう。どうぞ先を話してください」

「ホーシャムの財産を相続した父は、私の願いをいれて、例のしめきりの屋根部屋を綿密に調べてみました。あの真鍮の小箱はありましたがなかは空っぽです。蓋の内がわにはり紙をしてK・K・Kの文字を書き、その下に、『手紙、備忘録《びぼうろく》、請取《うけとり》、帳簿《ちょうぼ》』とあります。これでおじの焼きすてた書類の性質がほぼわかると思いました。そのほかこれといって重要なものはありませんが、ただおじのアメリカ生活と関係のある書類や手帳などがおびただしく散らかっていました。そのなかには南北戦争時代のもあって、当時おじがよく任務を果したことや、勇敢《ゆうかん》な軍人として名声を博したことのうかがわれるものもありました。また南部諸州再合併《さいがっぺい》時代のもので、主として政府関係のものもありましたが、おじは北部から派遣《はけん》された渡り政治屋たちに、手ひどく反対したものらしいのです。

父がホーシャムに移り住むようになったのは、一八八四年のはじめで、翌年の一月までは何事もない生活が順調につづきました。一月もまだ四日の朝、いっしょに食卓についたとき、何に驚《おどろ》いてか父はとつぜん声をたてました。見ると片手にはいま開封したばかりの封筒を、もう一つの開いた掌《てのひら》のうえには乾《ひ》からびたオレンジの種を五つのせているのです。私がおじのことを話しますと、そんな馬鹿《ばか》げたことがと父はいつも笑っていましたが、いまおなじことが自分の身に起ってみると、さすがに驚き怪《あや》しんでいます。

『こ、これは、いったい何のことだろう？』

『K・K・Kですね』私は胸が苦しくなりました。

『なるほど、そうだな』父は封筒のなかをのぞきこんで、『ここにそう書いてある。だがK・K・Kのうえに書いてあるのは、こりゃ何じゃ？』

『――書類を日時計のうえに置け』私は父の肩《かた》ごしにのぞきこんで読みました。

『何の書類だろう？　そして日時計というのは？』

『庭にある日時計のことでしょう、ほかにはありませんから。でも書類というのは、おじさんが焼きすてたあれですね、きっと』

『ふん！』父はむりにも強がっていいました。『今日《こんにち》この文明国に、こんな馬鹿げたことってあるものか！　手紙はいったいどこから出したんだ？』

『スコットランドのダンディー港からです』私は消印を見ていいました。

『愚《ぐ》にもつかぬ悪戯《いたずら》だ。書類だの日時計だのって、おれの知ったことか！　こんな馬鹿なことにいちいちかまっちゃいられない』

『警察へ届けたほうがよいと思います』

『骨を折って笑いものになるだけだ。よしておこう』

『じゃ私から届けさせてください』

『いかん。それはならぬ。こんな馬鹿げたことに、大騒ぎすることはない』

父はたいそう頑固《がんこ》な男ですから、これ以上争ってもむだです。といって私は、何かよからぬ事のおこりそうな予感で憂鬱《ゆううつ》でした。

手紙がきてから三日目に、父はふるくからの友人でポーツダウン山の要塞《ようさい》司令官になっているフリーボディ少佐を訪問に出かけました。父が家にいなければ、それだけ危険が遠ざかるような気がしましたから、私はこれを喜んでいました。しかしそれは大きな間違いだったのです。

父が出かけてから二日目に、少佐から私にすぐ来《こ》いという電報がありました。父はあの地方いったいにある深い白堊坑《はくあこう》の一つに墜落《ついらく》して、頭蓋骨《ずがいこつ》を砕いて人事不省になっていたのです。大急ぎで駆けつけましたが、父はついにいちども意識を回復することなく、息をひきとってしまいました。

父は黄昏《たそがれ》にフェアラムからの帰り路《みち》、土地不案内のうえ、白堊坑には周囲に柵《さく》がしてないので、過って落ちたものらしく、陪審団は不慮の過失死という評決を与えました。私は自分の手で父の死と、その前後の事情を詳しく調べてみましたが、やはり他殺を思わせる事実は、何一つ発見できませんでした。暴行をうけた模様もなく、付近に疑わしい足跡《あしあと》もなく、持物もなくなってはいず、当時そのへんを見なれぬ者のうろつくのを見かけた人もありません。しかし私としては、そんなことで心の安まるどころか、かえって何かしら恐ろしいたくらみが父の身にはりめぐらされていたのにちがいないと、かたく信じていました。

こうした不吉《ふきつ》な事情のもとに、私はオープンショウ家を相続しました。あなたがたは、それならなぜ家屋敷を処分してしまわないかとおっしゃるかもしれませんが、私ども一家のこのわざわいは、おじの一身上におこった何かの事件に関係するもので、家などどこへうつしてみても防げるものではなく、どこまでもつきまとってくるにちがいないのです。

父が非業《ひごう》の最期《さいご》をとげたのは一八八五年の一月で、それから二年と八カ月が平穏《へいおん》にすぎました。そのあいだ私はホーシャムで幸福な生活を送り、このぶんならばこののろいもオープンショウ家を去って、わざわいは父の代だけですむのだろうと思うようになりました。けれどもそれは早合点《はやがてん》にすぎた楽観だったのです。きのうの朝、かつて父の身にふりかかったのとおなじ形をとって、あののろいが私の身に襲《おそ》いかかってきたのです」

こういって青年はチョッキのポケットから皺《しわ》だらけの封筒をとりだし、テーブルに向って、五個の乾からびたオレンジの種を振《ふる》いおとしてみせた。

「これがその封筒です。消印はロンドンで、東区局になっています。なかには父のときとまったくおなじに、K・K・K、書類を日時計のうえに置けの文句が書いてあります」

「それであなたはどうしました？」ホームズが尋ねた。

「何もしません」

「何もしない？」

「じつを申すと」と彼は白く細い手に顔をうずめて「私は途方にくれたのです。まるで、にょろにょろと蛇《へび》に追いつめられた蛙《かえる》みたいに、身をすくめて、食べられるのを待っているような気持です。無情きわまる悪魔《あくま》にきゅっとつかまれて、抵抗《ていこう》する力もなく、どのような先見も、どのような予防も、のがれる効果はないように思われるのです」

「だめ、だめ、しっかりしなきゃ、ほんとにやられてしまいますぞ」ホームズが力づけた。「気力をお出しなさい。それしか助かる途《みち》はありません。いまはいたずらに絶望してばかりいるときではありませんぞ」

「私は警察へも行きました」

「え？」

「警察です。でも先方は、話を聞いてニヤニヤ笑っているばかりなんです。なんでも警部は、手紙はすべて単なる悪戯で、父やおじの変死と関係ありと見るべきでなく、陪審団も認めたとおり、二人はまったく過って死んだものと思っている様子です」

「信ずべからざる低能さだ！」ホームズは拳《こぶし》を空《くう》に振《ふ》りながら叫《さけ》んだ。

「でも巡査《じゅんさ》を一人派遣《はけん》することを承知してくれました」

「今晩もいっしょに来ているのですか？」

「いいえ、巡査にはただ私の家に行っていろという命令なものですから」

ホームズはふたたび腕《うで》を振りまわした。

「何だって私のところへ来たんです？　いやちがった。何だってもっと早く来なかったんです？」

「知らなかったのです。じつはきょう、プレンダーガスト少佐《しょうさ》に事情を訴《うった》えたら、あなたに相談しろといわれたものですから」

「手紙がきてからもう二日経過しています。もっとまえに行動をおこさなければいけなかったんだ。もうほかに材料はないのでしょうね、役にたちそうな参考資料は？」

「一つあります」ジョン・オープンショウ青年は、上着のポケットをさぐって、色のあせた青い紙を一枚とりだし、テーブルのうえに置いた。「おじが書類を焼いた日に、灰のなかに焼けのこっていた小さな余白が、これとおなじ特殊《とくしゅ》な色だったのを覚えています。この一枚はやはりおじの部屋に落ちていたのを拾ったものですが、焼きすてるときこれ一枚だけぬけ落ちて、焼却《しょうきゃく》を免《まぬが》れたのではないかと思います。『種』という文字が見えているだけのことで、格別役にたつものとも思えませんけれど、お目にかけます。筆跡は間違いなくおじのものですから、私的日記の一片《ぺん》だと思っています」

ホームズがランプの位置をうつしたので、私ものぞきこんだが、その紙は一端《たん》がギザギザになっていて、帳面から一枚だけはがれたものとわかった。はじめに一八六九年三月とあって、それへつづいてつぎのとおり謎《なぞ》のような文句が書いてあった。

四　日　ハドスン来る。例のごとき主張。
七　日　マッコーレー、パラモアおよび聖《セント》オーガスチンのジョン・スウェインに種を送る。
九　日　マッコーレー去る。
十　日　ジョン・スウェイン去る。
十二日　パラモアを訪問。万事《ばんじ》よし。

「ありがとう」ホームズは紙をたたんで返しながら、「いまは一刻の猶予《ゆうよ》も許されません。お話の内容をここで論じている暇《ひま》もないのです。あなたはこれからすぐに帰って、行動をおこさなければなりません」

「何をするのですか?」

「することは一つしかありません。すぐ実行するのですよ。まずこの紙をお話にあった真鍮の箱にいれるのです。そして別に手紙で、書類は全部おじさんが焼いてしまったから、これ一枚しかのこっていないという意味を書いて、いっしょにいれておくのです。相手がたが信じてくれるように、上手《じょうず》に書かねばなりません。そして用意ができたらその箱を、指定どおり日時計のうえにおくのです。おわかりですか？」

「よくわかりました」

「復讐《ふくしゅう》を企図《きと》したり、そのほかいまは何も考えてはなりません。仇《あだ》は法律の力で討《う》てる日もありましょうが、いまはただ網《あみ》をこしらえるのがだいいちです。向うは一歩早く、もうちゃんと張りめぐらしているのですからね。だいいちに考えなければならないのは、あなたの身に迫《せま》っている危険をとり除くことです。謎を解いたり、悪いやつを懲《こ》らすのは二のつぎです」

「ありがとうございます」青年は立って、外套《がいとう》に手をとおしながらいった。「おかげで新しい希望がわきおこりました。再生の思いです。たしかにご注意のとおりにいたしましょう」

「一刻も猶予はなりませんよ。そして何よりもまず、身辺に十分気をおつけなさい。あなたの身に迫っている危険は、けっして漠然《ばくぜん》としたたいい加減のものじゃないのですからね。帰りは、どういうふうにお帰りですか？」

「ウォータールー駅から汽車で帰ります」

「まだ九時まえです。往来は相当人通りもあるでしょうから、まず大丈夫《だいじょうぶ》でしょう。しかし気をつけるにこしたことはありません」

「武器をもっています」

「それは結構です。あすになれば私が行動をおこします」

「あすホーシャムへおいでくださるのですか？」

「いいえ、この事件はロンドンに秘密が潜《ひそ》んでいるのです。私はロンドンにいて、それをさがしだします」

「では一両日のうち、日時計のうえに置く手紙の結果をお知らせかたがた、私のほうからお訪ねいたします。それまでは何事も、あなたのご注意のとおりにいたします」

といってジョン・オープンショウは握手《あくしゅ》して帰っていった。

そとは依然《いぜん》として風がうなり、雨は窓を打ってしぶきをあげている。この怪奇《かいき》をきわめた物語は、疾風《はやて》に吹《ふ》きよせられた一本の海草のように、荒《あ》れ狂《くる》う嵐《あらし》のまっただなかから、私たちのところへとびこんできて、また吹き去られたのではないかと、そんな気持がした。

ホームズはしばらくうつ向いたまま、赤く燃えさかる火を黙然《もくねん》とながめていたが、やがてパイプに火をつけると、椅子《いす》に背をよせて、天井《てんじょう》へ紫《むらさき》の煙《けむり》の輪を吹きあげながら、その行方《ゆくえ》を見おくっていた。

「ねえワトスン君、いままでとり扱《あつか》った事件のなかでも、これほど夢幻的《むげんてき》なのはなかったねえ」やっと彼《かれ》は口をきいた。

「まア『四つの署名』以来の事件だね」

「そうさ、まアあれ以来かね。だがこのジョン・オープンショウという青年は、あのときのショルトー少佐以上の危地に立っていると思うよ」

「というと、その危地がどんなものだか、何か見当をつけているのかい？」

「危険の性質については、疑いの余地がないよ」

「というと何だい？　このＫ・Ｋ・Ｋというのはいったい何者だろう？　何だってあの一家ばかりねらうのだろう？」

ホームズは両眼《りょうめ》をつぶり、両肘《りょうひじ》を椅子の腕に託《たく》して、両手の指先をつき合せながらいった。

「いったい理想的な推理家というものは、一つの事実をちゃんと提示された場合、その事実から、そこにいたるまでのすべてのできごとを、のこる隈《くま》なく推知するばかりでなく、その事実につづいておこるべき、すべての結果をもよく演繹《えんえき》するものだ。ちょうど比較解剖学《ひかくかいぼうがく》のキュヴィエがただ一片の骨から、深い研究の結果その動物の完全な姿をえがきだしてみせたと同じに、ある一連の事件のうちの一事実を十分に究明しえた観察者は、その事実の前後につながるあらゆる事実を、正確に述べられなければ嘘《うそ》だ。

われわれはまだ現実に結果をつかんでいないが、それは推理によってはじめて得られるものだ。みながあらゆる知恵《ちえ》をしぼって解こうとしながら失敗したような問題でも、書斎《しょさい》にとじこもったままで、推理だけで解くこともできるのだ。しかしこの技巧《ぎこう》の極致《きょくち》を発揮《はっき》するには、推理家は知りえたあらゆる事実を余すところなく利用しうる力がなければならない。これは、容易に君にもわかることだろうが、あらゆる知識の必要を意味するのだ。あらゆる知識をもつということは、自由教育が発達し、百科辞典の普及《ふきゅう》した今日といえども、いささか困難なことに属する。とはいっても、自分の仕事のうえに有用と思われる範囲《はんい》で、あらゆる知識を取得することは、必ずしも不可能事ではない。僕《ぼく》はそれの実現に努力してきたのだ。僕の記憶《きおく》に誤りがなければ、君はいつか、僕たちの知りあった当初だったが、僕の知識の限界をうまくいい現わしたことがあるね」（訳注『緋色の研究』参照）

「そうそう、あれは珍記録《ちんきろく》だったっけ」私は笑って答えた。「たしか哲学《てつがく》、天文学、政治の知識は皆無《かいむ》で、植物学は不定、地質学はロンドンを中心として五十マイル以内の地ならば、服についたどろを見てその地域を指摘《してき》しうるほど該博《がいはく》、化学は偏倚《へんい》、解剖学は系統的でなく、煽情《せんじょう》文学と犯罪記録には特異の知識を有し、ヴァイオリンに巧《たく》みで拳闘《けんとう》をよくし、剣客《けんきゃく》にして法律に通じ、コカインとタバコの中毒者というのがだいたいの内容だったと思う」

最後の一項《こう》にホームズはニヤリと笑った。

「あのときもいったとおり、人間の脳の物置は狭《せま》いのだから、使いそうな道具類だけちゃんとしまっておけばたくさんなのだ。ほかのものはみんな書斎のがらくた部屋に押《お》しこんでおいて、必要のあるたびに出して見ればよい。そこで今晩もちこまれた問題だが、こんな問題にはわれわれのもつ全知識を傾《かたむ》けてぶつかる必要がある。ちょっとその手近の棚《たな》から、アメリカ百科辞典のKの部をとってくれたまえ。ありがとう。さ、それでは情況《じょうきょう》を見きわめたうえで、どういうことが推断されるかやってみよう。まずだいいちに、オープンショウ大佐がアメリカを去ったについては、何かよほど重大な理由があったという強い仮定から出発してみよう。あの年配になると、人はなかなか生活を変えたがらないものだ。それが気候のよいフロリダの地をすてて、すんでイングランド州の寂《さび》しい片いなかの生活にはいるというはずがない。一方、帰ってきてからの極端な孤独《こどく》生活をみると、彼が何人《なんぴと》かまたは何物かにたいしておそれをいだいていたことが暗示される。それらの点からして、何人かまたは何物かにたいする恐怖《きょうふ》が、大佐をアメリカから追いかえしたのだという実働仮定をおくことにしてよかろう。その恐怖が何であったか、それは大佐およびその相続者がうけとった恐《おそ》ろしい手紙によって推断するほかはない。君は三通の手紙の消印を覚えているかい？」

「最初のは仏領《ふつりょう》インドのポンディシェリ、つぎはスコットランドのダンディーで、最後はロンドンの消印だった」

「ロンドンの東区局だぜ。そこから何か推論できないかい？」

「三つとも船着場だね。差出人は船に乗ってるやつだ」

「うまい！　それで手掛《てが》かりが一つできたじゃないか。差出人が船に乗っているという可能性はきわめて強い。つぎに、別の方面から考えてみるのに、最初の場合は、脅迫《きょうはく》状《じょう》がきてから実行するまでに七週間を要している。第二の場合はそのあいだがわずか三、四日しかない。ここに何か暗示はないかしら？」

「来るのに距離《きょり》が遠いからだろう」

「手紙だって遠距離からきているんだぜ」

「そうなると僕にはわからないね」

「すくなくとも、脅迫者の乗っている船が帆船《はんせん》だという推定が下される。警告というか合図というか、彼らは、いつも使命をおびて出発するまえに、手紙を出しているものと思われる。ダンディーから警告を発した場合は、実行がすぐそれにつづいて行われている。ポンディシェリからだって、もし汽船で来れば、ほとんど手紙と前後して着いているはずだが、事実は手紙より七週間も遅《おく》れている。この七週間というものは、手紙をつんできた郵船と、差出人の乗ってきた帆船との速力の差を示しているものだと思う」

「ありうることだね」

「ありうる以上だよ。おそらくそれにちがいない。だからこんどの場合が、事情きわめて切迫《せっぱく》しているのがわかるだろう？　そのつもりで僕はジョン・オープンショウに注意しておいたんだよ。あの惨劇《さんげき》はつねに差出人が発信地からやってこられるだけの時日をおいて、その時日のつきたときに行われている。しかるにこんどのはロンドンで投函《とうかん》されているのだから、一刻の猶予といえども許されないのだ」

「かわいそうに！　この非道な迫害はいったい何を意味するのだろう？」

「オープンショウ大佐のもっていた書類が、この帆船に乗っているやつにとって、死活を制するほど大切なものなのにちがいない。しかも相手は必ず一人ではないと思う。一人では検視陪審員《けんしばいしんいん》をまんまとだましおおせたあんなうまい殺しかたが、二度までもやれるもんじゃない。策略のある果敢《かかん》なやつらが三、四人はいるにちがいない。そしてたとい書類が何人の手中にあろうとも、必ずそれを奪回《だっかい》せずにはおかぬ決意をかためているのだ。この意味からK・K・Kというのは個人の頭文字《かしらもじ》ではなくて、ある団体の記号だということがわかる」

「何の団体だろう?」

「君はまだ」とホームズはからだを乗りだして声をひそめていった。「キュー・クラックス・クランのことはまだ聞いたことがないのかい?」

「知らないねえ」

ホームズは膝《ひざ》のうえで百科辞典をくっていたが、「ここにあった」とそれを読みあげた。


キュー・クラックス・クラン——小銃《しょうじゅう》の撃鉄《げきてつ》を掛《か》けるときの音と妙《みょう》に似通ったところからつけられた名で、この恐怖すべき秘密結社は南北戦争終結後、南部連邦のもと軍人であった一部の人々により組織され、たちまち全国にひろがり各地に支社をおくにいたった。とくにテネシー、ルイジアナ、南北カロライナ、ジョージア、フロリダの各州に著《いちじる》しい。その勢力は政治目的、主として黒人有権者への威嚇《いかく》、ならびに結社の政見に反対する者を殺害し、または国外へ逐放《ちくほう》するために用いられた。結社が暴行を加えるまえには目標の人物に対し、奇抜《きばつ》ではあるが一般に知られた方法による警告――ある地方では樫《かし》の小枝《こえだ》、またある地方ではメロンやオレンジの種を使用する――を送りつけるのを常《つね》とする。この警告を受けた者は、それまでの自己の主義を捨てることを公然と誓約《せいやく》するか、さもなければ国外へ去るか、二つのうち一つを選ばねばならず、この警告に従わない者があれば、かならず死を招く結果になり、しかもその方法は奇怪でまったく予測できないのが常である。結社の組織はきわめて完備し、その手段はすこぶる巧妙であるから、警告に従わずに死をまぬがれた者はいまだかつて記録にない。また暴行についてもその加害者が判明した例もない。このようにして合衆国政府ならびに南部諸州の善良な社会の人々の努力も空《むな》しく、数年にわたり結社は暴威をふるったが、一八六九年にいたり突如瓦解《とつじょがかい》するにいたった。ただしその後も同種の事件は間歇的《かんけつてき》に発生している。

「これでみると」ホームズは厚い本を下においていった。「この結社がとつぜん崩壊《ほうかい》したのと、オープンショウ大佐がアメリカから書類をもって帰ってきたのと、年代が符合《ふごう》しているのに気がつくだろう？　この二つの事実は、たがいに原因と結果をなすものと考えてもよかろう。してみれば大佐およびその一族が、執念《しゅうねん》ぶかくつけねらわれるのに何の不思議もあるまい。この帳簿《ちょうぼ》や日記が南部諸州の一部有力者に累《るい》をおよぼすものであることも、これをとりもどすまでは枕《まくら》を高くして眠《ねむ》られぬ人が数多く存在することも、これでよくわかるだろう？」

「するとさっき見たあの一ページは……」

「いかにもそれらしかったじゃないか。ＡＢＣの三人に種を送った――と書いてあったようだが、つまり結社が警告を発したのを意味するんだよ。ＡもＢも順次『去る』とあるのは、国外に去ったのを意味するのだろう。第三のＣは『訪問』をうけているが、これはＣが例の惨劇の犠牲《ぎせい》になったことらしい。

というわけで、この不思議な事件もやや輪郭《りんかく》が明らかになってきたと思うのだが、だからあのジョン・オープンショウを助ける唯一《ゆいいつ》の途《みち》は、僕の教えてやった方法によるしかないと信じるんだ。で今晩のところはこれ以上することもないし、話すこともないようだから、ちょっとそのヴァイオリンをとってくれないか。三十分ばかり、このいやな天気や、天気よりもっとみじめな同胞《どうほう》たちの運命を忘れることにしよう」

翌朝は好天気だった。太陽は大ロンドンの空にかかる薄絹《うすぎぬ》をとおして、なごやかに輝《かがや》いている。起きてみるとホームズはもう朝食のテーブルについていた。

「先に失敬しているよ。きょうはオープンショウ事件で、とても忙《いそが》しいと思ったもんだからね」

「どういうふうにやってゆくつもりだい？」

「最初の調査の結果しだいで、どうなってゆくかわからないが、結局はホーシャムまで行かなきゃなるまいかとも思っている」

「最初にそっちに行くのじゃないのかい？」

「いや、まず下町《シティ》からはじめるつもりだ。ちょっと呼鈴《よびりん》を鳴らしてくれないか、女中が君のコーヒーをもってくるから」

待っているあいだにと、卓上《たくじょう》に置いたままの新聞を手にとって、ひろげてみた私は、ふと目についた見出しにたちまち心がひやりとした。

「おいホームズ君、もう間にあわないぜ！」

「えッ！」ホームズは静かにコーヒー茶碗《ぢゃわん》をおいて、「そんなことではないかと思っていたんだ。どんなふうにやられている？」と言葉はおちついているが、内心はかなり動揺《どうよう》しているらしい。

「オープンショウという名と『ウォータールー橋の惨劇《さんげき》』という見出しが目についたばかりだが、ひとつ記事を読んでみよう」

昨夜九時から十時までのあいだに、H署のクック巡査《じゅんさ》はウォータールー橋付近で服務中、救いを求める悲鳴と水音を耳にしたが、何しろ真の暗夜のうえあの嵐のなかとて、二、三通行人の協力もあったけれど救助はとうてい不可能なので、ただちに警報を発し水上署の助力を得て結局死体は発見した。ポケットから出た封筒《ふうとう》によりホーシャム付近のジョン・オープンショウという青年紳士《しんし》と判明したが、たぶんウォータールー駅発終列車に乗るつもりで急ぐうち、あまりの暗さに道にまよい、河蒸気《かわじょうき》乗り場から墜落《ついらく》したものと推定される。死体になんら暴行の痕跡《こんせき》が残っていないところからみて、過失死であるのは間違《まちが》いないであろうが、それにつけてもこのような危険な乗船場の存在することに関して当局の一考をうながさざるをえない。

二人ともしばらくは口がきけなかった。ホームズのしょげかたは、私もかつて見たことがないほどであった。

「僕は誇《ほこ》りを傷つけられたよ」しばらくたって彼がいった。「むろん、つまらない感情にはちがいないが、僕は自尊心を傷つけられたよ。こうなったら僕には事件じゃなくて、個人的な問題だ。命のあるかぎり必ずこのギャングを押《おさ》えてやる。せっかく僕を頼《たよ》ってきたものを、むざむざと死なすために帰してやるなんて！」

こういって彼はぬっと立ちあがり、制しきれぬ興奮のうちに、青じろい顔の頬《ほお》だけ紅潮させ、細くてながい指を神経質に握《にぎ》ったり開いたりしながら、部屋のなかを歩きまわった。

「よほど悪知恵にたけたやつらにちがいない。どうしてそんな場所へ誘《おび》きだしたのだろう？　河岸はここから駅への路すじではないじゃないか。いくらゆうべのような晩でも、橋の上は人通りがあって目的にそわなかったからだが、よし、ワトスン君、どっちが最後の勝利をうるか、見ていてくれ！　僕は出かけるよ」

「警察へかい？」

「いいや、警察は僕自身だ。警察なんてこっちが網をはってやれば、蠅《はえ》くらいつかまえられるだろうが、さもなきゃ何ができるものか！」

その日私は本職の医業のほうが忙しくて、ベーカー街へ帰ってきたのはだいぶ遅《おそ》かったが、ホームズはまだ帰っていなかった。十時ちかくなって、疲《つか》れた様子で帰ってきた。帰るとすぐ戸棚のまえへ行って、パンをちぎってほおばり、ガツガツしながら水をのんで、グイグイ胃の腑《ふ》へ流しこんだ。

「そんなに腹がすいたのかい？」

「飢死《うえじ》にしそうだ。食べるのを忘れていたんだ。朝から何も食べなかった」

「なんにも？」

「そうさ。そんなことを思いだす暇《ひま》もなかった」

「そしてどうだった。結果は？」

「うむ」

「手掛りはあったかい？」

「ちゃんとこの手のなかに、やつらを握ってしまった。オープンショウ青年の仇《あだ》をとるのも、そうながい先じゃない。ねえワトスン君、こんどは逆にこっちから、あの不《ふ》吉《きっ》なレッテルをはりつけてやろうじゃないか。考えても愉快《ゆかい》だよ」

「どうするんだい？」

ホームズは戸棚からオレンジを一つ出して細かく裂《さ》き、種をテーブルの上にしぼりだした。そのなかから五つだけをとって封筒にいれ、蓋《ふた》の内がわに「J・Oのため S・H（訳注 ジョン・オープンショウのためシャーロック・ホームズ）」と書いた。封をして表には「米国ジョージア州サヴァナ港、三檣帆船ローン・スター号船長ジェームズ・カルフーン殿《どの》」とあて名を書いた。

「こいつが船の入港を待っているわけだ」ホームズはフフと笑っていった。「この手紙を見たら、その晩船長はとても眠れまい。オープンショウ大佐《たいさ》が味わったのとおなじ必然の凶《わる》い予告におののくことだろう」

「カルフーン船長とは何者なんだい？」

「ギャングの首領さ。ほかのやつらもやっつけてやるが、まず首領からだ」

「どうやって突《つ》きとめたんだい？」

ホームズはポケットから、日付と名前をいっぱい書きつけた大きな紙片《しへん》をとりだしていった。

「僕は一日がかりでロイド船舶名簿《せんぱくめいぼ》と、古い新聞のとじこみをあさり、一八八三年の一月から二月にかけてポンディシェリへ寄港したあらゆる船の、その後の行動を調べあげた。この二月《ふたつき》のあいだにポンディシェリへ寄港したそれらしい大きさの船は三十六隻《せき》あるが、そのなかでローン・スター号という名がすぐ僕の目についた。ロンドンから来たとはあるが、その名はアメリカのある州に与《あた》えられた別名だからね」

「たしかテキサスだろう？」

「どこだかいまでも知らない。どこだっていいんだ。ただ船は間違いなくアメリカ系だと思った」

「それで？」

「それでダンディー港を調べてみると、一八八五年の一月に寄港しているとわかったので、いままでの疑念が確信になった。そこでこんどは、いま現にロンドン港に停泊《ていはく》中《ちゅう》の船を調べてみると……」

「あったかい？」

「ローン・スター号は先週入港したというから、さっそくアルバート波止場《はとば》へ出かけてみると、今朝の満潮にサヴァナ港へ向けて帰航したことがわかった。すぐにグレーヴセンドへ電報で追っかけてみたが、すこしまえに通過したという返事があった。風が東風だから、いまごろはグッドウィンの州《す》もすぎて、ワイト島のちかくを航行していることだろう」

「で君はどうする？」

「もうちゃんと手はまわっているんだ。船長のほか二人の航海士だけが生っ粋《きっすい》のアメリカ生れで、そのほかの乗組員はすべてフィンランド人とドイツ人だというし、この三人はそろってゆうべロンドンで上陸している。荷物の積みこみをした沖仲仕《おきなかし》から聞いたのだが、船がサヴァナへ着くころには、この手紙が速い郵便船で先に届いて待っているだろうし、そのうえ海底電信で、これこれの三人は当地で殺人犯人として厳重《げんじゅう》手配中のものと、先方の警察へ逮捕《たいほ》を依頼《いらい》してある」

だが人間のたてた計画には、どんなに万全《ばんぜん》を期しても、必ずどこかに欠陥《けっかん》があるもので、ジョン・オープンショウ殺しの犯人一味は、永久にオレンジの種はうけとらなかったのである。もしうけとっていれば、彼らに劣《おと》らぬ奸知《かんち》をもつ果敢な人物があって、彼らを追及《ついきゅう》していることを思い知らせることができたであろうに。あの年は彼岸嵐《ひがんあらし》がとくにいつまでも猛威《もうい》をふるっていた。私たちは首をながくして、サヴァナ港からローン・スター号の消息のくるのを待ちわびていたのだが、それはついに聞かれずじまいであった。その代りに耳にしたのは、大西洋のはるかまん中で、うち砕《くだ》かれた船尾材《せんびざい》に「L・S」と刻《ほ》りつけたものが、波間にただよっているのを見たものがあるという情報であった。ローン・スター号の運命については、永久にこれ以上わかることはないであろう。

——一八九一年一一月『ストランド』誌発表——

唇《くちびる》の捩《ねじ》れた男

セント・ジョージ神学校の校長だった故神学博士イライアス・ホイットニー氏の弟にあたるアイザ・ホイットニーはひどくアヘンに惑溺《わくでき》していた。この悪習はそもそも学生時代の愚《おろ》かな好奇心《こうきしん》がこうじて、ついに身にしみてしまったものだと私は承知している。というのはド・クインシーの描写《びょうしゃ》した夢《ゆめ》と感覚の世界をのぞきみてから、おなじ効果をうるつもりで、タバコをアヘン・チンキにどっぷりつけては喫《の》んでいた。こうして染まることはたちまち染まってしまったが、彼《かれ》もまたご多分にもれず、この悪習から容易に脱《だっ》することができなかった。そして長年この麻薬《まやく》の奴隷《どれい》となりとおし、朋友親戚《ほうゆうしんせき》間のひんしゅく・指弾《しだん》の的となったのである。いまでは黄いろくぼってりした顔になり、眼瞼《まぶた》は力なく垂れ、瞳孔《どうこう》は針の穴ほどになり、いつも椅子《いす》のなかに丸くなっていて、貴族紳士《きぞくしんし》の一廃物《はいぶつ》としての残骸《ざんがい》をとどめているにすぎない。

ある晩——一八八九年の六月であったが——人がもうそろそろあくびをはじめ、柱時計でも見あげようという時刻になって、玄関《げんかん》のベルが鳴ったので、私は椅子のなかでからだをおこし、妻は編みものを膝《ひざ》において、ちょっといやな顔をした。

「患者《かんじゃ》よ。またお出かけね？」

私は一日の疲労《ひろう》をやっと回復したばかりだったので、舌うちした。ドアのあく音がして、二こと三こと話声が聞えたと思ったら、誰《だれ》か急ぎ足にリノリウムのうえをふんでこっちへくる様子。やがて部屋のドアがあいて、黒っぽい服をまとい、黒のヴェールをかけた婦人がはいってきた。

「たいへんおそくにうかがいまして……」といいかけてその婦人は急に自制力を失い、妻のところへ駆《か》けよってその首に両手をかけ、その肩《かた》に顔をふせながら、「私、私、困っていますのよ。お願いだから、どうぞ助けて……」とばかり、すすり泣きをはじめてしまった。

「あら！」と妻は泣いている婦人のヴェールをあげてみていった。「ケート・ホイットニーさんじゃありませんか。私びっくりしてしまったわ。だって、はいってらしたとき、すこしもわからなかったんですもの」

「私どうしたらよいかわからなくて、何より先にあなたのところへ駆けつけてきましたの」

それはいつものことである。悲嘆《ひたん》にくれる人たちは、まるで鳥が灯台へ集まるように、妻のところへやってくるのである。

「よくいらっしゃいましたわね。さ、ブドウ酒にお水をすこし割ってあげますから、これをあがってここへおちついて、すっかりうちあけてくださいね。それともジェームズにはもう寝《やす》んでもらって、二人だけでゆっくりお話しましょうか？」

「いいえ、先生にもお聞き願って、ご相談にのっていただきたいのよ。じつはアイザのことなんですけれど、きょうでもう二日家へ帰らないものですから、私心配で、心配で……」

彼女《かのじょ》が良人《おっと》アイザのことを私たちに訴《うった》えるのは、これがはじめてではなかった。私は医者として相談をうけ、妻は学校時代からの古い友達として、しばしば泣言を聞かされていたのである。そのたびに私たちは言葉をつくして彼女を慰《なぐさ》めるのがつねだった。今晩も彼女は良人の行きさきがわかっていて、私たちの手でつれもどしてほしいとでもいうのであろうか？

聞いてみると、まったくそのとおりらしいのである。近ごろではアイザは発作《ほっさ》がおこると、ロンドンもずっと東のはずれにあるというアヘン窟《くつ》へ出かけてゆくらしいと、彼女はたしかな情報をもっていた。そしていままでのところは、行ってもいつも一日だけで、晩にはからだをけいれんさせながら、へとへとになって帰ってくるのがつねであった。それがこんどはどうしたものか、まる二日帰ってこないのだというから、さだめしいまごろはいまわしい場所に倒《たお》れふして毒煙《どくけむり》を吸いつづけるか、それともうつらうつらと眠《ねむ》りながら、その効果のぬけるのを待っているのにちがいない。その場所というのは上《アッパー》スワンダム小路《こうじ》の「金の棒」という家で、そこへ行けば必ず良人がいることはわかっているのだけれど、内気な若い女の身そらで、そうした恐《おそ》ろしげな場所へ独りで乗りこんで、群《むら》がる荒《あら》くれ男たちのなかから良人をつれだしてくることなぞ、どうしてできよう！

というわけなのであるが、むろんこれにはたった一つしかとるべき手段はなかった。私が彼女について、そこへ行くべきか？　しかし、彼女自身が行かなければならぬ理由がどこにあるのだ？　アイザ・ホイットニーにとって、私は主治医ではないか。してみればホイットニーは私のいうことをきいてくれるはずだ。それにいざとなれば、私独りのほうが都合のよいことも多かろう。

で私は彼女に、彼がその家にいさえしたら、二時間以内に必ず馬車で送りかえすからとかたく約束して、それから十分のちには、楽しい団欒《だんらん》と居心地《いごこち》よい肘掛《ひじかけ》椅子とをあとに、不思議な使命をおびてタクシー馬車を東へ東へと駆っていたのである。――不思議な使命といった。しかり、そのときは世にも不思議な使命のつもりであったのだが、どんなにそれが不思議な使命であったことか、のちにいたってはじめてまことによくわかったのである。

とはいっても、最初のうちは何のこともなかった。上《アッパー》スワンダム小路というのは、ロンドン橋の下手の北岸にならぶたかい荷揚場《にあげば》の裏にあるきたならしい町で、既製服《きせいふく》屋《や》と居酒屋のあいだの急な段々を、洞穴《ほらあな》の入口みたいな暗いところへ降りてゆくと、そこに目的のアヘン窟があった。

馬車を待たせておいて、年じゅう酔《よ》いどれどもが上下するので中ほどの凹《くぼ》んだ石段を降りてゆくと、戸口に掲《かか》げた石油ランプのちらちらするなかに掛金《かけがね》が見えたので、そこからなかへはいっていった。なかは天井《てんじょう》の低い細長い部屋で、移民船の船室に見るように、木の寝床《ねどこ》が段々に設けられてあり、そのなかをどすぐろく濁《にご》ったアヘンの煙がもうもうとたちこめている。

うす暗がりをとおしてみれば、その寝床にはさまざまな夢幻的《むげんてき》な姿勢をたもって、人々の横たわっているのがわかった。あるいは背中をまるめ、あるいは膝を曲げ、あるいはまたぐっと頭をうしろへひいて顎《あご》を天に向けているかと思うと、そちこちには暗くどんよりした眼《まなこ》を新来の客へと注ぐのもあった。

これらの黒い人影《ひとかげ》の間で、小さな赤い火がぽかりと丸くともり、金属製の火皿《ひざら》のなかで、毒の火の息《い》ぶきにつれて静かに明暗をつづけている。多くは黙々《もくもく》と横たわっているのみであるが、なかには何事かぶつぶつとつぶやいている者もあり、また妙《みょう》に単調な声でぼそぼそと隣《とな》りどうし話しあっているのもあった。話すとはいっても思ったことを出まかせにしゃべりちらすだけで、それもいつかぷつりと途切《とぎ》れてしまうといった具合、たがいに相手の言葉など気にとめているのではなかった。ずっと奥《おく》のほうに木炭の燃えている火鉢《ひばち》があって、そばの三脚《さんきゃく》の腰掛《こしかけ》に、背のたかいやせた老人が腰をおろして両肘を膝につき、拳《こぶし》のうえに顎をのせてじっと火のなかを見入っていた。

私がそこへはいってゆくと、顔いろの黄いろいマレー人の給仕が、パイプと一回分の薬品を手に急いでやってきて、空いている寝床を教えてくれた。

「ありがとう。だが私はアヘンを吸いにきたのじゃない。友人のアイザ・ホイットニーという人が来ているはずだが、その人に話があってきたのだ」

ふと私の右がわに、やアと声をかけてもぞもぞと動くものがあった。うす暗いなかを透《す》かしてみると、そこに当のホイットニーが頭髪《とうはつ》も乱れ、おとろえきった青じろい顔を起して、こちらを見つめているのであった。

「ヤッ、ワトスン君ではないか！」あわれにもホイットニーは麻薬からさめた反動で、あらゆる神経が騒《さわ》ぎたっているのである。

「ねえワトスン君、いま何時です？」

「十一時まえですよ」

「何日の？」

「金曜日です。——六月十九日の」

「えッ！ 水曜日かと思った。いや水曜日にちがいない。人を嚇《おど》かしてどうしようっていうんです？」ホイットニーは両腕《りょううで》に顔をうずめて、手ばなしの最高音でおいおい泣きだした。

「いや、ほんとうに金曜日なんです。奥さんはこの二日というもの、毎日あなたを待ち暮《くら》しておいでです。ちと恥《は》じたらどうです？」

「そりゃア恥じてはいるんだけれど、君も誤解しているんだ。ここへ来たのはわずか二、三時間まえで、パイプにして三服か四服か、——いや数は思いだせないけれど、……帰りますよ、いっしょに。ケートに心配させたくはないから……ケート、すまないね。ちょいと手を貸してください。馬車はあるんですか？」

「そとに待たせてありますよ」

「じゃそれで帰ろう。しかし勘定《かんじょう》があるにちがいない。ワトスン君、ひとつきいてみてくださいよ。私はふらふらして、自分じゃ何もできない」

私は両がわにごろごろと人の寝ている狭《せま》い通路を、いまわしい麻薬のガスをすこしでも多くは吸うまいと、息をつめながら支配人をさがし求めて奥のほうへと進んだ。そして火鉢のところにがんばっている例の背のたかい老人のわきを通りぬけようとすると、不意に服の裾《すそ》を引かれたのを感じ、「通りこしてからふりかえってみたまえ」という低い声を聞いた。低いけれどかなりはっきりと聞きとれたのである。

私は足もとを見た。声はその老人の口から出たものとしか思えないのであるが、ひどくやせて皺《しわ》だらけで腰の曲ったこの老人は、何事もなかったように、だれきった手からすべりおちたのでもあろうアヘン・パイプを、両膝のあいだにだらりとぶらさげたまま、現《うつつ》なくぽつねんとすわっているのである。

私はそのまま二歩先へすすんで、あとをふりかえってみた。その瞬間《しゅんかん》、危《あや》うくあッと声をたてるところであった。ほかの者には見えないが、私にだけ顔の見えるように、そのとき彼はからだをねじむけたのであるが、不思議やその顔には皺一本見えず、からだつきもしゃんとして、どんよりと濁っていた眼《め》は生き生きと輝《かがや》き、火のそばにすわって驚《おどろ》く私をニヤリニヤリと見かえしているのは、これぞ誰あろうシャーロック・ホームズその人だったのである。

ホームズはかすかな身ぶりで私にちかよれと伝えた。そしてそのまま顔をみなのいるほうへ向けなおしたが、そのときはもう動作もにぶく、口もとのだらしない老いぼれと早がわりしていたのである。

「ホームズ君！　こんなアヘン窟で君はいったい何をしているんだ？」私は低い声でいった。

「できるだけ小さい声で」とホームズは答えた。「僕《ぼく》の耳はよいのだ。君の友人だね、あの酔いどれは？　すまないが、あの男を何とか始末をつけたら、すこし相談があるんだがね」

「そとに馬車が待たせてある」

「じゃそれで送りかえしたまえ。一人で帰したって、あんなに参っているんだから、途中で間違いをおこすようなことはあるまい。君の奥さんにも、馭者《ぎょしゃ》に手紙をもたせて、ホームズといっしょになったっていってやったほうがよかろう。そとで待っててくれたまえ。五分もしたら出てゆく」

ホームズの要求はいつでも非常に断定的で、命令でもするような調子でやられるので、拒絶《きょぜつ》するなんて思いもよらなかった。それに考えてみれば、ホイットニーは馬車にのせて帰してやりさえすれば、事実上使命は果したことになる。使命を果したうえでホームズといっしょになり、彼にとってはきわめて日常茶飯《さはん》のことなのであろうが、あの怪奇《かいき》な冒険《ぼうけん》の一つに参加できるとすれば、こんな愉快《ゆかい》なことはない。

私はわずか二、三分間で、手ばやく妻への短い手紙を書き、ホイットニーの支払《しはら》いをすませ、彼をつれだして馬車にのせ、その馬車の走りさるのを、闇《やみ》に姿の見えなくなるまで見送った。まもなくアヘン窟から一人の老いぼれが現われ、いつとはなく私とつれだって歩いていた。

老いぼれは二つ目の角までは腰を曲げ、よぼよぼと歩いていたが、そこですばやくあたりを見まわして、ぐっと腰をのばすとともに、わっはっはと腹の底から笑いを爆《ばく》発《はっ》させた。

「ワトスン君、僕はコカイン注射に加えて、医学的見地から君がほじくりだしてくれたいろんな弱点のあるうえに、こんどはアヘンまではじめたかと君は思うだろうね？」

「あんなところで君に会うなんて、まったく思いもよらなかったよ」

「僕のほうがよっぽど驚いたよ。まさかあんなところへ君が来《こ》ようとはね」

「友人をさがしに行ったんだ」

「僕は仇敵《きゅうてき》をさがしに行った」

「仇敵？」

「そうさ。僕にとっちゃ先天的な仇敵のひとり、いや、宿命のえじきというべきかな。簡単にいうとこういうわけだ。いま僕は非常にむずかしい事件の調査にあたっているが、それについてああした酔いどれのとりとめもない戯言《ざれごと》のなかに手掛《てが》りでもありはしないかと、よくやった手だが、それで行ってたんだ。あそこでは僕だということがわかったら、生命《いのち》はいくつあっても足りないだろうよ。何しろ以前あそこを勝手に利用したことがあるんで、ごろつきのインド人水夫がひどく怒《おこ》って、復讐《ふくしゅう》してやるといってるからね。あの家には裏手の、ポール荷揚場寄りに落し戸が一つあるが、月のない夜々そこをどんなものが通ったことか、落し戸に口がきけたら、さぞかしおもしろいだろうよ」

「えッ！　まさか死体のことをいっているのじゃあるまいね？」

「そうとも、死体さ。あのアヘン窟で人一人殺すごとに千ポンド取るとしたら、たいへんな金持になれるというものだ。この界隈《かいわい》でもあの家ほどいまわしい、のろわれた場所はないのだよ。だからネヴィル・セントクレアもあそこへはいったきりで、生きて二度とは出られないのじゃないかと、心配しているわけさ。ところで、このへんにいるはずなんだが……」

そういってホームズは二本の指を口にいれ、ひゅうと鋭《するど》く口笛《くちぶえ》を吹《ふ》いた。すると闇のなかにおなじ合図の口笛が聞え、一台の馬車が蹄《ひづめ》の音も軽く、車輪を響かせて近づいてきた。

「ところでワトスン君」と、そこへ一頭びきの背のたかい馬車が、両がわの側灯から二条《すじ》の黄いろい光の棒を放射しながら姿を現わしたのを見て、ホームズはいった。

「いっしょに行ってくれるだろうね？」

「何か役にたつようならば」

「信頼《しんらい》できる親友は、つねに役にたつものだ。まして君は記録係じゃないか。それに『杉《すぎ》の家』で僕のあてがわれている部屋は、都合のいいことにベッドが二つある」

「杉の家って何だい？」

「セントクレア氏の家の通称さ。調査中僕はそこへ泊《とま》ってるんだ」

「場所はどこだい？」

「ケント州のリー市のちかくだ。ここから七マイルはある」

「それにしても僕は、どんな事件だかも知らないんだが……」

「それはそうだ。しかしすぐわかる。さアここへ乗りたまえ。──じゃジョンはこれでもういいよ。あしたの十一時ごろまた頼《たの》む。手綱《たづな》をはなしてくれ。ご苦労さま」

ホームズが一むちくれると、馬車は人通りのさびれたうす暗い街路をどこまでも走りだした。すすむにつれて街幅《まちはば》はしだいにひろくなり、やがて欄干《らんかん》つきの大きな橋にかかった。下にはゆるい流れが小暗く流れている。橋をわたるとその先がまた煉瓦《れんが》とモルタルの広い荒れ地で、夜警巡査《やけいじゅんさ》の規則正しく重い足音や、夜おそくまで酒を飲んでいる連中の歌声やわめきちらすのが、ときたま聞えるくらいのものであった。空にはうすい雲が静かに流れて、そこここに一つ二つと雲の切れ目から、星がかすかにまたたいている。

ホームズは顎を深く胸にうずめて、思いに沈《しず》んでいるらしく、無言のまま手綱をとっており、それにならんだ私は、こんなにホームズに全力をうちこませる事件というのは、いったいどんな内容なのだろうと、大いに好奇心を動かされながらも、思索《しさく》を乱しては悪かろうと、あえて尋《たず》ねるのはさし控《ひか》えていた。

そのままで五、六マイルも走り、馬車がロンドンをとりまく郊外《こうがい》の別荘地帯《べっそうちたい》にさしかかったとき、ホームズは急にからだを動かし、肩をあげて、自分のとった行動が最善であるのを確かめて満足したとでもいいたげな様子で、パイプに火をつけた。

「君はすばらしい天稟《てんぴん》をもっているよ、寡黙《かもく》というね。これがあるから君は相棒としてもってこいなんだ。じっさい僕にとっちゃ、話し相手をもつというのは、非常にありがたいことだ。というのは、僕の考えることの内容は、いつでもあんまり愉快なことじゃないからね。いまもじつは、あの家で出迎《でむか》えてくれる婦人に、なんといって言葉をかけたものか、そのことばかり考えていたんだよ」

「僕はまだなんにも聞いてやしないんだぜ」

「リー市へ着くまでに、荒筋だけは話す時間があるだろう。問題はばかばかしいほど簡単で、それでいてどこから手をつけていいか見当もつかない。むろん材料はたくさんある。そのどこから手をつけて事実をたぐりだしたらよいか、端緒《たんしょ》というものが見あたらないんだ。じゃ、以下簡単に事件の経緯《けいい》だけ話してみよう。そうすれば僕にわからないことを、君が何か発見してくれるかもしれない」

「じゃ早く話したまえ」

「数年まえ、――正確にいえば一八八四年の五月だが、リーの町へ、ネヴィル・セントクレアと名のる金持らしい紳士《しんし》がやってきた。そして別荘風の大きな一軒家《いっけんや》を手にいれて、邸内《ていない》の地所などもひろげたり、なかなか豪勢《ごうせい》に暮していた。しだいに近所との交際も開け、一八八七年には付近の一醸造家《じょうぞうか》の娘《むすめ》と結婚《けっこん》して、現在では二人の子供まである。これという一定の業務はもたないが、いくつかの会社に関係して毎日ロンドンへ出てゆき、五時十四分キャノン街発の列車で帰ってくるのが例だった。いま三十七だが温厚《おんこう》な人柄《ひとがら》で良人《おっと》としては善良、父としては慈愛《じあい》にみち、いちど会ったら誰《だれ》からも好かれるといったふうの人物だ。なお、わかっているかぎりでは、現在負債《ふさい》が八十八ポンド十シリングあるが、反対にキャピタル・エンド・カウンティーズ銀行に二百二十ポンドの預金があって、金銭問題で心を悩《なや》ましていたと思われる理由はないといえる。

この月曜日にネヴィル・セントクレアはいつもよりすこし早めに家を出たが、出がけにきょうは大切な用件が二つあるということと、男の子の土産《みやげ》に積木を一箱《はこ》買ってきてやるといっていた。

まったく偶然《ぐうぜん》のことだが、おなじ日に主人が出かけてまもなく、かねて細君あてに来るはずになっていた大切な小包が、アバディーン汽船会社まで届いているから、うけとりに来てほしいという意味の電報がきた。ロンドンの案内に明るい者なら知っているはずだが、その汽船会社なら今晩僕の行ってた上《アッパー》スワンダム小路《こうじ》から分かれているフレスノ街にあるのだ。

セントクレア夫人は昼食《おひる》をすませてロンドンへ出かけ、二、三の買物をしてから汽船会社へ行って小包を受けとり、スワンダム小路を駅をめざして歩いていったのが、ちょうど四時三十五分だった。――どうだ、わかるかい？」

「よくわかる」

「君は覚えているかどうか、この月曜日はじつに暑い日だった。見たところ街の様子があのとおりゴミゴミしたところだし、セントクレア夫人はせめてタクシー馬車でもあればと思うが、ちかくにそれらしいものも見あたらないので、きょろきょろと前後を見まわしながらゆっくり歩いてゆくと、とつぜん、あッという叫《さけ》び声が聞えたので何気なく声のしたほうをふりあおいでみて、のけぞるばかりに驚いた。というのはその三階の窓に良人の顔が見えたからだ。声の主は疑いもなく良人で、しかも夫人にはその瞬間、良人が窓から見おろして彼女《かのじょ》のほうへ手招きしたようにさえ見えたという。窓は押《お》しあけられていたから、はっきり見えたが、それはどう見ちがえようもない良人の興奮した顔だった。

夫人の話ではセントクレア氏はそのときひどく心が転倒《てんとう》している様子で、狂気《きょうき》のように彼女のほうへ手を振《ふ》っていたが、たちまち何か抵抗《ていこう》しがたい力でうしろから引かれでもしたように、すっと窓の奥へ姿が消えてしまったという。ただ一つ妙なことには、いかにも女らしい観察だけれど、そのときセントクレア氏は、服は家をでるときの黒っぽいのを着ていたけれど、なぜかカラーもネクタイもつけていなかったという。

これは何か良人の身に間違《まちが》いがあったのにちがいないと思って、夫人は大急ぎで石段を降りて——まだ話さなかったが、その家というのが今晩僕たちの不思議なめぐりあいをしたあのアヘン窟《くつ》なのだが、例の表の間をぬけて、奥の階段を二階へ駆《か》けあがろうとした。するとそこへさっき話した水夫あがりのインド人の無頼漢がでてきて、階段の上り口でデンマーク人の手下と二人がかりで彼女を押しもどし、とうとう往来へつきだしてしまった。

夫人はいよいよ疑念を深めた一方、ますます良人の身のうえが心配になり、気違いのようになってあの通りを駆けてゆくと、何と運のよいことにフレスノ街で一隊の巡査が警部に引率《いんそつ》されて巡回してくるのにばったり出くわした。

急いでことの次第を訴《うった》える。警部は巡査を二人つれてそれッとアヘン窟へ駆けつける。主人がつべこべ抗弁するのを押しのけて、セントクレア氏の姿を見た三階の部屋へ行ってみたが、もう影も形もなかった。三階じゅうさがしてみたが、そこに住んでいるらしい乞食《こじき》のような、人相のわるいいざりがいるきりで、セントクレア氏はもとよりほかには誰一人いないのだ。

そのいざりと水夫あがりのインド人とで、その日三階の表の間には誰もはいった者がないと、強硬《きょうこう》にいいはった。こうなるとさすがの警部もいくらかたじたじの形で、セントクレア夫人が何かを見誤ったのではあるまいかと首をひねっていると、夫人があらと叫んで、テーブルのうえの小さな白木の箱にとびついた。蓋《ふた》をとってみると、中から子供の積木がざらざらとこぼれおちた。積木はセントクレア氏が朝家を出るとき、子供へ約束《やくそく》したお土産だったはずだ。

この積木が現われたのと、そのときいざりが明らかに狼狽《ろうばい》の色を見せたので、警部もこいつは何か深い事情があると見てとった。そこで改めて各部屋を綿密に調べてみると、いまわしい犯罪の行われたらしい証拠《しょうこ》の跡《あと》がぞくぞくと現われてきた。

とっつきの表の間は、粗末《そまつ》ながら居間として設備され、その奥《おく》に小さな寝室があって、これには荷揚場《にあげば》の裏手を見おろす窓がある。窓と荷揚場とのあいだには、一条《すじ》の狭《せま》い空地《あきち》があって、そこは干潮時には水が引くが、潮がみちるとすくなくとも四フィート半は水がくるらしい。寝室の窓は大形の、下から押しあげる式のものだけれど、よく調べてみるとその窓枠《まどわく》のうえに血がついており、床板にも点々といくつかおなじものが見られた。

居間のほうを調べると、カーテンのうしろからセントクレア氏の衣類が、上着だけのぞいてそっくり出てきた。靴《くつ》、靴下、帽子《ぼうし》、時計の類にいたるまでそっくりあるが、暴行を加えられた形跡だけはない。そして服の主人《あるじ》の姿が見えないのである。ほかには出口がないのだから、してみるとセントクレア氏はこの窓からのがれ出たのであろうか。しかしちょうど満潮時のことではあるし、窓に血のついている始末では、逃げたとしても無事にどこかへ泳ぎつきえたか否《いな》か、はなはだ心もとないしだいである。

つぎに事件に直接関係をもつと思われる悪漢どもだが、例の水夫あがりのインド人、こいつは凶悪《きょうあく》無類の経歴《けいれき》をもつ無頼の徒だが、セントクレア夫人の話によれば、夫人が良人の顔を見て駆けこんだとき、この男はすでに階段の下にいたというから、もし関係があるとしても主犯ではあるまい。本人はまったく何事も知らぬと主張し、部屋を貸しているいざりのヒュー・ブーンの行為《こうい》についても、なんら関知するわけがないと弁解し、したがってそこになぜセントクレア氏の衣類があったか、知りもしなければ責任もないとうそぶいた。

インド人のほうはそういうわけだが、つぎにあのアヘン窟の三階を住家とし、セントクレア氏を最後に見かけているにちがいないと思われるその怪《あや》しげないざりだ。彼《かれ》は名前をヒュー・ブーンといって、その不気味なみにくい顔は下町《シティ》でもかなりよく知られている男なのだ。軽犯罪法違《い》反《はん》への口実に、すこしばかり蠟《ろう》マッチなどもっていてそれを売ると見せかけてはいるが、そのじつれっきとした乞食で、君も知っているかもしれないがスレッドニードル街をすこしゆくと、左手にへいがちょっと鉤《かぎ》の手になったところがある。あそこへこの男は毎日出ばってあぐらをかき、膝《ひざ》のうえに申しわけの蠟マッチをならべているんだが、その様子があまりあわれっぽいものだから、つい通りがかりの人たちが、膝のまえのどろのうえにおいてあるあかじみた革《かわ》のハンチングのなかへ、小銭《こぜに》の慈善の雨を降らしてゆくというわけだ。こんな事件に関連して直接識《し》るようになろうとは、夢《ゆめ》にも思わなかったが、僕は以前たびたびこの男の様子をじっと見ていたことがあるが、ほんのしばらくのあいだに大きなもらいがあるのには驚いた。

何しろ見たところがあんまりひどいので、通る者が誰でも知らず知らず注意をひかれるのだ。赤い髪《かみ》の毛をもじゃもじゃさせ、青じろい顔には恐《おそ》ろしい傷痕《きずあと》があって、そいつがまたひどいひきつれになり、上唇《うわくちびる》のはじが一方だけにゅっと上へ釣《つ》りあがっているうえに、角ばった顎《あご》、いやに鋭い黒眼《くろめ》のギョロリと光るのが、髪の毛の色と気味のわるい対照をなしているという具合で、すべてが普通《ふつう》の乞食とはちがっている。

それは外見だが、この男機知にかけてもなみの乞食とはちがうところがあるのか、通る人の投げかけるざれ言にも、それぞれ何とか巧《たく》みに言葉をかえしている。こいつがあのアヘン窟に泊っていて、しかもセントクレア氏を最後に見かけたとしか考えられないのだ」

「だってそいつはいざりだというぜ。相手は元気ざかりの三十七だというのに、いざりがたった一人で何ができるものかね？」

「いざりとはいっても、びっこを引けば歩ける程度なんだ。ただ足が悪いだけで、肉づきもよい強そうな男なんだ。君は医者だから経験があるにちがいないが、手足のどこかに不健全なところがあると、その埋《う》めあわせに、悪くないところが特別強固にできていることがよくあるものだよ」

「ま、そんなことはいいから、話のつづきを早くしてくれないか」

「セントクレア夫人は窓の血を見て気絶した。夫人がそこにいても捜査上《そうさじょう》たいして役にたつわけではないから、警部は介抱《かいほう》のうえ、馬車で家まで送りかえした。そのあとで主任警部のバートンが、きわめて念いりな家宅捜査をやってみたが、何らうるところはなかったという。

それにしても警察がいざりのブーンを即座《そくざ》に取押《とりおさ》えなかったのは、何といっても失策だった。ぐずぐずして放《ほう》っておくあいだに、例のインド人と相談して口うらをあわせる策を講じたかもしれないのだ。でもまア遅《おく》ればせながら捕《とら》えて身体検査はやったが、犯罪を裏がきするようなものは何一つ出てはこなかった。

シャツの右の袖口《そでぐち》に血がついていたことはいたが、薬指の爪《つめ》ぎわの怪我《けが》を見せて、だいぶ出血したことを語り、あのすこしまえに窓のそばへ行ったから、そのとき血が落ちたのにちがいないと申し開きした。そしてネヴィル・セントクレア氏に関しては、そういう人物は絶対に知らないと極力否定し、自分の部屋にその人の服のあったのはまったく不可解だと称している。セントクレア夫人が窓に良人の顔を見たというのは、夫人が夢でも見たか、さもなければ気が狂《くる》っているのだろう、とこうなんだ。つべこべ不服をならべていやがるのを、無理に留置場へ送っておいて、潮がひいたら何か出てくるかもしれないと、警部はふみとどまっていた。

待っていたかいがあって、出てくるには出てきたが、それは警部たちのひそかに予想していたものではなかった。潮のひくにつれて窓のそとの空地に現われたのは、ネヴィル・セントクレア氏の死体ではなくて、その上着だけだったのだ。しかもその上着のポケットから何が出てきたと思う?」

「さア、わからないねえ」

「こいつは君にもわかるまいね。セントクレア氏の上着にはね、ポケットというポケットに一ペンスと半ペンスの銅貨がざくざくはいっていたんだよ。みんなで一ペンスが四百二十一枚、半ペンスが二百七十枚あった。これじゃ潮が引いても上着が流されないでいたはずだ。しかし死体となるとそうはゆくまい。その狭い空地は、引潮のときひどい渦《うず》をまいて流れているから、上着だけは重りのためのこったけれど、はだかの死体はぶかぶかと大河まで流されてしまったんだね」

「だってほかの衣類はそっくり三階の部屋にあったというじゃないか。死体には上着だけ着せてあったというのかい？」

「そんなことはない。そんなことはないが、一応うなずける説明がつかないことはない。いまかりにいざりのブーンがセントクレア氏を窓から突《つ》き落したとしても、誰もそいつを見ていた者はないはずだ。そこでその仮定を正しいとして、ブーンはそれからどうしたろうか？

むろんいちばんに胸にうかんだのは、露見《ろけん》のたねの衣類の始末ということだ。そこでとっさに上着をつかんで窓から投げこもうとしたが、投げても上着は沈まずに、水面をただようにちがいないと気がついた。だが、ぐずぐずしてはいられない。というのは夫人が三階へあがろうとしてとめられたときの押し問答は聞いているのだし、あるいはもう一歩すすめてそのときすでに、巡査の一隊が駆けつけてくる様子を、仲間のインド人から知らされていたかもしれないのだからね。

とにかく一刻を争う場合だ。大切なもらいだめをしまってある秘密の隠《かく》し場所へとんでいって、手あたりしだいありったけの銅貨をポケットへねじこんで、どうやら上着の沈むようにして窓から投げこんだ。つづいてほかの衣類も同じように始末するつもりだったが、そのときすでにドヤドヤと階段をのぼってくる足音が聞えたので、窓をしめるだけがやっとだった」

「そういえば、なるほどもっともらしい解釈だね」

「ほかにいい説明がないから、これを実働仮定として推理をすすめてみよう。ブーンはさっきもいったとおり、警察へつれてゆかれたが、これまでの行状を調べても、彼に不利な事実は一つも現われない。長年乞食こそしているが、悪いことは何もしていないらしい。

とまア、目下そこまで調べが進行しているわけなので、今後解決しなければならない問題としては、ネヴィル・セントクレア氏はいったいアヘン窟で何をしていたのか？　そこでどんな運命に遭遇《そうぐう》したのか？　現在どうなっているのか？　ヒュー・ブーンは彼の失踪《しっそう》とどう関係があるのか？　など多々あるのに、いっこう解決されそうもない。一見これほど簡単で、しかもこれほど解決の困難な事件というものは、僕《ぼく》の経験上にもちょっと見あたらないくらいだ」

話のあいだも馬車は走りつづけて、ちらほら家の見える郊外地もいつしかすぎ、両側に生垣《いけがき》のつづくまったくのいなかみちにはいっていたが、ホームズがようやく話し終ったときには、また家がまばらにあり、なかにはまだちらちらとあかりのもれているのもある二つの村を左右に見て走っていた。

「いよいよリー市の郊外へかかったよ。ちょっとのあいだに三つの州をまたにかけたわけだ。ミドルセックスから発してサリーの一角をかすめ、ついにケント州まで来たんだからね。あの樹《き》のあいだにあかりが見えるだろう？　あれが『杉《すぎ》の家』さ。あのランプのそばには一人の女性が憂《うれ》いに沈んで、寝《ね》もやらずにすわっているのだが、むろんいまごろはこの馬車の蹄《ひづめ》の音に気がついているにちがいない」

「それにしても何だって君は、こんどに限ってわざわざこんなところまで出張するんだい？」

「こっちで調べなきゃならないことがたくさんあるからさ。セントクレア夫人は親切にも、僕の要求をいれて部屋を二つ提供してくれたし、きみも僕の友人でしかも仕事の相棒だと聞けば、喜んで歓迎《かんげい》してくれるにきまっているから、安心していたまえ。僕はしかし、これという知らせもないのに、夫人に顔をあわせるのはつらいよ。さア着いた。どう！　こうれ！　どう！　どう！」

馬車は一戸建ちの大きな別荘《べっそう》の前にとめられた。馬丁《ばてい》が駆けだしてきて、すぐに馬の鼻を押えた。私はとび降りて、砂利《じゃり》をしきつめた弓なりの路《みち》を、ホームズについて玄関《げんかん》のほうへはいっていった。

玄関に近づくと、ドアが内から開かれ、襟《えり》と袖口とにふわふわした淡紅色《うすべにいろ》の飾《かざ》りをすこしつけた絹モスリンの軽い服をまとった小柄な金髪《きんぱつ》の婦人が現われた。うしろから光をうけているので、輪郭《りんかく》だけがひどくはっきり見えたが、片手をドアにかけたまま片手をすこしあげて、首を前へだすように眼を輝《かがや》かせて口もとをすこしほころばせ、一刻も早く吉報《きっぽう》を聞きたそうに立っているのだった。

「どう？　いかがでございまして？」

そういったがホームズが一人でないのを見て、急にうれしそうな声をあげた。私の姿を見て、良人《おっと》の帰ったものと早合点《はやがてん》したのであろうが、ホームズが頭を振って、ちがうちがうと肩《かた》をすくめたので、歓喜はたちまち失望の溜息《ためいき》となった。

「吉報はございませんの？」

「ありません」

「では何かよくないことでも……」

「それもありません」

「凶《わる》いことのないだけでも、神さまに感謝しなければなりません。さ、どうぞおはいりくださいませ。こんなに晩《おそ》くまでお働きくださいまして、さぞお疲《つか》れでございましょう」

「奥さん、この男は私の友人でワトスン君と申します。これまでも仕事のうえでたびたび有力な援助《えんじょ》をしてくれた男ですが、きょうは運よくいっしょになったものですから、手つだってもらうつもりでこうしてつれてまいりました」

「それはそれはようこそいらしってくださいました」夫人は熱心に私の手を握《にぎ》りしめていった。「いろいろゆき届かぬこともございましょうが、何しろとつぜんこういうことになりましたおりのことでもございますし、どうぞお許しくださいますよう……」

「奥さん、私は慣れていますから、何もおかまいくださるにおよびません。たとえそうでなくても、そんなお言葉では恐縮《きょうしゅく》します。私は奥さんのために、また、ここにいるホームズ君のために、すこしでもお役にたつことができれば、何よりうれしいと思っているのです」

「それではホームズ様」夫人はテーブルの上に温《あたた》かいもののぬきの夜食の用意ができている明るい食堂へ私たちを案内しながらいった。「私はごく単純なことを一つ二つおうかがいいたしとうございますが、隠さずありのままをお答えくださいませんでしょうか？」

「承知いたしました。なんなりとどうぞ」

「私の気持になんぞ、どうぞおかまいくださいませんように。私はヒステリーでもございませんし、気絶する心配もございません。私はただあなたのほんとうの、包み隠しのないご意見がうかがいたいのでございます」

「それはどういう点についてですか？」

「あなたのご本心では、ネヴィルはまだ生きているものとお考えですか？」

この質問にはホームズも当惑《とうわく》したように見えた。そして籐椅子《とういす》におさまったところを、絨毯《じゅうたん》のうえに立ったままの夫人から、じっと見おろされて、

「率直《そっちょく》にどうぞ」と追求されて、やっと答えた。

「では率直に申しますが、むずかしかろうと存じます」

「死んでいるものとお考えなのでございますね？」

「そのとおりです」

「殺されましたのでしょうか？」

「それは何とも。――あるいはそうかもしれません」

「死んだといたしますと、いつのことでございましょうか？」

「月曜日、――お出かけになった日ですね」

「そういたしますとホームズさん、きょうこんな手紙がネヴィルから参りましたのは、これはどうしたわけでございましょうか？」

ホームズは電気にでもうたれたように、椅子からとびあがった。

「な、なんですって？」

「はい、ネヴィルの手紙でございます。きょう参りましたの」

夫人は見せびらかすように小さな紙片《しへん》を高く掲《かか》げて、にっこりほほえんだのである。

「拝見してもよろしいですか？」

「どうぞ」

ホームズはひったくらんばかりにその手紙を夫人の手からとり、テーブルの上に平らにのばして、ランプを引きよせ、熱心に精査《せいさ》した。私も席を立って、うしろからのぞきこんだ。封筒《ふうとう》はきわめて粗悪な品で、グレーヴセンド局の消印があり、日付はきょう——いや、もう夜半をだいぶすぎているから、きのうといったほうが正しかろう。

「乱暴な字だな！　奥さん、これはご主人の筆跡ではございますまいね？」

「はい。でも中は主人の筆《て》でございます」

「この封筒は誰《だれ》が書いたか知りませんが、書きかけて中途《ちゅうと》で宛名《あてな》を調べていますね」

「どうしておわかりになりますの？」

「宛名の名前だけはこのとおり自然にかわくがままにしたので、字がまっ黒ですが、ほかの部分がややうすくて、鼠《ねずみ》いろになっているのは、吸取紙を使った証拠《しょうこ》です。全部を一度に書いて吸取紙を使ったのなら、一部分こんなにまっ黒な字はできないはずです。これを書いた男はまず名前を書いて、つぎに住所を書くまえにちょっとペンを置いたのです。すなわち住所を知らなかった証拠です。むろんこれは些細《ささい》なことですが、些細なことほど重大視すべきものはありません。ではなかを拝見しましょうか。おや、この手紙には何か同封されていましたね？」

「はい、指輪がはいっておりました。印形つきの指輪でございます」

「そしてこのほうは間違《まちが》いなくご主人の筆跡《ひっせき》なんですね？」

「主人の筆《て》の一つでございます」

「一つとは？」

「急いで書いたときの筆と申す意味でございます。ふだんの筆とはたいへんちがいますけれども、やはり主人の書きましたものに相違《そうい》ございません」

「――『けっして心配することはない。万事《ばんじ》すぐにおさまる。こういうことになったのも、たいへんな手違いからだったが、そのうち無事におさまるはずだから、しばらく辛抱《しんぼう》して待っていてくれ。ネヴィル』――八ツ折判の何かの本の見かえしの白い紙をちぎって、鉛筆《えんぴつ》で書いてある。透《す》かしははいっていない。ふむ、きょうグレーヴセンドでおや指の汚《よご》れた男が投函《とうかん》したんだな。男はかみタバコをやりながら、封筒をなめて封をしたらしい。ところで奥《おく》さん、これはほんとにご主人の筆跡なんでしょうね？　思いちがいじゃないでしょうね？」

「はい、たしかにネヴィルの書きましたものに相違ございません」

「しかもきょうグレーヴセンドで投函してある。――奥さん、どうやらすこし有望になってきました。まだ喜ぶのは早いかもしれませんけれどね」

「でも生きていますことだけは、もはや疑いございませんわね」

「これがわれわれの眼を晦《くら》ますための、巧妙《こうみょう》なにせ手紙でないかぎりはね。何しろ指輪なんか送ってきたって、うっかり信用はできませんよ。指輪は他人がぬきとって、送ることもできますからね」

「いいえ、にせ手紙ではございませんわ！」

「そうでしょう。しかし手紙は月曜日に書いたのを、きょうになって投函したのかもしれませんからね」

「それもそうでございますね」

「そうだとすれば、そのあとにどんなことが起っていないともかぎりません」

「まあ、ホームズさん、力を落させるようなことはおっしゃらないでくださいませ。主人の無事なことは、よくわかっていますわ。私どものあいだには、よほど強い交感作用があると見えまして、何か主人の身に変ったことでもありますと、すぐ私にわかりますの。いなくなりました日の朝も、主人は寝室《しんしつ》で顔をそっていて怪我《けが》をしましたの。そのとき私は下の食堂におりましたけれど、きっと何かあったにちがいないという気がいたしましたから、すぐ二階へとんでまいったくらいでございますもの。そんな些細なことでも虫が知らせるほどですのに、生死にかかわるほどのことを、どうして私が知らずにおりましょう」

「私もいろんな経験をしてきましたから、推理家の得た結論よりも、一婦人の感応のほうが貴重なものだということを知らないわけではありません。あなたはこの手紙をもって、信念を裏書きするきわめて有力な材料となさるのでしょうが、かりにご主人が生きておいでだとして、それでは手紙まで書けるほどの状態でありながら、なぜ帰ってはいらっしゃらないのでしょう？」

「わかりません。そんなはずはないと思うのでございますけれど……」

「月曜日にお出かけのときは、べつに何もおっしゃらなかったのですか？」

「はい、何も申しません」

「そして思いもよらないスワンダム小路《こうじ》などでご主人をご覧《らん》になったのですね？」

「はい。あのときはほんとにびっくりいたしました」

「窓はあいていたのでしたね」

「はい」

「では、あなたを呼ぼうと思えば呼べたわけですね？」

「はい、呼べましたでしょう」

「それなのに妙な、はっきりしない叫《さけ》び声を発しただけだったのですね？」

「はい」

「救いを求めたのだと思いますか？」

「はい、しきりに両手を振《ふ》っておりましたもの」

「手を振っただけなら、やはり驚《おどろ》いて思わず発した叫び声かもしれませんね。まったく思いもかけない場所であなたを見かければ、驚いて手をあげるくらいはありそうなことですよ」

「ありそうなことでございます」

「そしてご主人は、うしろから誰かに引きもどされたように見えたのでしたね？」

「はい、あんまり急に姿が引っこみましたから、きっとそうではないかと……」

「ご自分でとびさがったのかもしれませんね。そのとき部屋のなかには、ほかに誰も見えなかったですか？」

「はい。でもあの恐ろしいいざり、はいたわけでございますね。あとで白状しておりました。インド人のほうは階段の下に立っておりましたけれど」

「そうでした。それでご主人は、普通《ふつう》に服を着ていらっしゃいましたか？」

「でもカラーもネクタイもつけませんで、咽喉《のど》がむきだしになっておりました」

「ご主人はこれまでにスワンダム小路の名を口になさったことがおありですか？」

「いいえ、いちどもございません」

「アヘンをおやりになる様子はありませんでしたか？」

「いいえ、アヘンなど！」

「ありがとうございました。ぜひお聞きしておきたいと思ったことは、これで大体うかがいましたから、夜食をいただいたら寝《やす》むことにしましょう。あすはたいへん忙《いそが》しいと思いますから」


あてがわれた部屋は大きくて居心地《いごこち》がよく、ベッドも二つあった。私はひどく疲れていたので、すぐシーツのあいだへもぐりこんだが、シャーロック・ホームズはちがう。彼《かれ》は心に未解決の問題がたまっていると何日でも、一週間でも、すこしも休むということをせず、くりかえしくりかえし考え、事実の配列を変えてみたり、あらゆる方向から考察を加えたりして、ついに真相を突《つ》きとめるか、さもなければ真相を突きとめるには材料が不足だという結論を得るかしないうちは、けっしてやめないのである。

この夜も彼が徹夜《てつや》の用意をしているのが、私にはすぐわかった。彼は上着とチョッキを脱《ぬ》ぎ、そのうえから大きな紺《こん》のガウンを着て、部屋じゅうを物色してベッドからは枕《まくら》を、ソファと肘掛《ひじかけ》椅子からはクッションを集めてきた。そしてこれらを材料にして東洋のソファ風のものをこしらえ、そのうえに胡坐《あぐら》をかいて膝《ひざ》のまえに一オンスいりの強い刻みタバコとマッチの箱《はこ》をおいた。愛用のブライヤーのパイプを口に、ぼんやりと天井《てんじょう》の一角を見すえて、鷲《わし》のように鋭《するど》い緊張《きんちょう》した顔を浮《う》きあがらせ、紫《むらさき》の煙《けむり》をたちのぼらせながら無言の行《ぎょう》をしている動かぬ姿が、ほのぐらいランプの光のなかに見えていた。

ホームズをそのままに、いつしか私は眠《ねむ》りこんでしまったが、翌朝、誰かの思わず発した大声に眼《め》をさましてみると、朝日のさしこむなかで、彼は依然《いぜん》としておなじ姿勢をくずさずにいるのであった。依然として口にしているパイプからは、依然として紫の煙がたちのぼり、部屋のなかは濃《こ》い煙でもうもうとしている。ゆうべのタバコは一オンスがほとんどのこってなかった。

「ワトスン君、眼がさめたかい？」

「うん」

「朝めしまえにひと乗りどうだね？」

「いいねえ」

「じゃ服を着たまえ。まだ誰も起きないようだが、馬丁《ばてい》が寝《ね》る場所は知ってるから、馬車はじきに出せる」

　そういう彼は笑いをふくんだ上機嫌《じょうきげん》で、眼も生き生きと、ゆうべの陰気《いんき》に考えこんだ様子とは別人の感がある。

　服を着かえながら時計を見れば、まだ誰も起きないのも当然、四時二十五分なのである。私の支度《したく》のすまないうちに、もうホームズは戻ってきて、馬丁が馬をつけてくれているといった。そして靴《くつ》をはきながら、

「僕《ぼく》は自分の理論が正しいかどうか、検《あらた》めてみたいと思うんだ。ワトスン君、いま君の鼻先にいるのは、ヨーロッパ一のとびきりの大馬鹿《ばか》者だという気がするよ、僕は。ここからロンドンのチャリング・クロスまでひと思いにけとばされたって、文句のいえないような大馬鹿だったんだ。しかしこんどこそは、どうやら解決の鍵《かぎ》を握ったつもりだよ」

「その鍵というのはどこにある？」私はほほえみながらきいた。

「浴室にあった。いや、真面目《まじめ》な話なんだ」私がけげんそうな顔つきをしたので、ホームズは弁解した。「さっき浴室へ行ったとき、とってきておいたんだ。このグラッドストーン鞄《かばん》のなかにいれてある。さ、それじゃ出かけよう。こいつがはたして鍵穴に合うかどうかは、やってみなきゃわからない」

できるだけ静かに階段を降り、輝《かがや》かしい朝日のなかに出てみると、門前にはもうちゃんと馬車の用意ができて、まだきちんと服を着けていない馬丁が、馬の鼻を押《おさ》えていた。すぐその馬車にとび乗り、ロンドン街道《かいどう》をまっしぐらに、威勢《いせい》よく駆《か》けだした。路上にはロンドンの市場へ運ぶ野菜類をつんだ荷馬車が二、三見えたが、両がわにたちならぶ別荘《べっそう》は夢《ゆめ》のなかの町のように、まだ静まりかえっていた。

「ある点からいえば、たしかに不思議な事件だったよ」ホームズは軽くひとむちくれて、馬を疾駆《しっく》させながらいった。「じっさい僕はモグラと選ぶところのない盲目《めくら》だったんだ。しかし、おそまきながらでもわかったのは、まるきり何もわからないよりはましだろうよ」

ロンドン市内にはいると、テムズ対岸のサリーがわの街々では、早起きの人たちが家々の窓から、眠そうな顔をそろそろのぞけはじめていた。ウォータールー橋通りをまっすぐにとばしてテムズを渡《わた》り、ウェリントン街を突破《とっぱ》してくるりと右へ曲るとボウ街だ。シャーロック・ホームズはここにある有名な軽犯罪裁判所でもよく顔が売れていたので、門番をつとめていた二人の巡査《じゅんさ》がすぐに敬礼し、一人が私たちをなかへ案内してくれた。

「当直はどなたですか？」

「ブラッドストリート警部です」

ちょうどそのとき、背のたかい肥満《ひまん》した警部が、先のとがった帽子《ぼうし》をかぶり、剣吊《けんつ》りのある上着を着て、石だたみの廊下《ろうか》へ出てきたので、ホームズがすかさず声をかけた。

「やア、ブラッドストリート君、おはよう。ちょっとお願いしたいことがあるんですがね」

「や、ホームズさん、何ですか。まア私の部屋へいらしてください」

導かれてはいったのは事務室ふうの小さな部屋で、テーブルのうえには大きな帳簿《ちょうぼ》があり、壁《かべ》には電話機が一つとりつけてあった。警部は自席について、訊《き》いた。

「どんなご用ですか、ホームズさん？」

「乞食《こじき》のブーン――リー市のネヴィル・セントクレア氏失踪《しっそう》事件の関係容疑者になっているヒュー・ブーンに関する事件で来たわけですがね」

「ああ、あれですか。ブーンは取調べのため留置してありますよ」

「そう聞いたものですから……まだここにいますね？」

「留置場へいれてあります」

「おとなしくしていますか？」

「ちっとも手数をかけさせない男です。しかしおそろしくきたならしいやつでね」

「そんなにきたないですか？」

「きたないのなんのって、やっと手だけは洗わせましたが、顔ときたらまるで鋳掛屋《いかけや》みたいにまっ黒ですよ。取調べがすんで刑《けい》でもきまれば、刑務所規則によって入浴させるんですけれどね。まアいちどごらんになったら、私のいうことがなるほどとおわかりになるでしょう」

「ぜひ会ってみたいですね」

「あなたが？　おやすいことです。どうぞこちらへ。鞄はそこへおおきになって結構です」

「いや、これはまアもってゆきましょう」

「そうですか。じゃどうぞこちらへ」

警部は先に立って廊下づたいに、閂《かんぬき》のしてあるドアをあけて回り階段を降り、両がわにいくつもドアがならぶ白壁の廊下へ導いた。

「右がわの三番目がそうです。ここから見えますよ」

警部はドアの上部についている羽目板の小窓をあけて、なかをのぞいてからいった。

「いま眠っています。よく見えますからのぞいてごらんなさい」

私たちは小さな格子《こうし》窓《まど》に眼をあててのぞきこんだ。留置人は顔をこちらへ向けて熟《じゅく》睡《すい》し、静かな深い呼吸をしていた。中柄《ちゅうがら》の男で、乞食商売にふさわしいぼろ服の裂《さ》け目から、色もののシャツがのぞいている。警部の話のとおり、ひどくよごれてあかまみれでもあるが、そのうえなおいくらあかがつもったとて隠《かく》すことのできぬ、嫌悪《けんお》すべき醜悪《しゅうあく》さまでそなえていた。眼から顎《あご》にかけて幅《はば》ひろい古疵《ふるきず》があって、そのひきつりのため上唇《うわくちびる》が一方へにゅっとめくれ、三本の歯がいまにも嚙《か》みつきそうにむきだされているのである。そしてもじゃもじゃのまっ赤な髪《かみ》の毛が、額から両眼へかけて垂れさがっているのも恐ろしい。

「どうです、みごとなもんでしょう？」

「なるほど、たしかに顔を洗う必要があるな。そうじゃないかと思ったから、僕は道具をもってこさせてもらったんですよ」ホームズがそういってグラッドストーン鞄をあけ、なかからすこぶる大きな入浴用のスポンジをとりだしたのには驚いた。

「ヒッ、ヒッ、ヒッ、これはおもしろい」警部はうれしがった。

「じゃすみませんが、このドアをできるだけそっとあけてください。大いに男ぶりをあげてやりましょう」

「おやすいご用です。こんなきたない男がいたんじゃ、当署の名誉《めいよ》にもかかわりますからね」

警部が鍵を出して静かにドアをあけたので、私たちはそっとなかへはいっていった。ブーンはすこし寝がえりをうって、すぐまた深い眠りにおちていった。ホームズは水瓶《みずがめ》の水で十分にスポンジを湿《しめ》しておき、眠っている男の顔を二度、たてと横とにぐいと強くこすった。そして大きな声でいったものである。

「諸君！　ケント州リー市のネヴィル・セントクレア氏をご紹介《しょうかい》いたします！」

私はいまだかつてあんな光景を眼にしたことがない。眠っていた男の顔はスポンジでこすられて、木の皮を剝《は》ぐように剝がされてしまったのである。銅《あかがね》いろの皮膚《ひふ》のキメのあらさも、斜《はす》に顔を縦断《じゅうだん》していた恐ろしい古疵も、気味わるく嘲笑《ちょうしょう》するかのように見えた唇のひきつれも、すべてあとかたもなく消えうせてしまったのである。もじゃもじゃのまっ赤な髪の毛さえ、苦もなくむしりとられてしまい、ベッドのうえに起きなおったのをみれば、青じろい寂《さび》しげな顔つきの、人品も卑《いや》しからず、漆黒《しっこく》の頭髪《とうはつ》になめらかな皮膚をもつ男なのであった。にわかに暁《あかつき》の夢を破られたので彼は迷惑《めいわく》そうに、眠い眼をこすりながら、きょろきょろとあたりを見まわしていたが、たちまち正体が暴露《ばくろ》されたのを知って悲鳴をあげて枕へ顔をうずめてしまった。

「こりゃア驚いた！　こりゃア失踪したという男じゃありませんか！　写真で見たとおりだ」

留置人は起きなおって、棄《す》て鉢《ばち》になった人の向うみずな態度で食ってかかった。

「そうだとすると私は、何の罪でこんなところへいれられてるんですかね？」

「ネヴィル・セントクレア殺しの――いやいや、その嫌疑ではないな、自殺未遂罪《じさつみすいざい》というのは聞いたこともないから」警部はニヤリとしていった。「おれは二十七年も警察の飯を食っているが、こんな珍《めずら》しい事件ははじめてだね」

「私がネヴィル・セントクレアだとすれば、犯罪はまったく成立しないわけです。したがってこれは不法監禁《ふほうかんきん》ですぞ」

「犯罪にはなりません。しかし大きな不正を働いたのは事実です」ホームズがいった。「奥《おく》さんを信頼《しんらい》されたほうが、はるかによかったですな」

「問題は妻ではありません。子供たちです。このような父をもつことを知らせて、子供たちを恥《は》ずかしめたくなかったのです。ああそれなのに！　何という恥《はじ》さらし！

私はどうすればよいのでしょう？」

ホームズは彼とならんでベッドに腰をかけ、やさしく肩《かた》に手をおいて慰《なぐさ》めた。

「法廷《ほうてい》に立って黒白を争うとなれば、むろんこの秘密が世間に知れずにはすみません。けれどもあなたがよく事情を釈明して、そこになんら違法行為《いほうこうい》のないことを警察がわに認めてさえもらえば、もはやこの秘密が新聞にすっぱぬかれる心配はないと信じます。ここですっかり事情をうちあけて、お話しなさい。そうすればブラッドストリート警部が口述をとって、上司にさしだして必ず適当にとり計らってくれましょう。そして問題は法廷に回されることなくしてすむと思います」

「ありがとうございます」セントクレアは感きわまった様子でいった。「この秘密があばかれて、子供たちを汚《けが》らわしい家名に苦しめるくらいならば、いっそ私が懲役《ちょうえき》に行ったほうが、いいえ、死刑になってもよいと思ったのです。

私の身のうえはきょうまで誰《だれ》にも話したことがありませんが、父はチェスターフィールドで教員をしていましたので、その地で私も相当の教育をうけました。若いころにはあちこち旅をしてまわり、役者になったこともありますが、最後にロンドンへ出てきてある夕刊新聞の記者になりました。ある日編集長が、ロンドンの乞食を主題にした連載記事《れんさいきじ》がほしいといいだしまして、私がすすんでそれを引受けることになりました。これがそもそも、私の冒険《ぼうけん》のはじまりだったのです。

それも最初は記事の材料を得るため素人乞食《しろうとこじき》になったのが事のおこりです。役者時代に私は当然メーキャップの稽古《けいこ》をしましたが、それがなかなかうまいので、楽屋でも評判をとったものでした。いま乞食に化けることになって思いついたのが、習い覚えたこの技術の利用です。私は十分顔料をぬったうえ、できるだけあわれっぽく見せるため大きな古疵をこしらえて、肉いろの絆創膏《ばんそうこう》を使って唇の端《はし》をうえへ釣《つ》りあげました。それから髪の毛は赤くし、着るものも適当にぼろを選んで、下町《シティ》のいちばん繁華《はんか》な場所でマッチ売りは表向きのこと、そのじつは乞食をはじめたのでした。七時間商売に精を出して夕方帰ってみますと、驚いたことにはもらいが二十六シリングと四ペンスもありました。

でも記事を書きあげてからは、そのことはすっかり忘れていましたが、その後ある友人のため手形の裏書きをしたため、二十五ポンドの支払《しはらい》命令書《しょ》を背負いこみ、この金をどう工面《くめん》したものかと途方《とほう》にくれているとき、ふと胸にうかんだのがこれでした。私は債権者《さいけんしゃ》に二週間の猶予《ゆうよ》を乞《こ》い、社からは休暇《きゅうか》をとって、変装《へんそう》して下町《シティ》で乞食をはじめました。そして十日の間に必要な金をもらいためて、借金をきれいに返済することができました。

すこしばかり顔を塗《ぬ》って、どろのうえに帽子を置いてすわってさえいれば、一日でそれくらいの金になる途《みち》があるのに、一週二ポンドぽっちでこつこつ働いてくすぶっていなければならないとは、どんなに辛《つら》いことかお察しくださるでしょう。矜持《ほこり》をすてようか金を得ようかの二途に、私は久しいあいだ苦しみました。結局金銭のほうが勝ちをしめ、記者の職を放棄《ほうき》して、くる日もくる日も最初に選んだ場所に土下座しては、恐ろしい顔で人々の同情をひき銅貨でポケットをふくらますことをはじめたのです。

この秘密を知る者はたった一人、私が下宿に使っていたスワンダム小路《こうじ》のアヘン窟《くつ》の主人だけで、そこから私は毎朝きたならしい乞食として出かけ、夜になれば服装美しいロンドン紳士《しんし》と早がわりするのでした。下宿の主人は水夫あがりのインド人ですが、ずいぶん割よく部屋代を与《あた》えてありますから、この男の口から秘密がもれる心配はまったくないのでした。やってみると、貯金がぐんぐん増してゆくのがわかりました。一年七百ポンドと申せば、ロンドンで乞食する者が誰でもそんなに得られるわけではありませんが、私の平均所得はそれ以上あったのです。私にはメーキャップのうまさという特別の強みがありましたし、当意即妙《とういそくみょう》の応答ができるという武器がありました。しかもそれは慣れるにつれてますます巧妙《こうみょう》さを加え、ついには下町《シティ》の名物にさえなってしまいました。朝から晩まで銀貨まじりの銅貨の雨が私をめがけて降りそそぎ、よくよく思わしくない日のほかは、その合計が二ポンドを下ることはありませんでした。

お金のできるにつれて野心もしだいに大きくなり、私はいなかで家を一軒《けん》手にいれ、結婚《けっこん》までしましたが、誰も私のほんとうの職業に疑念すらいだく者はありませんでした。妻も私がロンドンの下町《シティ》に仕事をもっているとまでは知っていても、それがはたして何であるかにはまったく無知なのでした。

この月曜日に、一日の仕事を終って例のアヘン窟の三階で着がえをしているとき、ふと窓から見おろすと、妻が往来に立ってじっと私を見ているのを発見して、胆《きも》をつぶさんばかりに驚《おどろ》きました。思わずあッと叫《さけ》んで、腕《うで》をあげて顔を隠しましたが、あとのまつりです。秘密を知っているインド人のところへとんでいって、誰が来ても三階へはあげてくれるなと頼《たの》みこみました。

階下では妻がいい争っているのが聞えます。妻が何と騒《さわ》ごうとも、あの男に頼んでおけばあがってくる心配はありませんから、そのあいだに私は大急ぎで服を脱ぎすて、乞食の服を身につけて顔を塗り、かつらもかぶりました。その変装は現在の妻でさえ見破ることのできなかったほど完全なものでしたが、家宅捜索《かたくそうさく》をされるかもしれず、それでセントクレアの服でも出てきたら、ぶちこわしだと気がつきましたので、服の始末をするつもりで急いで裏窓をあけましたが、あまりあわてたため、その朝寝室《しんしつ》できった傷の皮が破れてまた出血しました。

でもまず上着をとって窓から投げだしましたが、ポケットにはもらい集めた銅貨を革袋《かわぶくろ》からうつしたばかりでしたから、上着はたちまち水のなかへ沈《しず》んでしまいました。ほかの衣類もむろんおなじように始末するつもりでしたが、そのとき早くも巡査の一隊がとびこんできたので、もはやどうすることもできなくなりました。じつを申しますと、それはむしろ助かったという感じでしたが、ネヴィル・セントクレアの正体をひきむかれることかと思いのほか、意外にもセントクレア殺しの下手人として捕《とら》われることになったのです。

もうこれ以上申しあげることはないようです。私はできるだけ変装しつづけるつもりでしたから、顔を洗うのはいやだと申しあげたのです。その代り妻がさぞ心配することと思いましたので、巡査の隙《すき》を見て心配するにおよばないという意味を急いで認《したた》め、指輪をぬいて封《ふう》じこんで、あのインド人にそっと渡して届けてもらったのです」

「その手紙ならきのうになってやっと奥さまの手に渡りました」ホームズがいった。

「へえ！　ではこの一週間、妻はどんなにか心配したことでしょう！」

「あのインド人には厳重《げんじゅう》な監視をつけておいたから、知れないように投函《とうかん》しようとさぞ苦心したことだろう。仕方がないのでたぶんなじみ客の水夫にでも頼んだのを、その水夫が投函するのをすっかり忘れていたものだろう」ブラッドストリート警部がいった。

「それにちがいない」ホームズはうなずいていった。「まったくそれにちがいない。だがあんたはいままで乞食をしていて罰《ばっ》せられたことはないのですか？」

「何度もあります。でも罰金くらい何でもありませんからね」

「だが今後はやめなければいかん。こんどのことで警察に眼《め》をつぶってもらいたきゃ、二度とふたたびヒュー・ブーンなんて人物の存在しないことにしてくれなければ困る」

「絶対にお言葉に従うことをかたく誓《ちか》います」

「それならこの問題は、たぶんこのへんでうちきりになると思うが、万一今後おなじことをやっているのがわかったら、そのときこそ容赦《ようしゃ》なく事実を公表するからそのつもりで。――ホームズさん、おかげで事件の解決をみたのは感謝に耐《た》えませんが、それにしてもいったいどうしてこの解決を得られたのか、それがうかがいたいものですね」

「五つのクッションを集めてそのうえにすわり、刻みタバコを一オンス煙《けむり》にして、やっと解決に到達《とうたつ》したんですよ。さ、ワトスン君、いまから馬車で家へ帰ったら、ちょうど朝飯の時間だね」

——一八九一年一二月『ストランド』誌発表——

青いガーネット

クリスマスがすんで二日目の朝、お祝いをいいにゆくつもりで、私はシャーロック・ホームズを訪ねた。ホームズは紫《むらさき》のガウンを着て、ソファにとぐろをまき、パイプ架《かけ》を右がわの手近な場所にすえ、いままで研究していたらしい新聞を、クシャクシャと山のようにそばへ積んでいた。ソファのわきに木製の椅子《いす》が一脚《きゃく》あって、その背の角にひどく手ずれのしたうえあちこちに裂《さ》け目さえある、とてもかぶれそうもないかま形の堅《かた》いフェルト帽《ぼう》が一つかけてある。椅子のうえにはレンズとピンセットがおいてあり、帽子が検査のためそんなところにかけてあるのを思わせた。

「何かやっているのかい？　邪魔《じゃま》じゃないかね？」

「いや、ちっとも。君が来てくれたので、僕《ぼく》の得た成果を検討《けんとう》する相手ができたというものだ。問題はごくつまらないことなんだが」と彼《かれ》は古帽子のほうをおや指でちょっとさして、「ある意味ではまんざら興味がないでもない。むしろ教えられるところすらある」

私はホームズ常用の肘掛椅子《ひじかけいす》におさまって、パチパチ燃えさかる暖炉《だんろ》に両手をかざした。何しろひどい霜《しも》が降りて、窓にも厚く氷がつくほどの始末だから冷たい。

「こう見えてもこのお粗末《そまつ》な帽子には、察するに恐《おそ》ろしい因縁《いんねん》がまつわっているんだね？　これが手掛《てがか》りになって、君がある神秘のドアを開き、わるいやつが罰《ばっ》せられるということになるんだろう？」

「いやちがうんだ。これは犯罪とは何の関係もない」とホームズは笑っていった。

「わずか数平方マイルのなかに四百万という人間がもみあっているためにおこる、例の気まぐれな市井《しせい》の小事件の一つにすぎないんだよ。人がこうも密集して、行動と反動とをくりかえしているなかのことだから、あらゆる事象の種々雑多な組合せがおこるのも、すこしも不思議はないし、なかには犯罪とは無関係ながら、ずいぶんと奇怪《きかい》な事件もたくさんあろうというものだ。われわれの経験したなかにも、現にそういうのがあったはずだと思う」

「それはそうだ。僕が最近ノートに書きあげた六つの事件のうちでも、三つまでが何ら法律上の罪は構成しないものだったからね」

「まったくだ。君のいう三つとは、僕がアイリーン・アドラーから写真をとりもどそうとした事件、メアリー・サザーランド嬢《じょう》の奇妙《きみょう》な事件、唇《くちびる》の捩《ねじ》れた男の事件などをさすのだろうが、そうさ、この一小事件もまた、犯罪には縁《えん》のない部類に属することは疑いの余地がないよ。ところで君は、ピータースンという守衛を知っていたね？」

「知っている」

「この戦利品はピータースンのものなんだよ」

「そうか、ピータースンの帽子だったのか」

「そうじゃない。ピータースンが拾ったのさ。持主はわからない。君はこれを単に破れ帽子とだけ思わないで、頭脳的に課された一つの問題と見てもらいたい。それにはだいいちに、どうしてこれがここにあるかだが、これはクリスマスの朝、一羽の肥《ふと》った上等の鵞鳥《がちょう》といっしょにここへ来た。鵞鳥のほうはいまごろたぶんピータースンの家で炙《あぶ》られていることだろう。事情はこうだ――。

ピータースンはあのとおり正直な男だが、クリスマスの早朝の四時ごろに、どこかでつましく遊んでの帰り路《みち》、トッテナム・コート通りへさしかかると、前方を背のたかい男が白い鵞鳥を肩《かた》にひっかついで、すこしよろめきながら歩いてゆくのがガス灯の光で見えた。むろんどこの男とも知るわけはない。

グッジ街の角まで行くと、この鵞鳥男と一団の与太者《よたもの》とのあいだに喧嘩《けんか》がはじまった。与太者の一人が鵞鳥男の帽子をたたきおとしたので、彼は防衛のためステッキをふりあげたとたんに、うしろの飾《かざ》り窓のガラスをこわしてしまった。

相手がおおぜいなのでピータースンは加勢してやろうと思い駆《か》けだしていったが、鵞鳥男は窓ガラスをこわしたのと巡査《じゅんさ》らしい制服姿の男が駆けてくるのを見たので、鵞鳥をその場へ投げすてて逃《に》げだし、トッテナム・コート通りの裏手にあるあのごたごたした、迷宮《めいきゅう》のような狭《せま》い町へと姿を消してしまった。

一方与太者のほうも、ピータースンの姿を認めて早くも逃げてしまったので、ピータースンは一人で戦場を占領《せんりょう》したのみならず、戦利品としてこのおんぼろ帽子と、クリスマス用として申し分のない鵞鳥を手にいれたというわけだ」

「でそれを持主へ返却《へんきゃく》したんだね？」

「そこが問題なんだよ。鵞鳥の左脚《ひだりあし》に『ヘンリー・ベーカー夫人へ』と記した小さなカードがついていたのは事実だし、この帽子の裏にもH・Bの頭文字《かしらもじ》がはっきり読めるのだが、ロンドンじゅうにはベーカーは何千人となくいるだろうし、ヘンリー・ベーカーだって何百人かいることだろうから、そのなかから特定の一人をさがしだして品物をかえすのは、これは容易なことじゃないよ」

「じゃピータースンはどうしたのかい？」

「ピータースンはどんな小さな問題でも僕には興味があると知っているから、帽子と鵞鳥をクリスマスの朝ここへ持ちこんだのさ。鵞鳥のほうは今朝までおいてあったんだが、この霜なのに悪くなりそうだったから、むだにするよりか早く食べてしまったほうがよかろうと、ピータースンがもってかえった。というわけで僕は、クリスマスのご馳走《ちそう》を食べそこなったまだ見ぬ紳士《しんし》の帽子を、こうして保管しているというわけなのさ」

「新聞広告は出ていないかい？」

「出ていないね」

「じゃどこの誰《だれ》のだか、手掛りがまるでないわけだね」

「そうさ、推理で知りうることのほかはね」

「この帽子一つからかい？」

「仰《おお》せのとおり」

「冗談《じょうだん》はよして、こんな破れ帽子から何かわかることでもあるのかい？」

「そこにレンズがある。僕のやりかたはよく知っている君だ。この帽子をかぶっていた人物の個性について、どういうことがいえるか自分でやってみるさ」

私は破れ帽子を手にとり、たいへんなことになったものだと思いながら、ひっくりかえしてみた。普通《ふつう》の丸形の、堅いフェルト製の山の低い、黒い帽子だが、とても使いものにはなりそうもない代物《しろもの》だ。裏には赤い絹がつけてあるが、それもすっかり色があせている。製造者の名はないが、ホームズもいっていたとおり、一方にH・Bと頭文字がなぐり書きしてある。鍔《つば》には止め紐《ひも》をつける穴があるのに、ゴム紐はついていなかった。そのほか裂け目があり、埃《ほこり》だらけで汚点《しみ》がいくつもついており、色の変ったところへインキを塗《ぬ》って隠《かく》そうとしたあとなどがあった。

「僕には何もわからない」私は閉口して帽子をホームズの手にもどした。

「わからないはずはないがねえ。君は何もかも見ているくせに、見たものから推理するということをしないんだ。もっと大胆《だいたん》に推理し論断しなきゃだめだよ」

「じゃ君はこの帽子からどんなことを推理論断できるか、そいつを聞かせてくれたまえ」

ホームズは帽子を手にとって、彼一流の妙に内省的な態度でじっとそれに見いった。

「もう少し前なら、もっとよくわかったのだろうが、現在でもまだ、きわめて明白に推理されることが二、三あるし、また断定とまではゆかなくとも、きわめて強い確実さでそうらしく思われる点もすくなくない。まずこの帽子の持主が知能のすぐれた人物で、いまは零落《れいらく》しているが、過去三カ年以内にかなり裕福《ゆうふく》な時期があったということは、明らかにいえる。彼は思慮《しりょ》ぶかい人物だったが、いまはそれほどでもなく、むしろ道徳的に退歩の傾向《けいこう》さえ見られる。そのことが、家産の傾《かたむ》いたこととあわせ考えて、何かよからぬ習慣、おそらく飲酒癖《いんしゅへき》のしみついたのを思わせる。そしてこれがまた、細君に愛想《あいそ》をつかされているという明白な事実を示すものでもある」

「だって、そんな……」

「しかし彼はまだ幾分《いくぶん》の自尊心はもっている」ホームズは私の抗議《こうぎ》にはいっこうおかまいなしに続けた。「そして生活上すわりきりの男でほとんど外出はせず、からだの運動はまったくやらない。としごろは中年、半白の頭は二、三日まえに散髪《さんぱつ》したばかりで、ライムいりのクリームを使う男だ。以上がこの帽子から推断される事実のうち確実なものだが、なおついでにいえば、この男の家にはガスが引いてないということもまず間違《まち》いのないところだろう」

「冗談ばっかり！」

「冗談なものかね。こんなに結論をいってやっても、どうしてその結論が出てくるか、まだわからないなんて、君こそどうかしているよ」

「僕の頭のわるいのはよく承知しているが、それにしても君のいうことはさっぱりわからないよ。たとえばこの男の知能のすぐれていることが、どうしてわかるんだい？」

答える代りにホームズは、帽子をとって自分の頭にかぶってみせた。帽子はすっぽりと鼻まできた。

「容積の問題だよ。これだけ大きな頭をもつ男だったら、なかみも相当あろうじゃないか」

「じゃ家産が傾いたというのは？」

「この帽子は買ってから三年になる。平たい鍔の先がこうまいているのは、当時の流行なんだ。品物は非常に上等だ。このとおりリボンもあや絹の上等だし、裏地も上等だ。三年まえにはこんな高価な帽子を買うことができて、しかもその後は安物も買えないとしたら、零落したものとみて間違いなかろうじゃないか」

「なるほど、いわれてみればそのとおりだ。だが思慮ぶかいとか堕落《だらく》したとかいうのは？」

「これが思慮のふかさだ」ホームズは笑って、帽子についている小さな止め金に指をやり、「これははじめから帽子につけて売るものじゃない。買うときこれをつけさせたというのは、風にとばされないための用心で、これがすなわち思慮ぶかさの証拠《しょうこ》だ。しかるに、紐がきれたのをつけ換《か》えようともせず、うっちゃってあるのは、以前ほどの思慮ぶかさがなくなったことを物語ると同時に、意志の弱くなった確証でもある。

一方にまた、この表面の汚点にインキを塗って隠してあるのは、自尊心をまったく失っているのではないしるしといえるだろう」

「なるほど、君の推理には恐れいった」

「そのほかの点、彼が中年だとか、半白だとか、最近散髪したとか、ライム入りのクリームを使うとかいうのは、すべてこの裏の下のほうを見ればよくわかる。拡大鏡で見ると、床屋《とこや》のはさみできれいに刈《か》った短い髪《かみ》の毛がたくさんついているし、それがみんなべとついて、ライム入りクリーム特有の匂《にお》いがしている。それからこの埃は、よく見ると往来にあるザラザラした灰いろの砂埃じゃなくて、家のなかにある茶いろの綿埃だ。ということは、この帽子がいつも家のなかにかけてばかりある証拠で、内がわに汗の汚点が見えるのは、この男がたいへん汗かきなので、まったく運動には向かないということになる」

「でも妻が――君は細君に愛想をつかされているといったね？」

「この帽子を見ると、ながいことブラシをかけた様子がない。もし君の帽子に何週間分もの埃がつもりっ放しで、しかも奥《おく》さんがそんな帽子で君を外出させたとしたら、気の毒だが僕は、君が奥さんにきらわれだしたものと見るねえ」

「でもこの男は独身かもしれないよ」

「ちがうよ。この男は細君へ仲なおりの贈《おく》り物をもって帰る途中《とちゅう》だったんだ。鵞鳥の脚につけたカードに何とあった？」

「何でもすらすら答えられるんだねえ。じゃこの男の家にガスが引いてないというのは、どうしてわかったんだい？」

「脂肪《しぼう》の汚点も一つ二つなら、何かのおりについたと考えられなくもないが、こうして五つ以上もあるというのは、しょっちゅう獣脂蠟燭《じゅうしろうそく》を使う——夜帰ったとき一方の手に帽子をもち、一方に脂肪の垂れる獣脂蠟燭をもって二階へあがってゆくことを、しょっちゅうやる男だと考えてさしつかえなかろうじゃないか。とにかくガスから脂肪の垂れることはないからね。わかったかい？」

「なるほど。よくも推理したものだね。だがいま君もいったとおり、これが犯罪には何の関係もなく、鵞鳥一羽の損害だけで、どこにも被害者《ひがいしゃ》がないのだとすると、せっかくの名推理もいたずらに精力を浪費《ろうひ》したにすぎないということになるね」

ホームズが何か言おうとしたとき、とつぜんドアがさっと開いて、守衛のピータースンが両頰《りょうほお》をまっ赤に染め、さも驚《おどろ》いたというふうで息をきらしてとびこんできた。

「鵞鳥が、ホームズさん、鵞鳥が……」ピータースンは息がきれて口がきけない。

「え、鵞鳥がどうした？　生きかえって台所の窓から飛んでったとでもいうのかい？」

ホームズはソファのなかでからだをねじって、この興奮した男の顔をよく見ようとした。

「見てください。家内がえぶくろのなかから見つけました」

ピータースンは片手を出して、ホームズの鼻先でパッと掌《てのひら》をひろげた。そこには燦《さん》然《ぜん》と輝《かがや》く青い石があった。大きさはそら豆よりもすこし小さいが、その純粋《じゅんすい》の輝きはうす暗い掌のくぼみの中で、あたかも電光のように眼《め》を射た。

「や、や、これはたいしたものだ。ピータースン、お前これがなんだか知ってるのかい？」ホームズはソファにきちんとすわりなおした。

「ダイヤでがしょう？　すばらしいもんだ。ガラスがパテのようにザックザクときれますぜ」

「これはただの宝石じゃない。あれだよ」

「モーカー伯爵《はくしやく》夫人の青いガーネットじゃないのかい？」私が口走った。

「仰せのとおり。何しろタイムズの広告で毎日お目にかかっているから、大きさでも形でも、知らないほうがおかしいくらいだ。絶対に二つとはない宝石だ。値段はあれこれ噂《うわさ》にはあるが、ほんとうのところはわからない。懸賞金《けんしょうきん》の千ポンドはおそらく市価の二十分の一にもあたるまい」

「千ポンド！　これがねえ！」ピータースンはぺたんと椅子に腰《こし》を落して、私たちの顔を見くらべた。

「千ポンドは賞金だけだが、もしこれがもどらなければ、伯爵夫人は財産の半分を投げださなきゃならないような感情問題が、裏面《りめん》に潜《ひそ》んでいるのを、ある理由から僕は知っている」

「たしかコスモポリタン・ホテルで紛失《ふんしつ》したんだね？」

「そうさ。十二月二十二日のことだから、きょうで五日になる。配管工のジョン・ホーナーという男が、夫人の宝石箱《ほうせきばこ》から盗《ぬす》んだ疑いで捕《つか》まった。そしてきわめて有力な証拠があがったので、巡回裁判に付せられることになった。ここにその記事があるはずだが……」

ホームズは新聞をかきまわして日付を調べ、なかから一枚ぬきとって皺《しわ》をのばし、二つに折ってつぎのような一項《こう》を読みあげた。

　コスモポリタン・ホテルの宝石どろぼう
配管工ジョン・ホーナー（二十六歳）は本月二十二日青いガーネットとして有名な

モーカー伯爵夫人の宝石箱から窃取《せっしゅ》した疑いで拘引《こういん》された。ホテルの客室係ジェームズ・ライダーの証言によれば、暖炉《だんろ》の火床《ひどこ》の二本目がゆるんだので、ハンダづけするため当日同人を伯爵夫人の化粧室《けしょうしつ》へ案内し、しばらくライダーはそこにいたが、用事で呼ばれたのでいったんその場を立ちさり、後刻戻ってみるとホーナーの姿はすでに見えず、簞笥《たんす》がこじあけてあり、夫人が平素宝石箱として使用していたモロッコ革《がわ》の小箱が空《から》になって化粧台の下にころがっていた。ライダーはただちに急を報じ、夜になってホーナーは捕《とら》えられたがすでに宝石はもっておらず、同人の部屋にもなかった。被害を発見したときライダーが大きな声で呼んだので、伯爵夫人づきの小間使キャサリン・キュザックがすぐ駆けつけたが、彼女《かのじょ》の申立てるそのときの室内の模様は、ライダーのいうところと一致《いっち》している。B区警察のブラッドストリート警部はホーナーの逮捕《たいほ》に関して証言しているが、そのとき彼《かれ》は狂気《きょうき》のごとくに抵抗《ていこう》を試み、極力覚えのないことを強弁したという。しかし窃盗前科のあることが判明したため不利となり、判事は即決《そっけつ》を拒否《きょひ》して巡回裁判に付すことになった。なおホーナーは取調べ中極度の興奮を見せていたが、取調べ終了《しゅうりょう》とともに卒倒《そっとう》して廷外《ていがい》へ担《かつ》ぎだされた。

「ふむ、軽犯罪裁判所としては、それしかあるまい」ホームズは新聞を投げすてて考えこんだ。「われわれのいま解決すべき問題は、宝石盗難《とうなん》という一端《いったん》から発して、トッテナム・コート通りで拾った鵞鳥のえぶくろにいたるまで、どう事件が連続しているかを知るにある。ワトスン君、つまらない推理遊びが、急に重大な、しかもまんざら犯罪に関係なくもなさそうな方向へ発展してゆくじゃないか。

ここに宝石がある。この宝石は鵞鳥から出たものだ。鵞鳥はヘンリー・ベーカーといって、このきたない帽子《ぼうし》の持主であり、いま僕《ぼく》がその特徴《とくちょう》をならべたてて君を悩《なや》ましたばかりの人物がもっていたものだ。こうなると、どうしてもこの男をさがしだして、いったいこの問題でどういう役割を演じているのか、そいつをまず確かめなければならない。そのためにはまず最も簡単な手段をとる。それはあらゆる夕刊新聞に広告を出すことだ。それが失敗したら、つぎの第二段の方法に訴《うった》えるのだ」

「どんな文句にする？」

「鉛筆《えんぴつ》を貸したまえ、その紙きれも。ええと、いいかい――グッジ街角にて鵞鳥と黒帽を拾得《しゅうとく》した。ヘンリー・ベーカー氏よ、今夕六時半ベーカー街二二一番Bまで受取りに来られたし。これで簡単明瞭《めいりょう》だろう」

「そうだね。だが本人の目につくだろうか？」

「そうさね。貧乏《びんぼう》している身には容易ならぬ損害なんだから、きっと新聞に気をつけているよ。何しろ喧嘩《けんか》に熱したあまり誤って窓ガラスをこわして失敗《しま》ったと思うところへ、ピータースンが駆けてくるので制服姿を巡査と見あやまって夢中《むちゅう》で逃げたのだろうが、いまごろは鵞鳥《がちょう》まですててくるようなことをした自分の衝動《しょうどう》を、ひどく後悔《こうかい》しているにちがいないだろうからね。それに名を出しておけば、知りあいの者が注意してくれることもあろうというものだ。おいピータースン、急いで広告社へ行って、これを夕刊に出してもらってくれないか」

「何新聞に出しますかね?」

「そうさ、グローブ、スター、ペルメル、聖《セント》ジェームズ・ガゼット、イヴニング・ニューズ・スタンダード、エコー、そのほか思いだしたのに全部頼《たの》んでもらおう」

「承知しました。それからこの宝石は……」

「ああ、それはこっちへ預かっておこう。たしかに。それから帰りに鵞鳥を一羽買って、こっちへ届けてもらいたいね。落し主が来たら、お前のうちでいまむしゃむしゃやってるやつの代りに渡《わた》してやらなきゃなるまいから」

ピータースンが出てゆくと、ホームズは宝石を手にとってあかりにすかしてみながらいった。

「なかなかの代物だ。どうだい、このキラキラ光ることは！　これじゃ悪い心をおこさせるわけだね。良い宝石はすべてそうだが、悪魔《あくま》が見せびらかしている餌食《えじき》みたいなもんだ。もっと大きな古い宝石になると、刻まれている面の数ほども血腥《ちなまぐさ》い事件をおこしている。

この宝石は発見されてからまだ二十年にならない。中国南部の厦門《アモイ》河の岸から出たもので、色が普通のルビーレッドでなく青いことをのぞいたら、あらゆる点でガーネットとしての特徴を備えているというので有名なんだ。宝石としてはまだ若いくせに、もう不吉な歴史をもっている。こんな四十グレーンばかりの炭素の結晶《けっしょう》が人殺しを二度、硫酸浴《りゅうさんあ》びせを一度、自殺を一度、窃盗にいたっては数しれずおこしているんだぜ。こんな美しい玩具《おもちゃ》が、人を牢獄《ろうごく》や絞首台《こうしゅだい》へ送る役目をつとめるとは、誰が想像しよう。僕は金庫へ大切におさめておいて、伯爵夫人に手紙で報《し》らせてやるとしよう」

「君はこのホーナーという男に罪はないと思うかい？」

「なんともいえないね」

「じゃこっちの、ヘンリー・ベーカーが何か関係しているのだろうか？」

「ヘンリー・ベーカーは自分のもっている鳥が、頭から尻尾《しっぽ》まで金無垢《きんむく》でできているよりはるかに高価なのだとも知らずにいた男だから、まず犯行とはなんの関係もないと見てよかろう。もっともその点は、広告で本人が来たら簡単な試験をしてみて、確実なところをきめるつもりだがね」

「じゃそれまでは、何もすることがないわけかい？」

「ないね」

「じゃ僕は往診《おうしん》にゆこう。しかしこんな難解な事件はぜひ解決が知りたいから、夕方その時刻にはまたやってくるよ」

「ぜひ来たまえ。食事は七時、山鴫《やましぎ》のご馳走《ちそう》があるはずだ。ところで最近の事例を配慮して、ハドスン夫人に山鴫のえぶくろを調べるように頼んでおくかな」

ある患者《かんじゃ》に手間どったので、私がベーカー街へ引返したのは六時半をすこしすぎていた。二二一番Bへ近づくと、鍔《つば》なしのスコットランド帽をかぶった背のたかい男が、上着の襟《えり》を顎《あご》のところまで立ててボタンをかけ、玄関《げんかん》のあかり窓からもれる半円形の明るみのなかに立っていたが、ちょうど私がそばまで行ったとき、なかからドアがあけられたので、いっしょにホームズの部屋へ通ることになった。

「ヘンリー・ベーカーさんですね？」ホームズは肘掛椅子《ひじかけいす》から立って、よくもこう即座に出るものだと感心させられる親しげな態度でいった。「さ、どうぞ火のそばへ寄ってください。この椅子がいいでしょう。何しろ今晩は冷えますからね。それにあなたの血色を拝見すると、暑さはさほど苦にならないが寒さのほうにはお弱いようですからね。あ、ワトスン君、ちょうどいいところだったよ。ベーカーさん、この帽子はあなたのですか？」

「はい、はい、たしかに私のです」

ヘンリー・ベーカーは猫背《ねこぜ》の大男で、大きな頭、大きくて知能的な顔が、半白で先のとがった赤い顎鬚《あごひげ》のほうへ細くなっている。鼻の先と両頬の赤くなっているのと、さしだした手先がすこし震《ふる》えているのは、ホームズの推定した飲酒癖を思わせた。黒っぽく色あせたフロックコートの襟を立ててボタンをすっかりかけており、細い手首が袖《そで》から出ているが、カラーもカフスもつけている様子はない。一語一語注意して言葉を選び、低い声でポツリポツリと物をいう印象は、どことなく教育も学問も相当ありながら、運命の手に翻弄《ほんろう》されているといったふうなところがあった。

「あなたのほうで広告を出されると思ったから、これをお預りして広告が出るのを待っていたのですよ。なぜ広告を出さなかったのですか？」

ベーカーはややきまり悪そうに笑っていった。

「以前なら一シリングくらいの金は、金とも思わなかったのですがね。それに私にかかってきたあの乱暴な連中が、鳥も帽子ももっていってしまったことと思っていましたから、広告したって返ってくるわけもなし、むだな金を使うまでもないと思ったのです」

「ごもっとも至極《しごく》です。ところで鳥ですが、あれは仕方がないから食べてしまいましたよ」

「食べたんですか？」ベーカーはびっくりして思わず腰をうかした。

「食べでもしなければ、それこそむだになってしまいそうでしたからね。でもその代りあの食器棚《しょっきだな》のうえに別のが一羽ありますが、大きさもほぼおなじだし、このほうはいたって新しいし、あれをおもちになればおなじことでしょう」

「そうです。たしかにおなじです」ベーカーはやっと安心したらしい。

「もっとも食べたのは肉だけで、羽根や脚《あし》やえぶくろや、そのほかのものはすっかりのこしてあるから、もし何でしたら……」

ベーカーはふきだして笑った。

「災難の記念にはなるかもしれませんが、昔《むかし》なじみとはいえ、のこりかすがそれ以上何の役にたつとも思われません。それよりもお許しを得て、あの食器棚のうえに見える結構な鵞鳥だけちょうだいいたしましょう」

ホームズは私の顔をちらと見て、そっと肩《かた》をすくめてみせた。

「では帽子はそこに、鳥はそちらのをどうぞ。ついでにあなたのその鳥をどこで手におい入れになったか、聞かせていただけませんか？ 私はこう見えても鳥には目のない男でしてね、あんな上等の鵞鳥はめったにあるもんじゃないと思うものですから」

「造作もないことです」ベーカーはすでに立って、帽子と鵞鳥を大切そうに小脇《こわき》にしていたが、「私たちの仲間五、六人が博物館にちかいアルファという飲み屋の常連なんです。私たち昼間は博物館にいるものですから……で今年はアルファの主人のウィンディゲートが鵞鳥クラブというものを組織しましてね、毎週何ペンスかつみたてておきますと、クリスマスに鵞鳥が一羽もらえるという仕組みなのですが、私もそれへはいりましたので、掛金《かけきん》をきちんきちんと払《はら》ってやっと手にいれたわけで、あとはご承知のとおりです。いや、どうもありがとうございました。何しろスコットランド帽はこの年には不似あいですし、それに重みがありませんからねえ」

と、おかしいほどもったいぶったおじぎをのこして、ヘンリー・ベーカーはのっしのっしと大股《おおまた》に帰っていった。客が出て部屋のドアがしまるとホームズがいった。

「ヘンリー・ベーカーはこれでよい。彼が何も知らないのは、もうこれで疑う余地もない。ところで君は腹がすいたかい？」

「さほどでもないね」

「じゃ夕飯はそっくり夜食にまわすとして、ほとぼりの冷めないうちに手掛《てが》りをたぐってゆこうじゃないか」

「大いに結構だ」

寒い晩だったから襟まきをしっかりまきつけ、長外套《ながかいとう》を着こんで出かけた。そとは一片《ぺん》の雲もない空に星が冷たくこおりつき、道行く人のはく息は白い煙《けむり》となって、あっちでもこっちでもピストルを発射しているように見えた。こおりついた街路に靴音《くつおと》たかく、私たちはウィンポール街、ハーリー街の医者町をぬけ、ウィグモア街からオックスフォード街の大通りへと出た。

十五分ばかりでブルームスベリー区のアルファに着いたが、ここはホルボーンへ通ずるとある街の角にある小さな宿屋をかねた居酒屋で、ホームズは酒場のドアを押《お》してはいるなり、赤ら顔で白エプロンの亭主《ていしゅ》にビールを二杯《はい》注文した。

「ここのビールが、このうちの鵞鳥ほど上等なら、さだめしうまいだろうな」

「え？　鵞鳥で？」亭主は面くらっている。

「そうさ、たったいまもヘンリー・ベーカーさんと話したことだが、あの人はここの鵞鳥クラブの会員だったろう？」

「ああ、あれですかい？　だが旦那《だんな》、ありゃ私どもの鵞鳥たアいえませんぜ」

「へえ！　じゃどこのだい？」

「ありゃ旦那、コヴェント・ガーデンの仲買から二ダースだけ仕入れたんでさ」

「へえ！　仲買なら私もいくらか知ってるが、どこの店かね？」

「ブレッキンリッジって男でさ」

「その男なら知らなかったね。じゃ君の健康とこの店の繁盛《はんじょう》を！　さようなら」

寒い表へ出ると、ホームズは外套のボタンをかけながらいった。

「こんどはそのブレッキンリッジだ。ワトスン君、この事件の一端には鵞鳥なんて罪のないものがいるが、向うの端《はし》には、無罪の立証ができぬかぎり懲役《ちょうえき》七年の刑《けい》の宣告をうけるはずになっている男のあるのを忘れちゃいけないよ。結果としてはその男の有罪を確証するだけになるかもしれないけれど、われわれはいま警察が逸《いっ》した捜査《そうさ》の端緒《たんしょ》を、妙《みょう》な偶然《ぐうぜん》から手にしているのだ。最後までこいつを追及《ついきゅう》してみよう。南向け南！　はや足！」

ホルボーン区をよぎって、エンデル街を通り、クネクネしたきたならしい裏町をぬけてコヴェント・ガーデンの市場へ出た。とある大きな店にブレッキンリッジの看板が出ており、鋭《するど》い顔つきに刈《か》りそろえた頬髯《ほおひげ》のある馬みたいな感じの主人が、小僧《こぞう》に手つだわせて雨戸を降ろしているところだった。

「こんばんは。寒いですね」

ホームズが声をかけると、主人はうなずいてじろりと怪訝《けげん》そうな目を向けた。

「鵞鳥は売りきれらしいね」ホームズは追っかけて、何ものこっていない大理石板の売台を指さした。

「あすの朝なら五百羽だってありまさア」

「そいつは困ったな」

「まだガスのついてる店へ行けば、いくらかありますぜ」

「君の店のがいいって聞いてきたんでね」

「どこで聞きました？」

「アルファの亭主《おやじ》にさ」

「ああ、あすこなら二ダース送りましたよ」

「あれはいい鳥だった。いったいどこから仕入れたね？」

意外なことには、この質問は鳥屋の主人をひどく怒《おこ》らせてしまった。彼は頭をかしげ、両手を腹にあてて立ちはだかっていった。

「何ですって、お前さん。お前さんはいったい何をきいていなさるのだか、そいつをはっきりしてもらいましょうかい」

「はっきりしているじゃないか。お前さんのところからアルファへ売りこんだ鵞鳥はどこから仕入れたのだか、そいつが知りたいというだけのことなんだ」

「そう。ならそれは言いますまいよ。お気の毒さまだ」

「たいしたことでもないから、聞かなきゃ聞かなくたっていいが、お前さんがこれくらいのことでなぜそう躍起《やっき》になるのか、それがわからないよ」

「躍起にもなりますアね。お前さんだってこんなに小うるさく尋《たず》ねられたら、きっと腹をたてますぜ。私はいい品にはいい値をつける。それで何もいうこたアねえんだ。それをお前さん、やれ鵞鳥はあるかの、どこへ売ったかの、いくらで売るかのって騒《さわ》ぎだ。ひとが聞いたら世の中にほかに鵞鳥はいねえのかと思いますぜ」

「そうかね。だが私は鵞鳥のことを調べにきたほかの人たちとは何の係《かか》わりもあるわけじゃない」とホームズはのんびりした調子でいった。「お前さんが仕入れ先を教えてくれなきゃ、ただ賭《か》けに負けるだけの話なんだ。何しろ私は食用鳥のことで意見がちがったら、いつでも賭けるんだが、こんど食った鵞鳥もいなか産のものだと鑑定《かんてい》して五ポンド賭けたものだからね」

「じゃお前さんは五ポンド取られたね。あいつは都会育ちだ」

「そんなことはないさ」

「なくはないよ」

「そんなことといったって信じないね」

「お前さんは食用鳥のことにかけて、小僧のときから扱《あつか》いなれている私よりも明るいつもりでいなさるのかい？　もういちどいうが、アルファへ送った鳥はみんな都会育ちなんだ」

「いくらいったってそんなこと信じるものか」

「じゃ賭けるかね？」

「私が勝つにきまってるんだから、それじゃお前さんからただ取るようなものだが、強情《ごうじょう》はるもんじゃないということを教えるために、一ソヴリンだけ賭けよう」

「ビルよ、帳簿《ちょうぼ》をもってきな」仲買人はうす気味わるい笑いをうかべた。

命ぜられた小僧はうすっぺらな小さいのと、表紙のよごれた大きいのと、二冊の帳簿をもちだしてつりランプの下においた。

「いいかね、うぬぼれ先生。鵞鳥は売りきれかと思っていたら、どうやらここにもう一羽いるってことになってきたらしいて、アッハッハッ。そこでこの小さい帳面だがね」

「ふむ、その小さい帳面が？」

「私ンとこの仕入れ先が書いてあるんだ。いいかね。それでこのページに書いてあるのがいなかの仕入れ先で、名のつぎに書いてある数字は、こっちの大きい台帳にのっているページの数だ。そこでこっちのページに赤インキで書いてあるのが市内の仕入れ先ということになっているが、その三番目の名は何とありますかい？　読んでみておくんなさい」

「ブリクストン通り一一七番オークショット夫人――二四九」ホームズが読みあげた。

「そのとおり。こんどはこっちの大きい帳簿をくってもらいましょう」

ホームズはその二四九ページをめくった。

「ええと、ブリクストン通り一一七番オークショット夫人、卵および家禽《かきん》供給」

「じゃその最後の記入はなんとありますかい？」

「十二月二十二日、鵞鳥二十四羽、代七シリング六ペンス」

「そのとおり。どうですかい。それでその下に何とありますかい？」

「アルファのウィンディゲートに十二シリングにて売却」

「これでもまだ文句がありますかい？」

ホームズはさもいまいましげに、ポケットからソヴリン金貨を一枚出すと、大理石板のうえに投げておいて、口をきくのも胸くそわるそうにその場を立ちさった。そして五、六ヤードも店先をはなれると、街灯の柱のところに立ちどまって、彼《かれ》一流の声を出さぬ笑いかたで、大笑いに笑いころげた。

「頰髯をあんなふうに刈りこんで、ポケットからスポーツ新聞などのぞかせている男を見たら、いつでも賭けで釣《つ》れると思ってよい。よしんばあの男のまえに百ポンドつんでみせたって、ああして賭けごととみせて釣りだしたほど、すっかりしゃべらせることのできるものじゃけっしてないよ。

ところでこの捜査もどうやら終局に近づいたらしいが、ここで最後に決定しなければならない問題は、今夜のうち、これからすぐにもこのオークショット夫人を訪ねるか、それともあすの朝にするかということだ。あの気むずかしい鳥屋の話の様子では、どうやらほかにもこの鵞鳥《がちょう》の捜査に頭を突《つ》っこんでいる者があるらしいから、むしろこれは――」

といいかけてホームズは、いま出てきたばかりの店先が急にガヤガヤと騒がしくなったので、ふと口をつぐんだ。見ると、店内のゆらゆらゆれるつりランプが落す丸い明りのなかに、鼠《ねずみ》のような顔つきの小柄《こがら》な男が立っており、店の主人ブレッキンリッジは入口に立ちはだかって、拳固《げんこ》をつきだしながら居丈高《いたけだか》にどなりつけているところであった。

「お前さんもお前さんの鵞鳥とやらも、もうたくさんだよ。みんな地獄《じごく》へでも行っちまえ。このうえくだらないことをいってきやがると、犬をけしかけるぜ。オークショット夫人をここへ連れてきたらいいだろう。あの女になら教えてもやろうが、お前さんはいったい何だ？　お前さんから買った鵞鳥じゃあるまいし、なんだってまた、そうしつっこいんだ？」

「いいえ、あのなかの一羽が私のだったんですよ」鼠のような男が泣声で訴《うった》えた。

「そんなこと知るもんか。オークショット夫人にそういったらいいだろう」

「そういったら、あなたのところへ行ってそういえっていうんです」

「そんなことおれの知ったことかい。もうたくさんだ。さっさと出て失《う》せろ！」鳥屋が猛烈《もうれつ》な勢いで躍《おど》りかかったので、鼠男はとびだしてこそこそと暗やみへ姿を消した。

「あ、これはわざわざブリクストン通りまで行く手数がはぶけるかもしれないよ」ホームズは低い声でいった。「さあ、行こう。あの男がどういうことになるか行ってみよう」

まだガス灯のともっている店のまえに、ごたごたしている人たちのあいだを縫《ぬ》って、ホームズは大股に歩を早め、たちまち鼠男に追いついて、そっと肩をたたいた。鼠男はギクリとしてふりかえったが、その顔は唇《くちびる》まで色を失っているのが、ガス灯の光でよくわかった。

「どなたでしょう？　何かご用ですか？」声まで震えている。

「失礼ですが、いまあなたが鳥屋で質問していたことを聞いてしまいましたよ。ことによるとお力になれるかと思うんですがね」ホームズはおだやかにいった。

「あなたが？　どなたか知りませんが、どうしてこのことがおわかりになったのでしょう？」

「私はシャーロック・ホームズという者です。ひとの知らないことを知るのが、私の商売なのでしてね」

「だって、このことがすこしでもあなたなんかにおわかりのはずはありません」

「お言葉ですが、私は何もかも知っているのです。あなたがさがしているのは、ブリクストン通りのオークショット夫人からブレッキンリッジという仲買に売って、そこからアルファのウィンディゲートに売られ、アルファからヘンリー・ベーカー君も会員だった鵞鳥クラブの人たちに売りつけた鵞鳥のことです」

「ああ、あなたは私のさがしもとめていた方です」鼠男は指先の震えている両手を大きく左右にひろげて叫《さけ》んだ。「私がどんなにこのことで気をもんでいるか、とても言葉にはつくせません」

ホームズは通りかかった四輪の大型タクシー馬車を呼びとめていった。

「それではこんな吹《ふ》きさらしの市場の隅《すみ》なんかよりは、どこかおちつける部屋でゆっくり話したほうがよいと思います。しかし話をうかがってお力になるまえに、あなたはどこのおかただか、まずお名前を聞かせてください」

鼠男はかすかなためらいを見せてから、「私はジョン・ロビンスンという者です」と横眼《よこめ》を使って答えた。

「いいえ、本名をいってくださいよ。変名で話をするのは、気まずいものですからね」

相手は白い頬をさっと赤らめた。

「そうですか。それでは、私の本名はジェームズ・ライダーと申します」

「そのとおりです。そしてコスモポリタン・ホテルのボーイ長です。さア馬車に乗ってください。あなたの知りたがっていることは、じきに詳《くわ》しく話してあげますよ」

意外の幸運か身の破滅《はめつ》か、そのどっちに直面しているのか判断に迷うらしく、ジェームズ・ライダーはおそれと希望のまじった目つきで私たちを見くらべていたが、やがて馬車に乗りこんだ。

三十分で私たちはベーカー街のおなじみの部屋の人とはなったが、途中《とちゅう》では誰《だれ》も口をきかなかった。ただライダーのうわずった息づかいや、手を握《にぎ》ってみたりまた開いたりしているのが、内心の興奮のなみなみでないのを物語っていた。

「さア着きました」順に部屋へはいると、ホームズが元気よくいった。「こんな天気にはやはり火のそばがいいですね。あなたは寒そうだ。その籐椅子《とういす》にかけてください。話をするまえに、ちょっとスリッパにはきかえます。さ、それではと、あなたはあの鵞鳥がどうなったか、それを知りたいのですね？」

「はい」

「とくにそのなかの一羽のことがね。オークショット夫人の手から出たたくさんのうちでも、尻尾《しっぽ》に黒い条《すじ》のある白い鵞鳥に、特別の関心をおもちのわけですね？」

「それです！　それです！　それがどこへ行ったか、ご存じなのですか？」ライダーは感きわまってぞくぞくしている。

「あれならここへ来ましたよ」

「ここへ？」

「そうです。しかもあれはよくよく変った鳥でしたよ。あれではあなたが気にしてさがすはずですね。何しろ死んでから卵を生んだのだから、それもこのうえなく美しくて上等の、小さな青い卵をね。私はちゃんとここの陳列所《ちんれつじょ》に飾《かざ》っていますよ」

ライダーは立ちあがったが、よろめいてマントルピースに右手でつかまった。ホームズは金庫をあけて、冷たくキラキラと星のようにその多面を輝《かがや》かせている青いガーネットをとりだした。ライダーはその所有権を主張してよいものか、それとも自分には関係がないと否認《ひにん》すべきか迷うらしく、むずかしい顔でそれを見つめている。

「勝負あった！　だよ、ライダー」ホームズが静かにいった。「そら！　しっかりしないと火のなかへ落ちるよ。ワトスン君、手を貸して椅子にかけさせてくれたまえ。大それた罪を犯《おか》すには、ちっとばかり血の気がたりないんだ。ブランディでもすこしあげてくれたまえ。そう、それですこしは人間らしくなった。ほんとになんてだらしがないんだろう？」

ちょっとのあいだ彼はふらふらして、倒《たお》れそうでさえあったが、ブランディのおかげで頬にすこし色がさし、腰《こし》をおろしてホームズの顔を恐《おそ》ろしそうに見つめた。

「私には事件の経緯《けいい》がほとんどあますところなくわかっているし、必要と思われる証《しょう》拠《こ》も全部握っているのだから、このうえお前から何も聞くことはないのだが、念のためほんのすこしだけきいておこう。お前はこのモーカー伯爵《はくしゃく》夫人の青いガーネットのことを、誰かに聞いていたんだね？」

「それを教えてくれたのはキャサリン・キュザックです」ライダーは震《ふる》え声で答えた。

「そうか、夫人の小間使だね。大金がわけもなくつかめる誘惑《ゆうわく》にお前が負けたのは、無理もなかろう。お前よりは利口な人でさえ、そうだったのだからね。お前のやりかたは、しかし、もうすこし思慮《しりょ》があってしかるべきだった。お前にはちゃんと悪人の素質があるとみえる。配管工のホーナーが窃盗《せっとう》の前科があるのを知って、はじめから疑いがそっちへ向けられるものと思ってかかった仕事だ。ではお前はまずどうしたか？　お前はまず相棒のキャサリンと相談して伯爵夫人の化《け》粧室《しょうしつ》へ、ちょっとした細工をした。そしてホーナーが呼ばれるように仕向け、ホーナーが仕事をすませて帰ったあとで、宝石箱《ほうせきばこ》をこじあけて青いガーネットを手にいれてから、騒ぎたてたのだ。かわいそうにおかげでホーナーは捕《つか》まってしまったが、お前は——」

ライダーはだしぬけに床《ゆか》へ身を投げて、ホームズの膝《ひざ》にすがりついた。

「お願いでございます。お慈悲《じひ》でございます。父のことをお考えになってください。母の身を思いやってください。これが露見《ろけん》したら父も母も胸がはりさけます。いままでいちども悪いことをした覚えはございません。今後もけっしていたしません。誓《ちか》っていたしません。聖書にかけて誓います。警察へつきだすのだけは許してください。キリストのみ名によってお願いいたします」

「さ、椅子にかえらないか」ホームズは厳格《げんかく》な態度でいった。「いまからでも、そうして恐縮《きょうしゅく》するのはたいへんよいことだが、お前ゆえに覚えのない罪のため法廷《ほうてい》に引きだされているホーナーのことはすこしも考えてやらないのだな」

「私は高飛びします。この国を逃《に》げだします。そうすればホーナーの疑いも晴れることと思います」

「ふむ、そのことはあとで相談しよう。いまはそれよりもさっきの話のつづきだ。どうしてこの宝石が鵞鳥のえぶくろのなかへはいって、その鵞鳥がまた市場へ出たか、ほんとのことを包まず話すがよい。お前の助かる唯一《ゆいいつ》の希望がそこにあるのだ」

ライダーはかわききった唇をなめた。

「包まずにありのままを申しあげます。ホーナーが捕まりましたのを見て、これは早いとこ宝石を隠したほうがいいと気がつきました。いつ警察が私のからだや部屋を調べるかもしれないと思ったからです。といってホテルのなかには安心のできる場所はありません。私は使いにゆくふりをしてそとへ出て、姉の家へ行きました。姉はオークショットという男と結婚《けっこん》して、ブリクストン通りで市場へ出す家禽を飼《か》っているのです。

途中で会う男がみんな巡査《じゅんさ》や刑事《けいじ》に見えて、寒い晩でしたが姉の家へ行ったときは顔じゅう汗《あせ》だらけでした。姉は心配して、どうかしたのか、なぜそんな青い顔をしているとききますので、ホテルに宝石どろぼうがあって大騒ぎしたので、気が転倒《てんとう》しているのだと申しておきまして、裏庭へ出てタバコをやりながら、さてどうしたらいちばんよかろうかと思案しました。

以前に私はモーズリーという男を知っていました。悪いほうへ足を踏《ふ》みいれて、つい近ごろまでペントンヴィルで服役《ふくえき》してきたやつですが、ある日この男とぱったり出あいまして、話がどろぼうの方法や、盗《ぬす》んだものをどう始末するというようなほうへ落ちていったことがあります。この男なら私も二つ三つ痛いところを知っていますし、裏切るような心配はありません。それでキルバーンのその男のところへ行って、仲間に引入れてやろうと思いつきました。

あの男なら宝石をうまく金にかえる方法も教えてくれるにちがいないのですが、さて、どうして安全に向うまでもってゆくか？　ホテルからここへ来るのにさえ、あれほどの思いをしたのです。宝石はチョッキのポケットにいれているのですが、どこで捕まって身体検査をされるかわかりません。

へいにもたれて、足もとをよちよち歩く鵞鳥をぼんやりながめながら、あれかこれかと思案するうちに、ふとある考えが頭にうかんできました。それこそどんな名探偵《めいたんてい》をも参らせるような名案なのです。

姉はずっとまえに、クリスマスには鵞鳥をどれでも一羽くれると申しておりましたが、けっして約束《やくそく》を忘れるような女じゃないから、それをいまもらって、そいつに宝石をのませてキルバーンのモーズリーの家までもってゆこうと思いついたのです。飼育場《しいくじょう》には小さな小屋があります。私はそのうしろへ一羽、白いからだの尻尾に黒い条のある、みごとに肥《ふと》った大きなやつを追いこみました。手捕《てど》りにして口をあけておき、指でできるだけ奥《おく》のほうへ宝石を押《お》しこんでやりますと、鵞鳥はぐいとのみくだしました。さわってみると食道をさがって、えぶくろへ落ちこんだのがよくわかります。でもそのとき鳥がバタバタ暴《あば》れたので、何事がおこったかと姉が出てきました。弁解するつもりでふりかえった隙《すき》に、鳥のやつ手もとをすりぬけてほかのといっしょになってしまいました。

『お前あの鳥をどうしたの、ジェム？』

『なアに、クリスマスに一羽くれるって話だったたから、どれが肥ってるかと思ってね』

『あら、お前のは別にしてあるのよ。ジェムの鳥といってね。ほら、あそこにいる白い大きいのさ。みんなで二十六羽いるけれど、お前のが一羽、私たちのが一羽、あとの二十四羽は市場へ出すつもりなの』

『ありがとう。だけどなんなら私のは、いま捕まえてたのにしてほしいね』

『だけどこっちのほうがたっぷり三ポンドは重いのよ。お前にあげるのだからって、特別に肥らしてあるの』

『いいんです。私はやっぱりあのほうをもらおう。いまもらってもいいね？』

『ええ、ええ、好きなようにおし』姉はすこしふくれて、『だけどお前がほしいっていうのはどれなの？』

『あれ、あのまん中にいる尻尾に黒い条のある白いやつさ』

『ああ、いいともさ。すぐに絞《し》めてもっておいで』

姉のいうとおりその場で絞めて、絞めたやつをキルバーンくんだりまで担《かつ》いでいったんです。モーズリーはそういうことはいたってうちあけやすい男ですから、じつはこれこれと話をしますと、笑って、笑って、笑いころげましたが、いざナイフで鵞鳥をたち割ってみて、私はまっ青になってしまいました。宝石なんか影《かげ》も形も見えません。私はとんでもない間違《まちが》いをしでかしてしまったらしいのです。

鵞鳥をうっちゃっておいて、姉の家へとんで帰りました。急いで裏庭へ出てみると、そこにはもう一羽の鳥もいないのです。

『姉さん、鳥をどうしたんです？』

『問屋へ送ってしまったわよ』

『問屋はどこです？』

『コヴェント・ガーデンのブレッキンリッジだよ』

『そのなかに私がもらっていったような、尻尾に黒い条のあるのがいましたか？』

『尻尾に条のあるのは二羽いたようだけれど、よく似ていて、私たちにもどっちがどっちだか、よくわからないくらいだったわよ』

ああ、それでわかりました。何という！　私は息のつづくかぎり、一目散にブレッキンリッジへ駆《か》けつけました。けれどももう全部ひとまとめにどこかへ売っていて、その売りさきをどうしても教えてくれません。今晩あなたもお聞きのとおり、何度きいてもあの男はあんなふうにしか言わないのです。

姉は私が気違いになるのじゃないかと心配してくれますが、自分でもなんだかそんな気のすることもあります。ああ、私はもうれっきとしたどろぼうです。自分の人格を売ってまで手にいれた宝石を、右から左へなくしときながら、どろぼうの絡印《らくいん》だけはちゃんと押されてしまいました。ああ神さま！」

ライダーは両手を顔に押しあてて、わっと泣きだしてしまった。

ながい沈黙《ちんもく》がつづいた。その沈黙を破るものはライダーの苦しい呼吸と、ホームズの指先がテーブルの縁《ふち》を軽くたたく規則的な音だけであった。しばらくたってホームズが立ちあがり、入口のドアをさっと押しあけた。

「出てゆけ！」

「へ？　ああ、ありがとうございます！」

「つべこべいうな。出てゆけ！」

何もいう必要はなかった。突進《ラッシュ》！　ドタドタ階段を踏みならす足音。玄関《げんかん》をバタンと強くしめる音。そして往来を駆けだしてゆく足音が遠ざかっていった。

「要するに何だな」とホームズは陶製《とうせい》のパイプに手をのばしながらいった。「何も警察の欠陥《けっかん》を補うのを僕《ぼく》は頼《たの》まれているわけじゃないからね。ホーナーが罪になりそうだとでもいうなら話はべつだが、ライダーのやつもこれ以上ホーナーを落しいれようとはしないだろうから、事件はこれで自然消滅になるだろう。ただ僕としては重罪犯人を勝手に減刑してやったことにはなるが、その代りこれで一つの魂《たましい》が救われると思う。あの男は二度と悪いことはするまい。すっかり懲《こ》りて、震えあがっている。もしここで刑務所へ送ってやれば、あいつは常習犯に転落してしまうだろう。それにいまは寛容《かんよう》のクリスマスの季節でもある。偶然《ぐうぜん》の機会から、はなはだ奇怪《きかい》な事件を経験することになったが、われわれとしては事件の解決したことが報酬《ほうしゅう》なのだ。すまないがちょっとベルを鳴らしてくれないか。いよいよつぎなる事件の吟味《ぎんみ》にとりかかるとしよう。こいつもやっぱり鳥が中心だがね――山鴫《やましぎ》だよ」

――一八九二年一月『ストランド』誌発表――

まだらの紐《ひも》

この八年のあいだに、シャーロック・ホームズの探偵《たんてい》ぶりを調べては控《ひか》えておいた七十余件におよぶ私のノートをくってみると、そのなかには多くの悲劇もあり、喜劇もいくらかはあり、単に奇異《きい》なだけのものもたくさんあって、一つとして平凡《へいぼん》なものはない。それというのが元来彼《かれ》のは財物が目あてで働くのではなくて、どちらかというと自分の仕事への情熱ゆえに出馬するのだから、依頼《いらい》があってもそれが珍《めずら》しい事件、怪異《かいい》な展開を思わせる事件でないと手をつけるのを断わってしまうからである。

しかし、これら数多いさまざまな事件のうちでも、有名なサリー州のストーク・モーランに住むロイロット一門の家族に関する事件くらい、世にも奇怪な様相をもつものは思いだせない。この事件は私がホームズと知りあってから日もまだ浅く、ベーカー街に共同で部屋を借りて独身生活をやっていたころのことである。だからもっと早く発表することができなくはなかったのだが、当時秘密にする約束《やくそく》をむすんだので、見あわせていたまでである。約束を交《か》わしたその婦人が先月急死したので、約束から解放されることになった。そこでここにその事実の真相を公表するのもまた、悪くはあるまいと考える。というのは、すこしわけがあって知っているのであるが、グライムズビー・ロイロット博士の死に関する取り沙汰《ざた》は、真相以上に恐《おそ》ろしい流説となって、ひろく世間に誤り伝えられているからである。

一八八三年四月はじめのことであった。ある朝ふと目をさましてみると、シャーロック・ホームズがちゃんと服をつけて枕《まくら》もとにつっ立っている。いつもは朝寝坊《あさねぼう》の彼が、マントルピースの置時計を見ればまだ七時十五分すぎたばかりなのにと私は少々驚《おどろ》き、眼《め》をぱちくりやりながら、彼を見あげた。いや、規則正しい生活が好きな私のことだから、少々ふくれ面《つら》をしていたかもしれない。

「ワトスン君、起してすまないね。しかし今朝はみんながそういう運命なんだよ。最初にハドスン夫人が起されて、おかみが僕《ぼく》を起す、僕が君を起すという順序なんだ」

「どうしたんだい、いったい？　火事かい？」

「いや、依頼人だ。若い婦人がひどい興奮状態でやってきて、どうでも僕に面会したいといってるんだそうだ。居間のほうで待たせてあるがね。考えてもみたまえ、若い婦人がこんなに朝早くからロンドン市内をうろつき回って、ぐっすり寝こんでいる他人をたたき起すというのは、よくよくさし迫《せま》った事情があって、訴《うった》えなきゃならないのだとわかるじゃないか。そしてこれがもしおもしろい事件ででもあったら、君はきっと最初から関係したかったと不平をいうにきまってるからね」

「ありがたい。そんなことなら何をおいても起きるよ」

ホームズの専門的な探偵ぶりを見せてもらい、一見直感かと思うほど迅速《じんそく》だが、それでいて立派に理論的な筋道の通っている彼の推断、その推断によって、提示された問題をてきぱきと解決してゆくあざやかな手なみに舌をまくくらい、私にとって愉快《ゆかい》なことはないのだ。私は手ばやく服を身につけ、それから二、三分ののちにはホームズとともに居間へ降りていった。はいってゆくと、黒い喪服《もふく》をつけ、厚いヴェールに面《おもて》を包んだ一人の婦人が、窓ぎわの椅子《いす》から立ちあがった。

「おはようございます」ホームズが快活に言葉をかけた。「私はシャーロック・ホームズです。こちらは親友のワトスン博士で、同時に仕事のうえの同僚《どうりょう》でもある男ですから、この人のまえでは私同様、どんなことをお話しくださってもさしつかえございません。やア、ハドスン夫人が気をきかせて火をおこしておいてくれましたね。さ、どうぞ火のそばへお寄りください。寒くて震《ふる》えていらっしゃるようですが、ただいま熱いコーヒーを頼んで差上げます」

「いいえ、寒くて震えているのではございません」婦人はいわれるがままに席をうつしながら、低い声でいった。

「ではどうなすったのですか？」

「心配のためでございます。恐ろしいからでございます」

こういいながらヴェールをあげたのを見れば、なるほど、気の毒なほど心がうわずっている様子である。顔は恐怖《きょうふ》に引きつって青ざめ、両の眼は狩《か》りたてられた野獣《やじゅう》のように、おどおどとおびえて、まったくおちつきがない。顔やからだつきから見れば三十くらいなのに、頭にはもう白髪《しらが》がまじり、疲《つか》れはてやつれた顔をしている。シャーロック・ホームズは理解のはやい一瞥《いちべつ》を投げて、「けっしてご心配はありません」と前かがみになって彼女《かのじょ》の前腕《まえうで》を軽く叩《たた》きながら慰《なぐさ》めた。「大丈夫《だいじょうぶ》、じきに万事《ばんじ》解決してあげます。今朝汽車でお着きになったんですね？」

「では私をご存じでいらっしゃいますの？」

「いいえ、そうじゃありませんが、あなたの左の手袋《てぶくろ》の掌《てのひら》に、往復切符《おうふくきっぷ》の帰りの分が見えますから。駅までは小さい二輪馬車でいらしたけれど、遠いうえに道が悪いから、かなり早くお宅をお出になったのでしょうね？」

婦人は非常に驚いた様子で、不思議そうにホームズの顔をまじまじとながめた。

「いや、べつに不思議はないのです」とホームズはにこにこしながらいった。「あなたのジャケットの左の腕には、ちょっと見ても七つ以上ははねがあがっています。しかも新しいはねです。そういうところへはねのあがる乗りものといえば、二輪馬車に乗って、駆者《ぎょしゃ》の左がわへ腰《こし》をおろしたときにかぎるのです」

「その理由はともかくも、おっしゃることに間違《まちが》いはございません。私は今朝六時に家を出て六時二十分にレザーヘッドへ着き、一番の汽車でウォータールーへ参ったのでございます。私はもうこの心の重荷に耐《た》えることができなくなりました。このまま気を張りつめていれば、発狂《はっきょう》してしまいます。頼《たよ》りになる人は一人も——いいえ、たった一人だけ私のことを気にかけてくれますはずの者がございますけれど、困ったことにこれがさっぱりあてになりません。

あなたのお噂《うわさ》はかねてファリントッシュ夫人から、あのかたにたいへんお困りの問題がおこりましたとき、あなたが助けておあげになりましたとかで、あの夫人から承《うけたまわ》っておりました。それで夫人からこちらのお宅を教えていただいてまいったのでございます。どうぞホームズさま、私もお助け願いとうございます。私をとりまいていますこのまっ暗な闇《やみ》に、せめてすこしなりとあかりを投げてはくださいませんでしょうか。ただいまのところでは、お礼と申しましても私の力には及《およ》びませんけれど、一、二カ月のうちには結婚《けっこん》いたすはずで、そのうえは私の収入も自由になりますから、

りだした。

ホームズは自分の机へ身体をねじ向けて、鍵《かぎ》を使って引出しから小さな事件録をとりだした。

「ファリントッシュ夫人と——ああこれだな。思いだした。オパールの頭飾《あたまかざ》りに関する事件だった。これはたしかワトスン君といっしょになるまえのことだ。——ええと、それではファリントッシュ夫人同様に、喜んであなたの事件を専心解決させていただきましょう。報酬《ほうしゅう》のことですが、私には仕事そのものが報酬なのです。けっしてご心配には及びません。ただご都合のよいとき、かかった実費だけ支払っていただけば結構です。それではどうぞ、どんなことが判断の材料となるかもしれないのですから、細大もれなく詳《くわ》しい事情をお話しください」

「ああ！　申しあげますけれども、私がいちばん恐ろしいことは、私の不安がいかにも漠然《ばくぜん》としておりますし、疑惑《ぎわく》と申しましても人さまの眼にはさぞ愚《おろ》かなこととしかうつらないだろうと思われますほど、ほんの些細《ささい》なことに根ざしておりますので、ほかの人ならばともかく、とくに私としては助けていただくのが当然のあのかたまでが、私の申すことをただ神経質な女の妄想《もうそう》としか思ってくださらないことでございます。いいえ口に出してそうはおっしゃいませんけれども、慰めてくださるお言葉や、目をおそらしになる様子で、私にはよくわかるのでございます。でもホームズさま、あなたは人の心のなかのいろいろな邪悪《よこしま》さをお見ぬきになるかただとうかがっております。ひしひしと私の身をとりまくこの危険のなかを、どう歩いてゆけばよろしいのか、あなたならばきっとお教えくださるにちがいございません」

「ふむ、それで？」

「私はヘレン・ストーナーと申します。ただいまのところ義理の父といっしょに暮《くら》しておりますが、彼はイングランドでもいちばんふるいサクソン系の家柄《いえがら》になっていますサリー州の西境の、ストーク・モーランのロイロット一門の最後の一人でございます」

「そのお名前はよく存じておりますよ」ホームズはうなずいてみせた。

「一族はある時代にはイングランド屈指《くっし》の富豪《ふごう》で、領地は州境を越《こ》えて北はバークシャー州、西はハンプシャー州までもひろがっていたのでございます。でも前世紀に放埒《ほうらつ》な当主が四代もつづきましたうえに、最後が賭博《とばく》ずきの当主で、とうとう摂政殿下《せっしょうでんか》の時代になって、一族はまったく零落《れいらく》してしまいました。そしてあとにのこったのは二百年来の古い屋敷《やしき》と二、三エーカーの土地だけ、その屋敷もたくさんな借金の抵当《ていとう》にはいっている始末でございます。

先代の当主と申しますのは、その屋敷で貧乏貴族《びんぼうきぞく》の悲惨《ひさん》な生活を送っていましたが、そのたった一人の後嗣《あととり》でありますす私の継父《けいふ》は、一家がそうなってしまった以上いつまでも貴族の坊《ぼっ》ちゃんでいてはならないと、親戚《しんせき》から学資をたててかえてもらいましてどうにか医者の学位をとりました。そしてインドのカルカッタへ参りまして、そこで自分の技倆《ぎりょう》と人格の力で医者を開業しましてかなり盛大《せいだい》にやっておりました。でも家のなかでしきりと物が紛失《ふんしつ》するのに癇癪《かんしゃく》をおこしまして、あるとき現地人の執事《しつじ》をひどく殴《なぐ》りましたのが、運わるくその者が死んでしまいましたので、すんでのことで死刑《しけい》になるところを、ようやく助かりました。でも長期の入獄《にゅうごく》をしましたので、むっつりした失意の人として内地へ帰ってまいりました。

ロイロット博士――継父はインドで私の母と結婚いたしました。母はベンガル砲兵《ほうへい》隊《たい》のストーナー少将の若い未亡人だったのでございます。私にはジュリアと申す双生《ふた》児《ご》の姉がございまして、母の再婚のとき私たちは二歳《さい》の赤ン坊でございました。母はたいへんお金持で一年に千ポンド以上の収入がございましたが、その財産はそっくり父にゆずってしまいました。もっともそれは私たち姉妹が父といっしょに暮していますあいだのことで、もし私たちが結婚いたせば毎年一定のお金をくれるという約束になっておりました。

内地へ帰ってまいりますとまもなく、母が亡《な》くなりました。母はクルーのちかくで鉄道事故のため亡くなりましたので、いまから八年まえのことでございます。それでロイロット博士はロンドンでの開業の計画をすてて、私たちをつれてストーク・モーランの先祖代々の家に帰って住むことになりました。母の遺《のこ》しました財産で日々の生活に不自由はすこしもございませず、私たちの幸福の妨《さまた》げになるものは何一つないかに見えました。

ところがこのころから父の気質に恐ろしい変化がおこりました。友達を作るでもなく、ストーク・モーランのロイロット家の主人が久しぶりに帰ってきて、古い家に住むようになったというので、最初のほどは狂喜してくれました近所の人たちと交わるでもなく、まったく家のなかにとじこもってばかりいまして、ときたま外出したと思いますと、路《みち》で出あった人と相手選ばずひどい喧嘩《けんか》をいたします。狂気にちかいほど気の荒《あら》いのは、ロイロット家の血筋でございますが、父のは久しいあいだ熱帯地方におりましたので、いっそうそれがひどかったのでございましょう。お話にもなりませんような喧嘩がしょっちゅうでございましたが、なかでも警察沙汰にまでなりましたのが二度ございますし、おしまいには村人たちの恐怖の的になってしまいまして、人々は父の姿を見ますととんで逃《に》げるようになりました。何しろおそろしく力の強い人で、怒《おこ》るとまるで手がつけられなくなるからでございます。先週も父は村の鍛冶屋《かじや》を欄干《らんかん》から川へ突《つ》きおとしましたが、かき集めましたお金を洗いざらい出しまして、やっと私が内分にしてもらいました。父には漂泊《ひょうはく》のジプシーの群れしか友達と申すものはございません。ロイロット家の領地としてのこっておりますわずか二、三エーカーの茨《いばら》の生《お》い茂《しげ》る土地のなかに、自由にテントをはることを許してやりまして、その代りに父は彼らのテントの客分になり、彼らの仲間にはいってときどき何週間もつづけて諸方を漂泊して歩くのでございます。それからまた父はインドの動物をたいへんかわいがりまして、手紙をやってははるばる取りよせるのでございますが、ただいまもインドで鹿狩《しかが》りに使います豹《ひょう》が一頭と狒々《ひひ》が一匹《ぴき》おります。それを父は自由に屋敷のなかに放しておきますものですから、村の人たちはその飼主とおなじくらいに怖《おそ》れております。

いままでお話し申しあげましただけで、死んだ姉ジュリアと私の生活がけっして楽しいものでなかったのは、おわかりくださいますでしょう。召使《めしつかい》たちも一人としていつきませんので、いままで久しいあいだ私たち姉妹が家のこと万端《ばんたん》見てまいったのでございます。姉の死にましたのはまだ三十のときでございますのに、それでも私のとおなじにもう髪が白くなりかけておりました」

「では姉上はお亡くなりなのですね？」

「はい、ちょうど二年まえでございます。そして私のお聞きねがいたく存じますのも、この姉の死についてでございます。ただいま申しあげましたような生活を送っておりました私たちが、年ごろや身分の釣《つ》り合うお方にお目にかかる機会が、ほとんどあるわけのないのはおわかりくださいますでしょう。でも私たちにはホノリア・ウェストフェールと申しまして、母の妹でハローの近くに住んでおります未婚の叔母が一人ございまして、ときどきこの叔母をちょっとだけ訪ねることを許されておりました。二年まえのクリスマスに、ジュリアはこの叔母のところへ参りまして、そこで休職中の海兵隊少佐《しょうさ》のおかたと知りあって婚約ができました。姉は帰りましてからそのことを父に申しましたが、父はべつに反対いたしませんでした。でも結婚式をあげることにきめてありました日まであと二週間という時になりましてから、恐ろしいできごとがありまして、そのため私はたった一人の姉を失ってしまったのでございます」

シャーロック・ホームズは眼をとじて椅子によりかかったまま、頭をクッションに沈《しず》めてじっと話に聞きいっていたが、このとき細く眼をあけてヘレン・ストーナー嬢《じょう》のほうをちらりと見た。

「どうぞそのときの様子を正確にお話しください」

「あのときの恐ろしいことは、すべてはっきり私の記憶《きおく》に焼きついていますから、すこしも間違いなく正確に申しあげられます。屋敷はさきほども申しあげましたとおり、たいへんふるいものでございまして、ただいま使っていますのは、そのうちの一棟《むね》だけでございます。そこは寝室《しんしつ》が階下にございまして、居間はその棟とは別の母屋《おもや》の一部になっております。寝室は手前が父、つぎが姉、そのつぎが私ということになっておりました。三つの寝室はたがいに往来《ゆきき》はできませんけれども、入口はおなじ廊下《ろうか》にございます。――おわかりでございますか？」

「よくわかります」

「窓のそとは芝生《しばふ》でございまして、その悲しみの晩、ロイロット博士は早くから寝室へはいりましたが、姉は父の常用していますす強いインドタバコの匂《にお》いに悩《なや》まされましたそうで、まだやすんではいなかったことがわかります。あまり匂いが強いので姉は自分の部屋を出て私のところへ参り、結婚式のことなどしばらく話しておりました。十一時になりましたので姉は立ちあがって帰りかけましたが、ふと戸口で立ちどまって、こんなことを申しました。

『ねえヘレン、あなた真夜中ごろに誰《だれ》かが口笛《くちぶえ》を吹《ふ》くのを聞かなくって？』

『いいえ！』

『私ね、まさかあなたが眠《ねむ》ってて口笛を吹けるわけもないと思うんだけど……』

『むろんだわ。でもどうして？』

『このごろ毎晩夜中の三時ごろに、低い口笛がはっきり聞えるんですもの。私目ざとい性分《しょうぶん》だものだから、それで眼がさめるのよ。どこで吹くんだか、はっきりしないんだけど、隣《となり》の部屋か、それとも芝生かもしれないわ。だからあなたも聞いたかどうか、ちょっと尋《たず》ねてみたの』

『いいえ私聞いたことないわ。きっとあのいやなジプシーが森のなかで吹くのよ』

『そうかもしれないのね。でも芝生で吹くのだとすると、あなたが聞かないのは変ね』

『でもそりゃア私、お姉さまより寝坊なんですもの』

『そうね、どっちにしてもたいしたことではないわよ』

姉はにっこり笑顔《えがお》を見せて、私の部屋の戸をしめました。そしてすぐに姉が自分の部屋へ帰って、ドアに鍵をかけるのが聞えました」

「なるほど。あなたがたは毎晩、お部屋に鍵をかけておやすみになる習慣でしたか？」

「はい、いつもそうしておりました」

「それはまたなぜですか?」

「父が豹と狒々を飼《か》っていますことは申しあげたと思いますが、鍵をかけませんと安心して寝つかれなかったのでございます」

「それはごもっともです。どうぞその先をお話しください」

「その晩私は妙《みょう》に眠れませんでした。よくないことでもおこりそうな、漠然とした不安にわけもなく胸騒《むなさわ》ぎがいたします。ジュリアと私とは先ほども申しあげましたように双生児でございました。ご存じでもございましょう、血のちかい双生児の魂《たましい》がどんなに微妙《びみょう》に働きあいますか、それは恐《おそ》ろしいほどでございます。

その晩はひどい荒《あ》れで、そとには風がひゅうひゅう吹きすさび、雨がざんざと窓を打っておりました。寝床《ねどこ》のなかで小さくなっていますと、このはげしい嵐《あらし》のざわめきのなかにとつぜん、恐ろしい女の叫《さけ》び声が聞えました。姉の声だとすぐ気がつきましたから、私はとび起きざまとっさにショールを肩《かた》にまきつけて、廊下へ走り出ました。そのとき――ちょうどドアをあけたときでございますが、寝る前に姉が申しておりましたような低い口笛を一声聞いたように思います。と、つづいてガチャンと何か重い金物でも落ちたような音がいたしました。

廊下を駆《か》けだしてゆきますと、姉の部屋のドアの鍵を回す音がいたしまして、ドアがすうっと静かに開きます。何が出てくるのかと、おそるおそる見ておりますと、姉が戸口へ出てきましたのが廊下のランプの光で見えました。姉は恐ろしさでまっ青になり、何か助けを求めでもするように両手であたりをさがしまわり、からだは酔《よ》いどれのように前後にゆらゆらしながら立っています。私はすぐに駆けよって両手で抱《だ》きとめました。それといっしょに姉は膝《ひざ》がきかなくなりましたのか、へなへなとその場へ倒《たお》れてしまいました。そしてどこかひどく痛むらしく、はげしく身もだえして、手足をおそろしく痙攣《けいれん》させております。はじめ姉には私がわからないのかと思いましたが、かがんで抱き起そうといたしますと、とつぜん、恐ろしい声で叫びました。

『ああこわい！　ヘレン、紐《バンド》よ！　まだらの紐《スペクルド・バンド》よ！』

あのときの姉の声はいまでも耳の底にのこっています。一生忘れることはございますまい。

それから姉はまだもっと何かいいたそうに、父の部屋のほうを高く、指で突きさすように指さしましたが、またしても痙攣がおこって口はきけませんでした。私は大きな声で父を呼びながら、部屋を駆けだしてゆきましたが、廊下で、ガウンを着た父が出てくるのにばったり出あいました。いっしょに姉のところへもどってみますと、姉は気絶しておりました。父は姉の口をわってブランディを注ぎこんだり、村へ医者を呼びにやったりいたしましたが、すべて効なく、姉はそのままいちども意識を回復することなしに、しだいに衰弱《すいじゃく》が加わってとうとう死んでしまいました。これが愛する姉の恐ろしい最期《さいご》でございます」

「ちょっとお待ちください。口笛と金物の落ちる音とは、たしかにあなたがお聞きになったのですね？　誓《ちか》って間違いございませんね？」

「そのことは検屍《けんし》のとき、州検屍官からもお尋ねがございました。たしかに耳にしたとは思いますけれども、何しろ恐ろしい嵐の晩で、それに家がふるくてみしみし鳴っていましたし、あるいは何かの間違いかもしれませず、断言はいたしかねます」

「姉上は服をつけておいででしたか？」

「いいえ、寝衣姿《ねまきすがた》でございました。そして右の手にはマッチの燃えさしを一本、左にはマッチの箱をもっておりました」

「何か不審《ふしん》なことがあったので、マッチをすってあたりを見ようとなすった証拠《しょうこ》です。これは重要なことです。それで検屍官は何と決定を与《あた》えましたか？」

「ロイロット博士の行状が、州内でも久しく悪評の的となっておりましたのですから、検屍官のお調べはずいぶん綿密でございましたけれども、死因についてはとうとう満足な解答が得られませんでした。姉の部屋のドアに内から鍵のかかっていましたことは、私の証言でたしかでございますし、窓は太い鉄棒のついた旧式の鎧戸《よろいど》がございまして、毎晩内から締《しま》りをいたすことになっておりました。四方の壁《かべ》も注意してたたいてみましたけれど、一カ所とてゆるみはございませず、床《ゆか》もそのとおりでございました。煙突《えんとつ》は太いのでございますが、壺釘《つぼくぎ》の大きいのが四本も埋《う》めこんでございますから、人の出入りなんか思いもよりません。と申すわけでそのとき部屋のなかにいましたのは、姉が独りだけだったことは疑いないのでございます。それに姉のからだには、どこにも傷らしいものは一つも見あたらなかったのでございます」

「毒殺の疑いはなかったのですか？」

「幾人《いくにん》ものお医者様が調べましたけれど、だめでございました」

「であなたは、お気の毒な姉上はなんでお亡くなりになったとお考えですか？」

「ただ恐ろしさのために――神経にはげしいショックをうけたためだと存じます。何をそんなに恐れましたのですか、それはわかりませんけれども」

「そのころ庭の植えこみに、ジプシーは来ていたのですか？」

「はい、たいていいつでもすこしはいます」

「ははあ、それで姉上のおっしゃった紐《バンド》――まだらの紐《スペクルド・バンド》というお言葉について、何か思いあたることでもありませんか？」

「それについて、あるときはただ夢中《むちゅう》で口走った譫言《うわごと》かしらとも考えてみましたり、またあるときはバンドとは紐のことでなく団体の意味ではないか、団体としますとさしずめ植えこみのジプシーのことかもしれないなどと考えたこともございます。でもそれにしましては、まだら《スペクルド》と申す言葉が変でございます。ジプシーたちは多く頭にぽちぽち模様のハンカチをまいておりますから、それのことを申したのでございましょうか？　私にはわかりかねます」

ホームズはひどく腑《ふ》に落ちないところのある様子で頭を振《ふ》りながらいった。

「こいつはうかつな判断は下されません。どうぞその先をお話しください」

「それから二年、つい最近まで私は以前にもまして寂《さび》しく暮してまいりました。でもちょうど一カ月まえに、数年まえから知りあっていた親しいおかたから、私は結婚《けっこん》の申しこみをうけたのでございます。お名前はアーミテージ――パーシー・アーミテージさんと申しまして、レディング市にちかいクレーン・ウォーターのアーミテージ家の次男なのでございます。父にもこの縁組《えんぐみ》に異議はございませんから、春のうちには式をあげるはずになっております。

ところが一昨日から私の家では西の棟の修繕《しゅうぜん》がはじまりまして、私の寝室は壁に穴があきましたので、仕方なく私は姉の亡くなりました部屋へ、ベッドも姉の使っていましたのをそのままに、引移らなければならなくなりました。そして昨夜でございます。横になったまま姉の恐ろしい運命のことなど考えておりますと、真夜中の静けさのなかにふと、姉の死の予告となりましたあの恐ろしい口笛がかすかに聞えたのでございます。そのときの恐ろしさをどうぞお察しくださいませ。私はとび起きてランプをつけてみましたが、部屋のなかにはべつに怪《あや》しいものも見あたりません。でも恐ろしくて二度と寝床へはいる気はいたしませんから、そのまま着物をつけまして、夜のあけるのを待ってそっと抜《ぬ》けだし、向いのクラウン旅館で小さい馬車を頼《たの》みましてレザーヘッドへ参り、こうしてあなたにお助けを願いにうかがったようなしだいでございます」

「それはたいへん賢明《けんめい》でした。ですがお話はそれですんだのですか？」

「はい、すっかり申しあげました」

「いいえ、まだあります。あなたはお父さんを庇《かば》っていらっしゃるでしょう、ロイロットさんを？」

「あら、何をでございますの？」

返答する代りにホームズは、ストーナー嬢の袖口《そでぐち》の黒いレース飾《かざ》りをめくって、膝のうえにおいた手をむきだしにした。その白い手首には五つの点が——明らかに五本の指のあとと見られる紫《むらさき》いろの斑点《はんてん》がまざまざと見られたのである。

「ずいぶん残酷《ざんこく》な扱《あつか》いをうけていらっしゃるんですね」

ストーナー嬢はまっ赤になって、傷ついた手首を隠《かく》しながらいった。「父はきびしい人でございます。たぶん自分の力の強いのがわからないのでございましょう」

それから長いあいだ沈黙《ちんもく》がつづいた。そのあいだホームズは両手に顎《あご》をのせて、燃えさかる火のなかをじっと見つめていた。

「これは非常にむずかしい事件だ。まずどういう行動をとるか、その方針をきめるまえに知っておきたい点がたくさんあります。といって一刻も放《ほう》っておくわけにはゆかない。ええと、きょうこれからストーク・モーランへ参ったら、父上に知られないようにそのお部屋を見せていただくことができましょうか？」

「父は何ですかたいへん大切な用事があるとかで、きょうはロンドンへ出てまいると申しておりました。帰りはたぶん夕方でございましょうから、いらしてくださってもお妨《さまた》げになるような心配はございますまい。いま家政婦が一人来ておりますけれど、これは年寄りですこし足りない女でございますから、お邪魔《じゃま》になりませんようにいたすのは造作もございません」

「それはよい都合です。ワトスン君、行くのはいやじゃあるまいね？」

「いやなことなんかあるものか！」

「じゃ二人で行きます。あなたはこれからどうなさいますか？」

「せっかくロンドンへ出てまいりましたのですから、用事を一つ二つ足して帰りたいと存じます。でもいらしてくださいますのに間にあいますように、十二時の汽車で帰ることにいたします」

「ではお午《ひる》すぎには伺《うかが》います。私もそれまでにしておく用事がありますが、すこしお待ちくださって、朝食をあがっていらっしゃいませんか？」

「いいえ、すぐにおいとましなければ。すっかり打ちあけてお願いしましたら、重荷をおろしたような気がいたします。それでは午後お目にかかりますのを楽しみに、お待ち申しております」

ストーナー嬢は厚い黒のヴェールを顔に降ろして、静かに部屋を出ていった。

「ワトスン君、この事件をどう思うね？」ホームズは椅子《いす》の背にからだをもたれさせながらいった。

「こんな不可解きわまる気味のわるい事件はないと思う」

「まったく不思議な、気味のわるい事件だ」

「あの婦人のいうように、床にも壁にもまったく異状がなく、ドアも窓も内から締りがしてあり、煙突も潜《もぐ》れないとすれば、奇怪《きかい》な死をとげたその姉というのは、当時まったく独りで部屋にいたものとしか思えないからねえ」

「そうすると夜《よ》な夜な聞える口笛や、死にぎわに姉の唇《くちびる》をもれたという妙な言葉はどうなるかね？」

「僕《ぼく》にはまるで見当もつかない」

「夜の口笛や、老博士と仲のよいジプシーの集団《バンド》がちかくにいること、娘《むすめ》たちの結婚を妨げたほうが老博士には有利な理由のあること、姉が死にぎわにバンドといったこと、妹のヘレン・ストーナーが金物の落ちたような音を聞いたことというふうに考えてくると、この最後の物音は窓の鎧戸の鉄棒がガチャンともとのところへおさまった音だと考えて考えられなくはないから、どうもその方面に解決を求めるのが、かなり根拠《こんきょ》ある考えかたじゃないかと僕は思うね」

「だってそれじゃ、ジプシーがどんなことをしたというんだい？」

「そこまでは僕にもわからない」

「僕はそんな説明にはいくらでも異議が申し立てられるよ」私は反対した。

「じつは僕だってそうだがね。だからこそきょうストーク・モーランまで出かけようというのさ。その異議が絶対的なものであるか、それともうまく説明のつけられるような性質のものか、それを調べに——おや！　これはどうしたというのだ？」

ホームズが頓狂《とんきょう》な声をあげたのは、このときとつぜんドアが荒々《あらあら》しくあけられて、入口に蓋《ふた》でもしたように大きな男がぬっと立ちはだかったからである。黒のシルクハットに長いフロックを着こみ長いゲートルをつけて、手にした狩猟用《しゅりょうよう》の鞭《むち》を振っているという、医者ともつかず農事家ともつかぬあいのこの、一種奇妙な服装《ふくそう》をしている。背のたかいことはかぶっている帽子《ぼうし》が入口の鴨居《かもい》とすれすれで、横幅《よこはば》もそれにつれてほとんど入口いっぱいあるかと思うばかり、皺《しわ》だらけの日にやけた大きな顔には、世にも恐ろしい表情が刻まれている。憤怒《ふんぬ》に燃える落ちくぼんだ眼《め》、肉うすのたかくて細い鼻などの感じから、どこか肉食の猛鳥《もうちょう》といった印象を与えるその恐ろしい顔が、私たちを交互《こうご》ににらみまわした。

「どっちがホームズだ？」

「私です。どうもお見それいたしました」とホームズが静かにいった。

「わしはストーク・モーランのグライムズビー・ロイロット博士じゃ」

「おお、博士でしたか。どうぞおかけください」ホームズはおだやかである。

「腰《こし》なんかかけるもんか。わしの義理の娘がここへ来よったはずじゃ。あとをつけてきたんじゃから間違《まちが》いはない。娘は何をしゃべりおったんじゃな？」

「このお寒さはすこし不順のように思われますね」

「何をしゃべりおったかというに！」老博士は烈火《れっか》のごとくに怒《おこ》ってどなった。

「でもクロッカスのできはごく良いとか申します」ホームズは依然《いぜん》としてうそぶいた。

「うむ！　はぐらかすつもりじゃな！」と客は一歩前へすすんで、鞭をぶんぶん振りまわしながら叫んだ。「こら悪人！　わしはちゃんと知っとるぞ！　人に聞いてまえから知っとるんじゃ。お前はおせっかい者のホームズじゃないか！」

ホームズは微笑をもって報《むく》いた。

「ホームズの出しゃばり屋め！」

ホームズはいよいよ相好《そうごう》をくずした。

「警視庁の小役人のくせに、何事じゃ！」

ホームズはとうとうふきだしてしまった。

「あなたのおっしゃることはたいへんおもしろいですね。しかしどうもすうすう風がはいって困りますから、そこをしめてお帰りが願いたいです」

「帰れといわれんでも、いうだけのことを言ってしまえば、こんなところにおるもんか！　他人のことに余計なおせっかいをするのはやめてもらいたいんじゃ。ストーナーの娘のやつがここへ来おった。ちゃんと突《つ》きとめとるんじゃ。わしと争うのは危な

ろへきて、鉄の太い火掻棒《ひかきぼう》をつかむなり、大きな黒い手でぐいと飴《あめ》のように曲げてみせた。

「このとおりじゃから、わしにつかみ殺されぬように気をつけることじゃ」

ロイロット博士は口ぎたなく罵《ののし》って、曲げたなりの火掻棒を暖炉《だんろ》のなかへたたきこんでおいて、ゆうゆうと出ていった。

「ずいぶん愛嬌《あいきょう》のある爺《じい》さんだね」ホームズは笑いながら、「あんなにからだこそ大きくはないが、あわてて帰らないでもうすこしいてくれたら、僕だってけっして彼よりは弱くはないところを見せてやったのにねえ」と火掻棒を拾いあげ、ぐいと力をいれてもとどおりまっすぐにのばした。

「ふふふ、僕を警視庁の役人と混同していばっているなんて、おもしろいじゃないか。こいつは事件に一服の薬味《やくみ》を添《そ》えてくれたというものだ。それにしてもあのかわいそうな女性があいつにあとをつけさせたのはすこし軽率《けいそつ》だったが、そのためあいつにいじめられなければいいがねえ。ところでこっちは朝食にしようじゃないか。食後に僕はちょっと登記所まで行ってきたい。何か役にたつ資料が得られると思うんだ」

ホームズが外出から帰ってきたのは一時にちかかった。見るとぬき書きや数字をいっぱい書きこんだ青い紙片《しへん》を一枚手にしている。

「死んだ細君の遺言状《ゆいごんじょう》というのを見てきたよ。そしてその意味を正確に決定するためには、投資遺産の現在価格を調べなければならなかったが、細君の死亡当時は年収一千百ポンドにちかかったけれど、いまは農産物価格が下落しているため七百五十ポンドに満たない。娘は結婚すれば毎年一人まえ二百五十ポンドだけもらう権利がある。だから一人の娘が結婚してさえ大きな打撃《だげき》なのに、もし二人も結婚された日には、あの大入道、それこそみじめなことになるのは知れている。

したがってあの男としては、なるべく結婚は妨げたいという強い動機のあることがわかったから、午前中つぶしたのはけっしてむだ骨ではなかったというものだ。ワトスン君、こいつは怠《なま》けてなんかいられないよ。ことに僕らが事件に関係したことをあの老人が知ってしまったんだからね。用意がよければ、すぐウォータールー駅までタクシー馬車をとばそう。ポケットにピストルを忍《しの》ばせていってくれるとありがたいな。鋼《はがね》の火搔棒を飴のように曲げてみせる男にゃ、イリーの二号ピストルくらいはないと話になるまいよ。ピストルと歯ブラシだけ用意してゆけば、たいてい間にあうだろう」

ウォータールーへ行ってみると、ちょうどレザーヘッド行の列車に間にあった。レザーヘッドからは駅の宿屋で小さい馬車を雇《やと》って四、五マイル、サリー州の美しいいなか道をゆられていった。

申し分のない上天気で、陽《ひ》はうららかに照りわたり、空にはふわふわした羊の毛のようなうすい雲が二つ三つ、遠近《おちこち》の樹々《きぎ》や路傍《ろぼう》の生垣《いけがき》も春を告げる新緑の若葉がもえいでて、空気は好ましい土の香《か》にみちている。この希望にみちた楽しい春の象徴《しょうちょう》と、そのためにこそいま馬車を駆《か》っている私たちの奇怪な使命とは、すくなくとも私にとっては異様に感じられる対照であった。けれどもホームズはそんな感傷に捕《とら》われる様子もなく、馬車の前の席にじっと腕組《うでぐ》みして、帽子をまぶかにかぶり、顎が胸につくほどうなだれて深い黙想にふけりつづけていたが、とつぜん、はっとからだを起すともに私の肩《かた》をたたいて、牧場のかなたを指さした。

「あれ、見たまえ」

そこは立木の多い庭園が、ゆるやかな傾斜《けいしゃ》をなして向うへのぼっており、その頂のあたりがこんもりと森になっていた。そしてその枝葉《えだは》のあいだから、非常にふるい屋《や》敷《しき》の灰いろの破風《はふ》と高い棟木《むなぎ》とがのぞいてみえた。

「ストーク・モーランだろう？」ホームズがきいた。

「へえ、あれがグライムズビー・ロイロット博士のお宅でごぜえますだ」駅者《ぎょしゃ》が教えてくれた。

「あそこで改築工事をしているはずだから、そこまで行ってもらいたい」

「あっちに村がごぜえますだ」馭者は左手にすこしはなれていくつかの屋根の見えるのを指さしていった。「だがおめえさまら、あの家さ行きたいだらこの段々さのぼって、畑のなかの作道《さくみち》づたいに行かっしゃるとちかいだ。ほら、あの女衆《おなごしゅ》の歩かっしゃるところをな」

「やあ、あの女性はストーナー嬢《じょう》らしいな」ホームズは小手をかざして、「そうだ、お前さんのいうとおりにしたほうがよさそうだ」

そこで私たちは馬車を降り、賃金を払《はら》ってやった。馬車はすぐに、もときたほうへと引返していった。

「馭者にわれわれを建築技師か何かだと思わせておくのもよかろうと思ってね。そうしておけば余計な噂《うわさ》のたつのが防げるというものだ」といいながらホームズは喘《あえ》ぎあえぎ段々をのぼった。「やあストーナーさん、ちゃんとお約束《やくそく》どおり来てあげましたよ」

ストーナー嬢はうれしさを面《おもて》に現わして、駆けよってきた。

「ずいぶんお待ち申しておりました。何もかもよい都合でございます。ロイロット博士はロンドンへ参りまして、晩でなければ帰りそうもございません」

「博士とはもうすでにお近づきの光栄を得ましたよ」とホームズが、彼女《かのじょ》の帰ってからのできごとを手短かに話して聞かせると、彼女はみなまで聞かぬうちに唇までまっ青になった。

「まア！　では私のあとをつけたんでございますわ」

「そうらしいです」

「父はそりゃあ悪賢《わるがしこ》いんでございますよ。ですから私きっと一生びくびくしとおすんでございますわ。帰ってまいりましたら、何と申して私をしかりますでしょう？」

「父上はご自身の警戒《けいかい》が必要ですよ。父上よりも賢い者が、つけねらっていますからね。今晩あなたはお部屋に鍵《かぎ》をかけて、避けていらっしゃるのです。それでも乱暴なさるようでしたら、私たちがハローのおばさんのお宅まで送り届けてあげます。ところでできるだけ時間を有効に使わなくてはなりません。さあどうぞ、調べるはずのお部屋へご案内ください」

屋敷の建物はまだらに苔《こけ》むした灰いろの石造で、ひときわたかい中央部から、蟹《かに》のはさみのように曲った翼《つばさ》が左右につきでていた。一方の翼は窓のこわれを板でふさいであったり、屋根が一部陥没《かんぼつ》していたり、まるで廃墟《はいきょ》を見るような有様である。中央部もほとんどおなじくらい手入れが怠《おこた》ってあるが、右がわの翼だけはやや近代的で、家族が住んでいるところとわかった。煙突《えんとつ》からそれぞれ青い煙《けむり》がたちのぼっていたりして、家族が住んでいるところとわかった。右端《みぎはし》の壁《かべ》にそって足場が組んであり、石の壁に大きな穴があいていたが、職人の働いている姿は見うけなかった。ホームズは手入れのゆき届かない芝生《しばふ》をゆうゆうと歩きまわって、窓の状態を詳《くわ》しく調べた。

「この窓があなたの寝室《しんしつ》で、中央が姉上の、この母屋《おもや》にちかいのが父上のお部屋の窓でしょうね？」

「はい、でも私はいまこの中央の部屋にやすんでおります」

「改築中だけでしょう、それは？　ところでこの壁はべつに急いで修繕するほどのこともないようですね」

「はい、どうもなってはおりませんでした。これは私をほかの部屋へ追いだすための口実だと存じます」

「ほう、それは意味深長だ。この窓の反対がわにまっすぐに廊下《ろうか》があって、三つの寝室へはいるようになっているのですね？　寝室には廊下のほうにも窓がありますか？」

「はい。でもごく小さい窓でございますから、そこから出入りはできません」

「するとドアには鍵がかけてあったのですから、廊下のほうからは忍びこめませんね。

ではすみませんがお部屋へはいって、鎧戸《よろいど》をしめてみてください」

ストーナー嬢に鎧戸をしめさせておいて、ホームズはそとからそれをあけようと、いろいろ工夫《くふう》してみたがどうしてもあかなかった。さしこみ錠《じょう》をぬくためのナイフを差しいれる隙《すき》がないのである。そこでこんどはレンズを出して、ちょうつがいを念入りに調べたが、ちょうつがいは頑丈《がんじょう》な鉄製で、堅固《けんご》な石壁にしっかり埋《う》めこまれている。

「ふむ！」とホームズは当惑《とうわく》して顎をなでながらいった。「僕の仮定はどうも不可能にちかいようだな。この鎧戸はさしこみ錠をはめられたら、金輪際《こんりんざい》そとからはあけられない。じゃこんどは内部を調べてみましょう。何か得るところがあるかもしれない」

小さな横戸をはいると、なかは白壁の廊下があり、三つの寝室のドアがならんでいた。ホームズが端の寝室、つまり壁に穴のある部屋は見ないというので、私たちはまっすぐに中央の、現にストーナー嬢の寝室であり、かつてその姉が死んだという寝室へはいっていった。

そこはふるいいなか家風に、天井《てんじょう》が低くて大きな暖炉《だんろ》のある質素な小さい部屋で、一隅《いちぐう》に茶いろの箪笥《たんす》が、他の一隅には白いカヴァーをかけた狭《せま》いベッドがすえてあり、化粧台《けしょうだい》は窓の左がわに備えてあった。そのほか小さな籐椅子《とういす》が二つと、中央に敷《し》いた正方形のウィルトン絨毯《じゅうたん》一枚がこの部屋の飾《かざ》りつけの全部である。羽目板やそのほかの部分はすべて虫のくった茶いろ仕上げの樫材《かしざい》で、おそらくこの家を建てたときのままなのであろう、古びて変色していた。ホームズは椅子の一つを隅《すみ》のほうへ引いていって腰をおろすと、部屋のなかは細大もらさず見てとろうと、黙《だま》って上下左右を見まわした。

「あの呼鈴《よびりん》はどこへ通じていますか？」

しばらくして彼は、上からベッドのそばへ垂れ、端につけたふさが枕《まくら》のうえにだらりと乗っている太い紐《ひも》のことを尋《たず》ねた。（訳注　紐を引いて鳴らす旧式の呼鈴）

「あれは家政婦の部屋へ行っております」

「ほかのものにくらべて新しいようですね」

「はい、つけてからまだ二年くらいにしかなりませんから」

「姉上が頼《たの》んでつけておもらいになったんでしょうね？」

「いいえ、姉が使いますのを聞いたことがございません。私たちはいつでも、自分のことは自分で足してまいりました」

「なるほど。こんなに立派な紐は不必要だったでしょうね。ちょっと失礼して床《ゆか》を調べさせていただきますよ」

ホームズはレンズ片手に腹ばいになり、手ばやくはいまわって板の合せ目を検《あらた》めた。それから周囲の羽目板をおなじ要領で調べ、最後にベッドのところへ行って、しばらくそれを見まもってから壁にそって見あげ見おろししていたが、何を思ったか呼鈴の紐をつかんでグイと強く引いた。

「おや、鳴らないぞ」

「鳴りませんですか？」

「鳴りません。鳴らないわけだ、針金につないでさえないです。こりゃアおもしろい。ほら、ご覧《らん》なさい。紐の端は空気ぬきの穴のうえのところで、鉤《かぎ》にむすびつけてありますよ」

「あら、妙《みょう》ですこと。私すこしも気がつきませんでしたわ」

「まったく妙ですよ」ホームズは紐を引いてみながらつぶやいた。「この部屋には合点《がてん》のゆかぬところが二、三ある。たとえば空気ぬきの穴を隣《となり》の部屋へ通じるようにあけるなんて、何というバカな建築技師だろう。おなじことならそとへあければ、新しい空気がはいってくるのに」

「あれもずっと近年こしらえましたのです」

「呼鈴とおなじころのことでしょうね？」

「はい、ほかにも四、五カ所、そのとき工事をいたしました」

「鳴らない呼鈴に風をとおさない通風孔《つうふうこう》——こいつは非常におもしろい性質をもつ問題ですよ。それではストーナーさん、こんどはこの奥《おく》の部屋を調べさせていただきたいものです」

隣のグライムズビー・ロイロット博士の寝室は、大きさこそ娘《むすめ》たちのよりは大きかったが、設備はおなじように質素なものであった。折りたたみベッド、主として医書ばかりぎっしり詰《つ》まっている小さな木製の本棚《ほんだな》、ベッドのわきに肘掛《ひじかけ》椅子、壁によせておかれた粗末《そまつ》な木の椅子、円卓《えんたく》、大きな金庫——これらが目についた主《おも》なものである。ホームズはそれらのものに鋭《するど》い注意を集中して、たんねんに見てまわってから、

「このなかには何がありますか？」と金庫をぴたぴたとたたいた。

「父の仕事上の書類がいれてございます」

「へえ、ではなかをご覧になったことがあるのですか？」

「何年かまえに、いちどだけ見たことがございます。なかは書類でいっぱいでございました」

「猫《ねこ》かなにかいるんじゃありませんか？」

「いいえ、まあ、なんておもしろいことを！」

「だって、これをご覧なさい」ホームズは金庫のうえにあった牛乳の小皿《こざら》をとってみせた。

「いいえ、私どもでは猫は飼《か》っておりません。でも豹は大きな猫みたいなものです。こんな小さな皿に一杯《ぱい》きりの牛乳じゃ満足するはずはありませんけれどね。そうだ、一つ確かめておきたいことがあります」

「ああそうそう。そうでしたね。豹《ひょう》と狒々《ひひ》はおりますけれど」

ホームズは木の椅子のまえにしゃがみこんで、非常に注意ぶかくそのシートの部分を検めた。

「ありがとう。これでだいぶはっきりしました」と彼は立ってレンズをポケットにおさめながらいった。「やア、ここにおもしろいものがある」

彼の注意をひいたのは、ベッドの角にかけてあった小さな犬用の鞭《むち》である。鞭は先の紐の部分を丸く輪にしてむすんであった。

「ワトスン君、これを何だと思うね？」

「ただの鞭だろう。なんのためにそこを輪にしてむすんだのか知らないがね」

「これがかい？　ただの鞭とは見えないじゃないか。ああ世の中は恐《おそ》ろしい！　ことに知恵《ちえ》のある人間が悪事に頭をしぼるようになったら、これほど恐ろしいことはない。ストーナーさん、これで見たいところは十分見せていただきましたから、庭の芝生へ出ようじゃありませんか」

このときの調査のあとくらいホームズがむっつりと暗い顔をしたのを、私は見たことがなかった。三人つれだって芝生を往《い》ったりきたり、ぶらぶらしているのだが、眉《まゆ》にきっと皺《しわ》をよせてホームズの苦りきっていること。私もストーナー嬢も彼の黙想《もくそう》の邪魔《じゃま》になってはと、一言も口をきかないで五、六回も往復したろうか。

「ストーナーさん」やっと彼の思索《しさく》が一段落ついた。「あなたはあらゆる点で、私の忠告に絶対に服従してくださることが肝心《かんじん》ですよ」

「はい、きっとそういたします」

「事態がきわめて切迫《せっぱく》していますから、すこしでもためらうようなことがあってはなりません。私のいうとおりになさらないと、一命に係《かか》わるかもしれませんよ」

「誓《ちか》ってお言葉にしたがいます」

「まずだいいちに、今晩は私とワトスン君が二人で、あなたのお部屋で夜をあかさなければなりません」

これにはストーナー嬢も私も驚《おどろ》いて、ホームズの顔を見なおした。

「必ずそうしなければなりません。お待ちなさい。あそこに見えるのが村の宿屋でしょうね？」

「はい、クラウン旅館でございます」

「あそこから、あなたのお部屋の窓が見えるでしょうね？」

「はい、よく見えます」

「父上が帰られたら、あなたは頭が痛いからといって、部屋へとじこもるのです。そして父上がおやすみになる様子が聞えたら、窓の鎧戸をあけ、ガラス戸の締《しま》りをはずして合図にランプを出しておいてください。そのあとであなたは必要な品をもって、あなたがもと使っていらした部屋へいっておやすみなさい。修繕中《しゅうぜんちゅう》でもひと晩くらいはどうにか我慢《がまん》ができなくはありますまい」

「はい、それは何でもございません」

「そしてほかのことは、すっかり私たちにおまかせくださるのです」

「それであなたがたは何をなさいますの？」

「あなたのお部屋で夜をあかして、あなたを驚かした物音が何の音だか確かめるのです」

「ではあなたには、もうすっかりおわかりなんでございましょうね？」ストーナー嬢はホームズの袖《そで》に手をかけていった。

「まあね」

「ではお願いでございます。姉の亡《な》くなりました原因をお教えくださいませ」

「それを申しあげるのは、たしかな証拠《しょうこ》を手にいれてからのことにしたいのです」

「では私の考えが正しいかどうかだけでもおっしゃってくださいませ。姉はやっぱり何かに急に驚いて亡くなりましたのでしょうか？」

「そうではありますまいね。もっと何か捕えどころのある原因があったろうと考えます。それではストーナーさん、私たちはもう参ります。ロイロット博士が帰ってきて見つかると、せっかく私たちが来たのがむだになりますからね。ではのちほど。私の申しあげたとおりにしてさえくだされば、じきに危険を除いてあげられるのですから、けっして心配なさらないで、勇気をお出しなさい」

クラウン旅館で居間つきの寝室を占領《せんりょう》するのは造作もないことだった。それは二階の一画で、窓からはストーク・モーラン屋敷の入口の並木《なみき》路《みち》や、建物の現在使われている部分などが、一望のうちに見わたされた。夕ぐれのころロイロット博士が馬車で帰ってくるのが見えた。手綱《たづな》をとる少年に比して恐ろしく巨大《きょだい》な姿。少年が重い鉄門をあけかねて、すこしばかり手間どっていると思ったら、たちまち博士が馬車のうえから荒《あら》い声でどなりつけるのが聞え、少年に向って拳《こぶし》をふりあげて威嚇《いかく》するのが見られた。馬車はふたたび走りだした。そして二、三分後には居間の一つにランプがともされたと見え、木立のあいだにパッと光がさした。

「ねえワトスン君」迫《せま》りくる夕闇《ゆうやみ》のなかでホームズが話しかけた。「今晩君を引っぱりだしてもいいものか、僕《ぼく》は少々ためらっているんだよ。みすみす危険のあるのがわかってるんだからね」

「僕がいたって助けにゃならないのかい？」

「そりゃあ、どんなに助かるか知れやしない」

「じゃどんなことをしたって、僕は行くよ」

「そうかい。感謝するよ」

「危険があるというが、すると君はあの家で、僕が気のつかなかったものを何か見てきたんだね？」

「いや、何も変ったものを見たわけじゃないよ。推定だけはいくらか深かろうと思うがね。見るだけなら君だって僕とおなじだけには見ていたじゃないか」

「僕が変だと気がついたのは呼鈴だけだ。それも何のためにあんなことをしたんだか、まったく見当もつかないんだがね」

「通風孔だって見たろう？」

「見たさ。見たことは見たけれど、部屋と部屋とのあいだに小さな穴があるのは、それほど不思議がることはないと思うよ。それにあの穴は鼠《ねずみ》も通れないくらい小さな穴なんだものね」

「僕はこの土地へ来るまえから、通風孔はあるとにらんでいた」

「まさか！」

「いや、ちゃんと知っていたんだ。あの娘の話のうちに、姉がロイロット博士の葉巻の匂《にお》いに悩《なや》まされたというところがあったろう？　それを聞いただけで、二つの部屋に連絡《れんらく》があるのを思わせる。しかもそれはきわめて小さい穴でなければならない。ドアか何かの大きなものなら、必ず検屍官《けんしかん》の注意をひいて問題になっているはずだからね。そこで僕はてっきり通風孔と踏《ふ》んだのだ」

「それにしたって、あんな小さなものが害にはなるまい」

「すくなくとも時間的に不思議な偶然の一致があるのは注意を要する。通風孔と呼鈴の工事と姉の死とがだいたい同じころのできごとだ。変だとは思わないかい？」

「さア、何か関連でもあるのかしら？」

「あの娘の部屋のベッドは非常に妙だと思わなかったかい？」

「気がつかなかったね」

「あのベッドは床に鎹《かすがい》どめになっていた。床に固定したベッドというものがどこにある？」

「そいつは僕も見たことがないようだな」

「姉はベッドを動かしたくても動かせなかったんだ。ベッドは通風孔と綱とにたいして、つねに同じ関係の位置にあった。――あの紐が呼鈴用でないことは確実だから、あれは紐でなくむしろ綱というべきだろう」

「ふむ！　僕はなんだか君のいってることが、おぼろげながらわかってきた気がするよ。これはじつに恐るべき巧妙《こうみょう》な犯罪がまさに実行されようとしているのじゃないか？」

「じつに巧妙、じつに恐るべき犯罪だ。医者が悪事をはじめるとなると、最も恐るべきことをやるものだ。彼《かれ》らは度胸もあり、学識ももっているからね。ジョン・クックを毒殺したパーマーにしても、自分の妻を毒殺したプリッチャードにしても、医者としては一流だったんだ。この男にいたっては、あの手合をしのぐ曲者《くせもの》だが、それでも僕はそのうえを越《こ》すことができるつもりだ。今晩はずいぶん恐ろしい思いをしなきゃならないんだから、せめていまのうちに二、三時間でも、静かにパイプをやりながら愉快《ゆかい》にすごそうよ」

樹《き》の間をもれていたあかりは九時ごろに消えてしまって、屋敷《やしき》のほうはまっ暗になった。それから二時間が静かにすぎて、時計が十一時をうったと思うと、とつぜん、正面に一個のあかりがきらめきだした。

「合図のあかりだ。ふむ、まん中の窓だな」ホームズは椅子をけって立ちあがった。出るときホームズは宿の亭主《ていしゅ》を捕《つか》まえて、知人を訪問するのだが都合では朝まで帰らないかもしれぬと告げた。暗い戸外に出て往来に立つと、冷たい風がさっと頰《ほお》をなでた。不気味な使命をおびた私たちの唯一《ゆいいつ》の道しるべとなってくれる黄いろいランプの光が、樹の間にちらちらと明滅《めいめつ》する。

塀《へい》のくずれがそのままに手入れもされず大きく口をあいていたから、屋敷うちへはいるにはほとんど何の苦労もなかった。樹の間をくぐって芝生《しばふ》へたどりつき、それを横断して窓からはいりこもうとすると、こんもり茂《しげ》った月桂樹《げっけいじゅ》のやぶのなかから、不具の子供のような不気味なものがとび出して、みずから草のうえに倒《たお》れて手足をもがいていたが、たちまち起きあがって闇のなかへ姿を隠《かく》してしまった。

「おやッ、見たかい？」私は息をころした。

ホームズもちょっと驚いたらしい。内心の動揺《どうよう》にぎゅっと強く私の手首を握《にぎ》りしめたが、すぐに低い声で笑いをもらし、私の耳に口をよせていった。

「あれはかわいい家族の一員、狒々《ひひ》なんだよ」

そうだ、ロイロット博士の愛している狒々のことを忘れていた。このほかに豹《ひょう》もいるはずだが、こいつは用心しないといつどこからとびだして、うしろからがぶりとやられるかもしれない。正直なところ私は、ホームズをまねて靴《くつ》をぬぎ窓から寝室《しんしつ》へはいりこんだときは、やれやれよかったとほっとしたのである。

ホームズは音を立てないように鎧戸《よろいど》をしめ、ランプをテーブルにうつして、おもむろに部屋のなかを見まわした。部屋のなかはひる間見たのとすこしも変りはない。ホームズは私のそばへすりよって、手をらっぱのようにして私の耳へあて、やっと聞きとれる低い声でささやいた。

「こそっとでも音をたてると、計画がまるでだめになるんだよ」

私はうなずいて、了解《りょうかい》したのを知らせた。

「あかりなしですわっているんだ。つけると通風孔から見えるからね」

私はふたたびうなずいた。

「眠《ねむ》っちゃいけないよ。眠ると一命にも係わるかもしれない。ピストルをいつでも使えるように用意してね、その椅子にいたまえ。僕はベッドにこっちから腰《こし》かけている」

私はピストルを出してテーブルの上においた。

ホームズはもってきた細長いステッキを膝《ひざ》のわきにおき、そのそばへマッチと蠟燭《ろうそく》を一本用意した。それからランプの芯《しん》を回して消したので、あたりはまっ暗になってしまった。

あの恐ろしかった徹夜《てつや》がどうして忘れられよう。いまでもはっきり当時を思い浮《うか》べることができるが、じっとすわって耳をすましているのに、ことりという物音もしない。わずか数フィートをへだてたばかりでホームズが、私にも劣《おと》らず針のように神経をとがらせて緊張《きんちょう》しているにちがいないのに、息づかいさえ聞えないのである。鎧戸がしめてあるから部屋のなかはうすあかりさえない真の闇で、そとではときどき夜鳥の鳴くのが聞え、たったいちどだけ窓のすぐそばで、長く尾をひいた猫の鳴声のようなものがしたが、それは豹がとき放たれているのだと知れた。はるかに遠い教会で十五分ごとに鳴る荘重《そうちょう》な鐘《かね》の音が聞えた。その鐘と鐘のあいだの十五分がどんなになが く感じられたことか！　十二時が鳴り、一時二時が鳴り、そして三時が鳴ったが、それでもまだ私たちは緊張しきって、無言の行をつづけなければならなかった。

とつぜん、通風孔《つうふうこう》の方角からパッと光がさした。すぐ消えてしまいはしたが、油の燃える匂い、金属の熱せられる匂いがぷんと鼻をうった。誰《だれ》か隣《となり》の部屋で龕灯《がんどう》をつけたのだ。静かに人の動く気配が感じられた。が、それもすぐ静まり、ただ龕灯の燃える匂いだけがしだいに強くなった。耳だけを極度に緊張させていること、それから三十分。ふと別の音がかすかに聞えるようになった。きわめて柔《やわ》らかくおだやかな、さやさやと薬缶《やかん》から細く湯気でもふきだすような音である。それが聞えだすとすぐにホームズは立ちあがり、マッチを擦《す》って、呼鈴《よびりん》の綱をはっしとばかりステッキで強くうった。

「見たかい？　え、あれを見たろう？」ホームズがうわずった声で叫《さけ》んだ。

だが私には何も見えはしなかった。ホームズがマッチを擦った瞬間《しゅんかん》に、低い口笛《くちぶえ》をはっきりと聞くことは聞いた。けれども闇に慣れた眼《め》にマッチの閃光《せんこう》がぱっとはいったのでまぶしくて、彼が何をあんなにひどくうちすえたのか、私には見てとれなかったのである。私の見たのは彼の顔が死人のごとく血の気がなく、恐怖《きょうふ》と嫌悪《けんお》とをいっぱいにうかべていたことだけである。

ホームズはうつ手をとめて、じっと通風孔のほうを見あげていた。すると、世にも恐ろしい悲鳴が夜の静寂《せいじゃく》を破って、私たちを驚かせた。その悲鳴はしだいに大きくなった。苦痛と恐怖と憤怒《ふんぬ》とを交えた叫びであった。あとで聞いたところによればこの悲鳴は村まで——村を通りこして牧師館までも聞え、人々の眠りを破ったばかりでなく、なかには寝床《ねどこ》をとびだした人もあるという。私たちは心の底まで縮みあがり、たがいに顔を見合せたまま、しばらくそこに立ちすくんでいるのみであった。だがさしもの声もしばらくするとやんで、あたりはふたたびもとの静寂にもどった。

「な、なんだろう？」

「すべてが終ったしらせさ。しかも、そう、結局こうなるのがいちばんよかったのだ。さ、ピストルをもってきたまえ。ロイロット博士の部屋へ行ってみよう」

ホームズは緊張した顔つきでランプをつけ、先に立って廊下《ろうか》を進んだ。二度ドアをたたいてみたが返事がないので、そのままハンドルを回してなかへはいっていった。私は撃鉄《げきてつ》をあげたピストルを手に、すぐそのあとにつづいた。

まず私たちは異様な光景にうたれた。テーブルのうえには半ば窓をあけた龕灯があって、それから流れでる明るい光のなかに、戸をあけたままの金庫があった。ロイロット博士はテーブルのわきに、長い鼠いろのガウンにくるまって、素足《すあし》に踵《かかと》のない赤いトルコ・スリッパを突《つ》っかけ、木の椅子《いす》に腰かけていた。そしてひる間見た短い柄《え》に長い紐《ひも》のついた鞭を膝に、ぐっと仰向《あおむ》いて天井《てんじょう》の一角をにらみつけており、頭のまわりには茶色の斑点《はんてん》のある黄いろい変な紐みたいなものを、しっかりまきつけているのであった。私たちが無断ではいったのに、口もきかなければ身動き一つしないのである。

「紐だよ。あれがまだらの紐《スペクルド・バンド》だよ」ホームズがささやいた。

私は一歩前へすすみでた。するとふいに、頭にまいた奇怪《きかい》な紐が動きだして、ずんぐり太い菱形《ひしがた》の頭を押《お》したて、博士の髪《かみ》のなかからいまわしい蛇《へび》がぬっと鎌首《かまくび》をもたげたのである。

「沼毒蛇《ぬまどくへび》だ。インドで最も恐《おそ》るべき毒蛇なんだ。博士は咬《か》まれてから十秒以内に死んでいる。暴力をふるう者には必ず暴力がはねかえってくる。ひとのために穴を掘《ほ》る者は、必ず自分がその穴に落ちるのだ。まずこの蛇を巣《す》へ追いこんどいて、ストーナー嬢《じょう》を安全な場所へうつしてから、このことを警察へ届けるとしよう」

ホームズは死人の膝から手ばやく鞭をとってその輪を蛇の頭にかけ、恐ろしい止り木から引きはなして、手をいっぱいに伸《の》ばして運んでゆき、金庫のなかへ投げこむや否《いな》や、ぴたりとその戸をしめてしまった。

以上がストーク・モーランのグライムズビー・ロイロット博士の死の真相である。

意外に話がながくなったので、怖《おそ》れおののいているストーナー嬢にこの悲報をどんなふうに話して聞かせたか、どんなふうにして彼女《かのじょ》をハローのよき叔母さんのもとへ送り届けたか、また博士は軽率《けいそつ》にも危険な毒蛇をもてあそんでいて誤ってかまれて死んだのだという結論に達するまでの、警察の調べがいかにじれったいものであったかという一条など述べて、ながい話をこのうえながくする必要はあるまい。もっとも当時私にはまだすこしわかりかねる節もあったが、それは翌日帰りの汽車のなかでホームズが説明してくれた。その説明だけをちょっとここにつけ加えておこう。

「僕《ぼく》はまったく誤った推定を下していた。不十分な資料で推理するのがつねに危険を伴《ともな》うという格好な実例だよ。付近にジプシーのいたこと、死んだ姉がマッチの光でちらと見て口走ったバンドという言葉などは、僕をまったく誤った方向へすすませるに十分だった。ただ現場へ来てみて、あの部屋にいる者を嚇《おど》かした危険が何ものであったにもせよ、それは窓から来るのでもなく入口から侵入《しんにゅう》したのでもありえないと知って、出なおして再考することにした点だけが、わずかに僕の誇《ほこ》りうるところだろう。まえにも話したとおり僕の注意は敏速《びんそく》に、通風孔とベッドに垂れている呼鈴の紐とに向けられた。紐がまったく呼鈴の役をなさないのを知り、ベッドが釘《くぎ》づけになっているのを見て、すぐこいつはあの穴から何かが出てきてベッドへゆくための足場じゃないかという考えがうかんだ。そこまでくれば蛇という観念はすぐおこる。そして博士がインドから動物をとりよせたという事実と考えあわせて、これはいよいよほんものをたどりあてたと思った。どんな分析《ぶんせき》試験にあっても見破られないですむ毒物を使うという考えは、ながらく東洋へ行ってきた東洋仕込みの利口な男の思いつきそうなことだ。この毒の効果が迅速《じんそく》だということも、彼としては有利だと計算にいれていたにちがいない。毒牙《どくが》のくいこんだ痕《あと》はぽつりとほんの小さな黒い傷が二つのこるだけだから、よくよく目のきく検屍官でないかぎり、見のがしてしまうほうが普通《ふつう》なんだ。

それから僕は口笛のことを考えた。むろん夜のあけないうちに蛇を呼びもどさなければ、犠牲者《ぎせいしゃ》に見つかってしまう。そこでたぶんあの牛乳を使って、口笛で呼べばもどってくるように蛇を慣らしたにちがいない。そうして最もよいと信ずる時刻を見はからって、紐を伝わってベッドへ降りてゆくように、蛇を通風孔へいれてやったんだ。もちろん蛇はいちどで必ず咬むとはきまっていない。毎夜はなしてやっても、あるいは一週間くらいも咬まずにすぎるかもしれない。それにしてもいつかは咬みつかないではおかないのだ。

ここまではロイロットの部屋へはいってみないうちに推定してしまった。部屋へはいって椅子を調べてみて、彼がしばしばそのうえに乗るということを発見した。むろ

て輪にして蛇を通風孔へいれるとき踏み台にしたのだ。そのうえ金庫、ミルクの皿《さら》、輪にして結んだ鞭の紐、これだけ見ればもはや一点疑問の余地はない。

ストーナー嬢がガチャンと金物の落ちる音を聞いたというのは、ロイロットが蛇を金庫へいれて大急ぎで戸をしめた音だ。ここまでわかると僕が証拠を握るためどんな手段をとったか、それは君の知っているとおりだ。君も聞いたろうが、あのとき蛇がシュッシュッという音を出すのを耳にしたから、すぐマッチを擦ってステッキでうったんだ」

「その結果、蛇は通風孔から逃《に》げてかえったんだね」

「そしてその結果、壁《かべ》の向うで主人に襲《おそ》いかかることになったのだ。僕の叩いたのが二つ三つよほどきいたものだから、怒《おこ》って恐ろしい蛇の本性《ほんしょう》を現わし、目につきしだい相手選ばず、がぶりと咬みついたのだ。したがって僕としてはロイロットの死に間接の責任はあるわけだが、さればといってたいして良心に負担《ふたん》も感じないがね」

——一八九二年二月『ストランド』誌発表——

花嫁失踪事件《はなよめしっそう》

セントサイモン卿《きょう》の結婚《けっこん》と、世にも奇怪《きかい》なその破局の物語が、この不幸な花婿《はなむこ》の属する上流社会の興味ある話題にのぼらなくなってから、もう久しいことになる。つぎつぎと新しいスキャンダルがおこって、卿の事件の興味を消し去り、ゴシップは四年ごしのドラマなど顧《かえり》みなくなったのである。けれどもその真相は一般《いっぱん》社会にはまだ知られていないと信ずべき理由もあり、かつまた、問題の解決にはシャーロック・ホームズの努力があずかってかなり力あったことでもあるから、この珍《めずら》しい一編を逸《いっ》してはホームズ回想録は完全とはいえまいと思うのである。

私が結婚する二、三週間まえの、まだベーカー街の家にホームズと共同の生活をしているころのことだった。ある日、彼《かれ》が午後の散歩から帰ってみると、テーブルのうえに手紙が一通待っていた。その日私は終日家にとじこもっていた。というのは天気が急に変って雨になり、強い秋風さえ加わって、アフガン戦争の従軍記念として片方の脚《あし》にうけて帰ったジェゼール弾《だん》の古傷が、ずきずきとしつこく痛んできたからである。

安楽椅子《あんらくいす》を二つよせて一方に両脚を投げだし、新聞の山に埋《う》もれていたが、それも読みつくしてしまったので、みんなわきへ押《お》しやっておいて、テーブルのうえの手紙にある大きな紋章《もんしょう》と組合せ頭文字《かしらもじ》をながめながら、いったいどこの貴族がよこしたのだろうと、横になったままぼんやり考えているところへ、ホームズが帰ってきた。

「いやに立派な手紙がきているぜ。今朝きてたのはたしか魚屋と税関役人からだったようだが」私は顔を見るなりいってやった。

「うん、僕《ぼく》あての手紙はたしかに変化の妙《みょう》があるね」ホームズは微笑《びしょう》をうかべていった。「いったい手紙というやつ、粗末《そまつ》なものほどおもしろいものだ。こいつは例のありがたくもない社交の招待状だろうが、社交なんて退屈《たいくつ》させられるか、心にもない嘘《うそ》をいわされるだけのもんだよ」

彼は封《ふう》をきって、内容にざっと目をとおした。

「おやおや、こいつはちょっとおもしろくなるかもしれないぞ」

「じゃ社交用じゃなかったんだね？」

「純然たる事務的な手紙さ」

「相手は貴族だね？」

「イギリス第一流の貴族だ」

「ほう、それはおめでとう」

「気どるわけじゃないが、依頼人《いらいにん》の身分の高下なんか、事件のおもしろさにくらべれば僕には問題じゃないんだよ。ただこんどの事件にかぎって、どうやらそれが両立しそうな模様が見えるだけのことさ。君は近ごろ新聞ばかりたんねんに見ていたようだね？」

「この始末さ。何しろすることがなくて……」私は隅《すみ》の新聞の山を指さしてしょげた。

「それはちょうどよかった。よく教えてもらおう。僕は新聞は犯罪記事と尋《たず》ね人さがし物欄《らん》しか目をとおさないものだからね。ことに三行広告のほうは、教えられることが多い。近ごろ新聞をそんなに精読したのなら、セントサイモン卿の結婚のことは読んでいるだろうね？」

「読んだとも。たいへんおもしろかった」

「それはいい具合だ。じつはこの手紙は、セントサイモン卿からきたんだ。いま読んで聞かせるから、その代り君は新聞をひっくり返して、問題の内容を詳《くわ》しく教えてくれないか。この手紙にはこうある――

シャーロック・ホームズ様

バックウォーター卿より承《うけたまわ》れば、貴下の思慮《しりょ》判断には絶対の信頼をおくことができる由《よし》、よって小生は貴下を訪問いたし、小生の結婚に関連して発生した至難の問題につき、御相談申し上げたいと存ずる次第です。もっともこの件については、すでに警視庁のレストレード氏を煩《わずら》わしておりますが、同氏も貴下のご協力についてはなんら異議なきは勿論《もちろん》、かえって幾分《いくぶん》の援助《えんじょ》となることもあろうと申しておられます。ついては今夕四時にお訪ね申したく、万一ご先約などおありでも、なにぶん当方のは重大問題でありますので、先約は繰延《くりの》べてお待ちくだされたく、あらかじめ願い上げます。

敬具

ロバート・セントサイモン

「グロヴナー・マンションから出したものだ。鵞《が》ペンを使ってあるが、この貴族さま右手の小指のそとがわをインキでよごしてござる」ホームズは読み終って手紙をたたみかえした。

「四時とあるね。もう三時半だから、一時間とたたないうちにやってくるぜ」

「じゃそのあいだに、君に手つだってもらって、問題をはっきりつかんでおけるわけだ。その新聞をさがして、時間的に順を追って要点をまとめてくれないか。そのあいだに僕は、この依頼者の身元を調べておく」

ホームズはマントルピースの横の参考書のなかから、赤表紙の厚いのを一冊ぬきとって、「ああ、これだな」と腰《こし》をおろして、膝《ひざ》のうえにそれを開いた。「ロバート・ウォルシンガム・ド・ヴェール・セントサイモン――バルモーラル公爵《こうしゃく》次男。紋章は空いろで楯《たて》の黒い中帯の上部に三個の鉤鉄《かぎてつ》を主としたるものをおく。一八四六年生れ――というと今年四十一だから結婚するとして年に不足はないわけだな。――前内閣では植民次官。父公爵は元外務大臣。プランタジネット王家の直系で、母方はチューダー王家の出。――ふむ、これじゃたいして参考にもならない。やっぱり君のほうだよ、ワトスン君、実質的な材料はね」

「それをさがしだすのは造作もないことだ。何しろ最近の事件だし、僕はたいへんおもしろく新聞を愛読していたからね。ただその話を君にしなかっただけさ。君は現に別の事件を手がけているようだし、ほかの話に煩わされるのがきらいなのはよく知っているからね」

「ああ、事件て例のグロヴナー・スクエアの家具運搬車《うんぱん》事件のことだね。あれはもう解決したよ。はじめからちゃんとわかっている事件だったがね。じゃすまないが、用意がよければ新聞記事の話をしてくれないか」

「おそらくこれが新聞に出た最初のものらしい。モーニング・ポストの消息欄だが、日付はこのとおり二、三週間もまえだ。――バルモーラル公爵の第二子、ロバート・セントサイモン卿は今般米国カリフォルニア州サンフランシスコ市のアロイシャス・ドーラン氏の一人娘《ひとりむすめ》ハティ嬢《じょう》と婚約成立し、近く華燭《かしょく》の典をあげられる由。これだけだ」

「簡単明瞭《めいりょう》だな」ホームズは細くてながい両脚を暖炉《だんろ》のほうへのばした。

「おなじ週の社交新聞に、これを敷衍《ふえん》した記事が出ていたはずだが……ああここにあった。――わが大英帝国《だいえいていこく》名門の支配権が、つぎつぎと大西洋のかなたにいる従姉妹《いとこ》たちの手にうつりつつある現時の傾向《けいこう》を見て、従来の自由貿易的結婚制度が、国内生産にたいする重圧となるおそれあるものとして、ちかく結婚市場には保護の要請《ようせい》がなされるかもしれぬ。先週もこれら美しき侵入者《しんにゅうしゃ》の一人は、みごと金的を獲得《かくとく》してこの傾向に大きな一例を加えることになった。二十年来断乎《だんこ》としてキューピッドの矢を受けつけなかったセントサイモン卿が、カリフォルニア州の大富豪《だいふごう》の美しき愛嬢ハティ・

ドーランとちかく結婚する旨《むね》発表されたのである。同嬢はウェストバリー・ハウスの祝宴《しゅくえん》に際してその秀麗《しゅうれい》なる容姿で衆目を引いたものだが、持参金は数十万ポンドに達する由あまねく知らるるところ、なお嬢はドーラン氏の一粒種《ひとつぶだね》のことゆえ将来は大きな遺産をも継《つ》ぐことになるものと見られる。バルモーラル公爵が数年来多数の絵画を売り払《はら》うのやむなきにいたったことは公然の秘密であり、セントサイモン卿もバーチムアのひろからぬ領地以外には自己の財産とてない身だから、結婚によって共和国の一婦人から容易にイギリス貴族に列しうるのは、ひとりこのカリフォルニアの相続人にとどまらないこと明らかである」

「もっと何かないかい？」ホームズはあくびした。

「たくさんある。ここにモーニング・ポストの記事がもう一つあるが、それによると結婚式はごくごく内輪に挙行されること、場所はハノーヴァー・スクエアのセント・ジョージ教会で、式にはきわめて親しい者五、六人だけが列すること、式後は父のアロイシャス・ドーラン氏が家具つきで用意したハイド・パークにちかいランカスター・ゲートの家に引きあげることなどが出ている。それから二日のち、というとこの水曜日の新聞になるが、結婚式の挙行されたこと、ハネムーンはピータースフィールドにちかいバックウォーター卿の邸宅《ていたく》ですごすことなど簡単に出ている。以上で花嫁が失踪するまでに出た記事の要はつくしている」

「何がどうするまでだって？」ホームズがびっくりして鋭《するど》く尋ねた。

「花嫁が失踪するまでさ」

「それはいつのことだい？」

「披露宴《ひろうえん》の席上からだ」

「ふむ、これは思ったよりもおもしろいね。披露宴の席上からとは劇的だよ」

「少々常軌《じょうき》を逸していると思ったね」

「式のまえに消えうせることはよくある。どうかするとハネムーン中にもある。しかしこの例のように思いきったのは、僕の記憶《きおく》にもないようだ。もっと詳しく聞きたいね」

「それがじつは、非常に不完全なんだがね」

「二人で研究したら、いくらか完全になるだろう」

「不完全だけれど、きのうの朝刊に特ダネとして出ているから、いまそれを読んでみよう。題は『上流の結婚に奇怪事の発生』というのだ。

　ロバート・セントサイモン卿一家は、卿の結婚に関連して引起されたいたましい奇怪事のため、極度の驚《おどろ》きにおちいり一同呆然《ぼうぜん》としている。挙式は既報《きほう》のとおり昨朝行われたが、これに関してある種の奇怪なる浮説《ふせつ》が根づよく流布《るふ》されていたところ、いまやこの俗説は事実と確認《かくにん》されるにいたり、友人諸氏が躍起《やっき》となって揉消《もみけ》しに狂奔《きょうほん》したかいもなく、あまりにも世上注視の的となった結果、もはや何らの手段に訴《うった》えるとも、一般の話題となるを免《まぬが》れぬ状態となった。

ハノーヴァー・スクエアのセント・ジョージ教会でとり行われた挙式はごく内輪のもので、参列者は花嫁がわの父君アロイシャス・ドーラン氏、バルモーラル公爵夫人、ユーステス卿ならびにクララ・セントサイモン嬢（花婿の令弟妹両君）およびアリシア・ホイティントン嬢のみであった。式後一同はハイド・パークにちかいランカスター・ゲートのアロイシャス・ドーラン氏邸の披露宴にと赴《おもむ》いたが、この際姓名不詳《せいめいふしょう》の一婦人によってひと悶着《もんちゃく》あった。

すなわち同女はセントサイモン卿にたいしてある正当なる要求をもつと称し、一行につづいて邸内に侵入せんと試みたというが、押問答の末、執事《しつじ》と取次人とでかろうじて邸外へ追い出した。幸いにして花嫁は先に入邸していたため、この不快な場面は見ずにすんだが、一同食卓《しょくたく》に着席後、花嫁は急に気分が悪くなったといっていったん自室へ引取った。あまりにながく姿を見せぬのでそのことを口に出す者があり、父君が立っていってみると花嫁の姿は見えず、侍女《じじょ》にきけば来たことは来たけれど、すぐに長外套《なががいとう》と帽子《ぼうし》とをもって急ぎ廊下《ろうか》のほうへ歩み去ったという。玄関《げんかん》の取次にきくとその風態《ふうてい》の婦人ならば外出するのを認めたが、花嫁は一座のなかに在るものと信じこんでいるので、花嫁は出てなぞゆかぬと頭から強く主張した。かくて愛嬢の失踪を確認したアロイシャス・ドーラン氏は花婿同道でただちに警察へ訴え出た。当局は全力をあげて捜査《そうさ》につとめているから、この奇怪なる失踪は急速に解決を見るであろうが、昨夜深更締切り《しんこうしめき》までには花嫁の居所は判明しなかった。

一説には裏面《りめん》に複雑な事情が潜《ひそ》むともいうが、当局は最初門前を騒《さわ》がした婦人が嫉妬《しっと》か何かのために、花嫁の奇怪なる失踪に関係しているかもしれぬという見込《みこみ》で、同女の捜査手配を行なったと報ぜられる」

「それで全部かい？」

「もう一つだけ、ほかの朝刊に短い記事が出ている。このほうは短いけれどなかなか暗示的なところがある」

「どんな？」

「ドーラン邸を騒がしたフローラ・ミラー嬢という女が捕《つか》まったのだ。アレグロ座の踊《おど》り子あがりで、花婿とは数年来の知りあいらしいというだけで、詳しいことはわからない。あとは君の手腕《しゅわん》に待つばかりだ。とにかく新聞に出ていることは以上につきる」

「たいへんおもしろい事件らしいね。こんな事件をとり逃《に》がしちゃたまらないよ。ああ、ベルが鳴っている。四時すぎたようだから、きっとその貴族どのが来たのだろう。いや席をはずさなくてもいいよ。立会証人のいてくれたほうが具合がいいし、願わくは記憶ちがいをやらないためにも、君にいてもらいたいよ」

「ロバート・セントサイモン卿でございます」

とりつぎの少年がさっとドアをあけて披露した。

はいってきたのは快活な、上品な顔だちで、鼻たかく色青じろく、口もとには癇癖《かんぺき》らしいところも見えるが、ぱっちりした目もとにはおちつきがあり、生れつき人のうえに立ち人に服従されつけているといったふうの紳士《しんし》であった。挙措《ものごし》は活発だが、全体としてどこか老人じみて見えるのは、姿勢がすこし前かがみで、歩くとき膝が十分にのびきらぬからであろう。鍔《つば》をひねった帽子をとったところを見れば、頭のてっぺんはうすく、まわりも半白になっていた。服装《ふくそう》はおしゃれにちかい凝《こ》りかたで、黒のフロックに白チョッキ、高いカラー、黄いろい手袋《てぶくろ》、エナメル靴《ぐつ》にうすいろのスパッツ、頭を左から右へと回しながら、金縁《きんぶち》の鼻めがねの紐《ひも》をもって右手で軽く振《ふ》りながら静かにはいってきた。

「セントサイモン卿でいらっしゃいますね」ホームズは立って頭をさげた。「どうぞそちらの籐椅子《とういす》へ。こちらは親友ワトスン博士で、共同で仕事をいたしております。さ、どうぞ火のほうへ。とっくりとご相談いたしましょう」

「じつに困った問題が起りましてね。私の立場は十分お察しねがえると思うが、何とも痛烈《つうれつ》な大打撃《だいだげき》でした。この種の難問題にはすでに相当の経験をおもちとうかがっております。もっとも社会的地位からいえば、話は別でしょうがね」

「身分の点から申せば、下降の傾向《けいこう》があります」

「え、なんと？」

「この種の事件で最近のものは、ある国王陛下が依頼人でした」

「ほう、それは知らなかった。してどちらの王さまですか？」

「スカンジナヴィアの王様です」

「ふむ、やはり奥方《おくがた》が失踪されましたか？」

「失礼ながら事件の内容には触《ふ》れないことにいたしておりますので――あなたの場合

とても同様でございます」ホームズはおだやかにいった。

「ごもっとも。そうあるべきです。いや、これは私が悪かった。ところで私の問題ですが、鑑定《かんてい》の参考になるならば、何事によらずうちあけてお話しするつもりでいます」

「ありがとうございます。新聞に出ただけのことはのこらず承知しておりますが、それ以外には何一つ。新聞の記事は、たとえば花嫁失踪《はなよめしっそう》のこの記事は、間違《まち》いございませんね？」

セントサイモン卿《きょう》は記事に目をとおしていった。

「ここに書いてあることに誤りはありません」

「意見を申しあげるには、まだ資料がたいへん不足しておりますが、直接あなたにお尋ねいたせば、正確な事実がうかがえますでしょうね？」

「何なりと尋ねてください」

「ハティ・ドーラン嬢をはじめてお知りになったのはいつのことですか？」

「一年まえサンフランシスコで知りました」

「アメリカをご旅行中にですね？」

「そうです」

「そのとき婚約《こんやく》なさいましたか?」

「いいえ、しません」

「婚約とまでゆかなくとも、ごく親密なご交際はおありだったのですね?」

「ハティとの交際はおもしろくもあったし、向うも私が喜んでいるのを承知していたはずです」

「彼女《かのじょ》の父上はよほどのお金持だそうですね?」

「太平洋ぞいでは第一級の富豪と聞いております」

「その富は何で築いたのですか?」

「鉱山ですな。数年まえまでは無一物だったのだが、うまく金鉱を掘《ほ》りあてて、それに投資してめきめきと金満家になったのです」

「で、そのかたの令嬢――いえ、あなたの新夫人の性格ですが、あなたとしてはどんなふうにお考えになっていますか?」

卿はめがねの振りかたをやや早くして、じっと暖炉の火に視線を落した。

「それがね、ホームズさん、妻の父が金持になったのは妻が二十を越《こ》してからのことです。自然彼女はそれまで新開の鉱山町を気ままに駆《か》けまわったり、山や森を自由に歩きまわっていたのですから、学校教育よりもむしろ自然から直接教えられてきたのです。したがって性格はこの国でいうおてんば娘とでも申しますか、一種の強い、野育ちの自由さがあり、どんな伝統にも拘束《こうそく》される女ではありません。剽悍《ひょうかん》というか、火山のような気性《きしょう》の女です。しかもその一面には、これがなかったらいやしくもセントサイモンの姓を名のらせはしなかったのですが」とここで卿は威儀《いぎ》あるせきばらいをして、「心底はけだかい女なのです。いざとなれば一身を犠牲《ぎせい》にするヒロイズムもあり、いやしくも不名誉《ふめいよ》なことは嫌忌《けんき》する女だと信じています」

「写真をおもちですか？」

「これをもってきました」

卿はロケットをあけて、たいへん美しい婦人の正面顔を私たちに示した。それは写真ではなく象牙《ぞうげ》を刻んだ肖像《しょうぞう》で、光沢《こうたく》のある美しい黒髪《くろかみ》、大きな黒眼《くろめ》、繊細《せんさい》な口もとなどがはっきりと現わされていた。ホームズはしばらくじっと見入っていたが、蓋《ふた》をして卿の手にかえした。

「その後令嬢がロンドンへ見えたので、またご交際がはじまったわけですね？」

「この社交シーズンに父親につれられてやってきたのです。そして何回か会ううちに婚約が成立して、こんど式をあげたというわけです」

「多額の持参金をお持ちとうかがっておりますが……」

「かなりの持参金ではありますが、私どもの家柄《いえがら》としては普通《ふつう》以上というほどではありません」

「式がすんでいる以上、これは全部あなたのものというわけですね？」

「その点はどうなりますか、まだ調べておりません」

「ご無理もありません。式の前日にハティさんにお会いでしたか？」

「会いました」

「お元気でしたか？」

「このうえない元気でした。将来のことばかり口にしておりました」

「ほう、それはたいへんおもしろいですね。式の朝はどうですか？」

「やはりこのうえなく元気でした。すくなくとも式のあとまではね」

「式の後に何か変化がおこりましたか？」

「さ、じつはそのときはじめて、ハティの気質にすこしはげしいところのあるのを見せられたわけですが、といってここで話すほどの大事件でもないし、またこんどの問題とは何の関係もないことですからね」

「それにしても、お話はやはりうかがいたいです」

「子供じみたことです。いっしょに控《ひか》え室のほうへさがる途中《とちゅう》でハティは花束《はなたば》をとり落しました。ちょうど最前列の長腰掛《ながこしか》けの前を通っているときでしたから、花束はその腰掛けのうえに落ちました。そのためちょっと歩調が乱れて、妙《みょう》な具合になりましたが、その席の紳士がすぐ拾って彼女に渡《わた》してくれましたから、すこしも不都合はなかったのです。でもあとで私がそのことを口にしますと、不機嫌《ふきげん》にぶっきら棒な返事をしましたが、帰りの馬車にのってから、この何でもないできごとを馬鹿《ばか》らしいほど気にしているようでした」

「なるほど。長腰掛けの一般席《いっぱんせき》に紳士がいたとのお言葉ですが、そうしますと式には一般の公衆もすこしは参列したのですか?」

「そうです。何しろ教会ですから、あけてある以上誰《だれ》もいれないというわけにゆきませんからね」

「その人は奥さまのお知りあいではないのですか?」

「いいえ、そんなことはありません。紳士がと申しましたけれど、それはていねいないいかたをしただけで、じつはただの男なのですから。どんな男だったか、私はその風采《ふうさい》を詳《くわ》しくは気にもとめていないくらいです。それにしても話がすこし的をそれてきましたね」

「そうしますと奥さまは式場からの帰りには、行きがけほど陽気な気分ではなかったわけですね。ランカスター・ゲートのお屋敷《やしき》へお帰りになってからは、いかがでしたか、ご様子は?」

「女中と話をしていたようです」

「女中と申しますと?」

「アリスと申すアメリカ女で、妻がカリフォルニアからつれてきたものです」

「奥さまお気にいりの女中と申すわけですね?」

「すこし度を越えているくらいです。妻からたいそう自由を与《あた》えられているようですが、むろんアメリカでは、そういう点われわれとは考えかたがちがいますから……」

「ながいこと話しておいでだったのですか?」

「二、三分間でしょう。私はほかのことを考えていましたので、はっきりとは……」

「何の話でしたか、お気づきになりましたか?」

「鉱区を横領する——何かそんなことを申していました。妻はよくそんな俗語を口にしますが、何の意味ですか私にはまったくわかりません」

「アメリカの俗語は往々ふかい意味をふくむものです。で、女中との話が終ってから、奥さまはどうなさいましたか?」

「宴会場《えんかいじょう》へ出てゆきました」

「あなたがお手をおとりになって？」

「いいえ、独りで。そういう細かいことは、独りでテキパキとやる女なのです。席についておよそ十分くらいもたってからでしょうか、妻は急に立ちあがって、ちょっといって席をはずしたきり、とうとう帰ってこなかったのです」

「女中のアリスの証言では、奥さまはお部屋へ帰って、花嫁衣裳《いしょう》のうえから長外套を羽織って、縁《ふち》なし帽をかぶってお出かけとありましたね？」

「そのとおりです。そのあとで、フローラ・ミラーという女とつれだって、ハイド・パークへはいってゆくのを見かけた者があります。この婦人はその朝ドーラン家の玄関を騒がした人物ですが、いま拘引《こういん》されています」

「あ、そうでしたか。この若い婦人のことを、もうすこし詳しくうかがいたいものです。とくにあなたとの関係も」

卿は肩《かた》をそびやかし、眉《まゆ》をぴりりとあげた。

「あの女とは数年間交際をつづけました。ごく親しい関係と申してもよろしい。アレグロ座によく出ていたものですが、こちらとしては十分のことをしてあるのですから、いまさらかれこれいえた義理ではないのです。しかし女というものはねえ……フローラはかわいい女でしたが、極端《きょくたん》に熱しやすい質《たち》で、私には心から愛着していましたから、こんど私が結婚すると聞いて恐ろしいことをいってきました。じつはこんどの式をごく内輪にしたのも、教会で外聞のわるい醜態《しゅうたい》でも演じられてはという懸念《けねん》からだったのですが、はたして私どもがドーラン家へ引揚《ひきあ》げてから、そこへ立ち現われてなかへ押《お》し入ろうと試み、はては玄関さきで聞くに耐《た》えない妻の悪口雑言をたたき、脅迫《きょうはく》がましいことすら口走りました。そんなことでもありはしまいかと、あらかじめ召使《めしつかい》の者たちによくいいふくめておきましたから、みなで追い返してしまいましたが、争ってもむだだと知って、おとなしく帰っていったのです」

「奥さまはこの騒ぎを耳になさいましたか？」

「ありがたいことに、聞かれないですみました」

「それが後刻、その女とつれだって歩いていらしたわけですね？」

「その点を警視庁のレストレード君も重大視しておられる。フローラが妻を誘《おび》きだして、恐ろしい策略にでも陥《は》めこむのではないかというわけです」

「それはありうる推測ですね」

「あなたもやはりおなじご意見ですか？」

「そうらしいとは申しません。ありえないことではないと申しただけです。あなたとしてはやはり、これはありえないこととお考えになりますか？」

「フローラは虫も殺せない女です」

「それでも嫉妬《しっと》は人の性格を変える不思議な力をもっていますからね。あなたご自身はこの問題をどうお考えになっていますか？」

「さア、それを聞きに私はここへ来たので、自分の意見を述べるのが目的ではないつもりです。そのため事実は包まずお知らせしたのです。しかしせっかくのお尋《たず》ねでもあるし、一応私の考えるところを申してみれば、こんどのことによる興奮――社会的に名誉ある地位を急激《きゅうげき》に得たという自覚が、妻の神経をかき乱す力をもっていたというのは、ありうることではないかと思うのです」

「つまり奥さまの突然《とつぜん》の乱心だとおっしゃるのですか」

「それはその、妻が背《そむ》いて――私にではない、世の多くの人に背いて、その人たちが望みながら得られぬ憧憬《あこがれ》を、自分が独り占《じ》めにしたということを考えてみるとき、あるいはそんなこともと考えるのです。それ以外には説明のつけようがありません」

「さ、それも思いうかぶ仮定の一つではありましょうね」とホームズは微笑《びしょう》をうかべていった。「ところでセントサイモン卿、これでお尋ねすべきことは大体しつくしたと思いますが、宴会のときあなたは窓に向ってご着席でしたか？」

「私も妻も、道路を隔《へだ》てて公園の見えるがわに着席していました」

「なるほど。ではもうほかにお尋ねいたすこともないようです。いずれなにぶんのお報《し》らせをいたします」

「幸いにしてあなたがこの問題を解決しえたならばですな」卿は腰をあげながらいった。

「問題はすでに解決しています」

「え、何とおっしゃる？」

「問題はすでに解決していると申しあげました」

「では妻はどこにおります？」

「それは枝葉《えだは》のことですが、すぐに調べてさしあげます」

セントサイモン卿は頭をかしげて、

「それはあなたと私よりもはるかにすぐれた頭脳を必要とする問題ではないですかねえ」

と妙な挨拶《あいさつ》をのこし、威儀を見せた古風な頭のさげかたをして帰っていった。

「うっふっふっ、ありがたくもセントサイモン卿は、僕《ぼく》の頭をご自分のと同じ水準においてくれたぜ。こんな面倒《めんどう》な質問をやらされたんだから、ウイスキー・ソーダと葉巻でもやらなくちゃ引合わないよ。僕にはね、卿が部屋へはいってこないうちに、もうちゃんと問題の結論はついていたんだよ」

「まさか！」

「僕は類似《るいじ》の記録をいくつも持っているんだ。ただしこれほど失踪ぶりのあざやかなのはないがね。でもふるい事件をよく研究しておいたおかげで、臆測《おくそく》を確信にもってくることができたんだ。情況証拠《じょうきょうしょうこ》というものは、ときにすこぶる的確なものだよ。詩人ソローじゃないが、ミルクのなかから鱒《ます》をさがしだすようにね」

「僕にはさっぱりわからない。話だけはおなじに聞いていたんだがなア」

「それは僕とちがって前例に明るくないからさ。数年前にスコットランドのアバディーンでこれとおなじような事件があった。それから普仏《ふふつ》戦争の翌年、ドイツのミュンヘンで非常によく似た事件があった。同種の事件の一つとして――やア、レストレードが来たよ。レストレード君、こんにちは。その食器戸棚《しょっきとだな》にコップがあるから、取ってきたまえ。葉巻ならそっちの箱《はこ》にはいっていますよ」

レストレード警部は水夫のよく着る厚い粗布《あらぬの》の短い上着に襟《えり》巻《ま》きという、どう見ても海員としか見えないふうをして、手には黒い帆木綿《ほもめん》の袋《ふくろ》をもっている。挨拶は簡単に、椅子《いす》におさまると彼《かれ》は出された葉巻に火をつけた。

「どうしましたね？　いやに不平面《ふへいづら》してるじゃありませんか」ホームズは目をぱちく

りやった。

「どうもこうもありゃしませんよ。このいまいましいセントサイモン事件のやつ、まるっきり目鼻がつきゃしない」

「へえ！　ほんとですかね？」

「こんなごたごたした事件なんてあるもんじゃない。手掛《てが》りという手掛りが、みんなだめになっちまうんです。きょうは一日《いちんち》それで潰《つぶ》しちまった」

「ひどく濡《ぬ》れてるのはそのためですか？」ホームズは警部の上着の腕《うで》に手をかけてみた。

「ハイド・パークのサーペンタイン池を引っかきまわしていたんです」

「へえ！　いったいぜんたい何のつもりで？」

「セントサイモン夫人の死体捜査《そうさ》でさあね」

ホームズは椅子の背にそりかえって、腹の底から笑いころげた。

「トラファルガー・スクエアの噴水《ふんすい》の池も捜査しましたか？」

「なぜ？　どういう意味ですか？」

「ハイド・パークに死体がありそうな見込《みこみ》があるくらいなら、トラファルガー・スクエアだってすててはおけますまい」

「あなたには何もかもおわかりなんでしょうからね」レストレードはムッとしてホームズをにらみつけ、皮肉たっぷりにいった。

「私はたったいま詳しい話を聞いたばかりですよ。しかしねらいはちゃんとつけています」

「ほう！　ではサーペンタイン池には関係がないとおっしゃるんですか？」

「まずそうでしょうね」

「じゃあの池からこんなものが揚《あ》がったのは、いったいどうしたもんでしょう？」

レストレードは持参の袋をあけて、紋絹《あやぎぬ》の花嫁衣裳《はなよめいしょう》、白サテンの靴《くつ》、花嫁用の花冠およびヴェールなど、いずれも水浸《みずびた》しになって変色したのを一つ一つとりだして床《ゆか》のうえにつくねあげ、最後に新しい結婚《けっこん》指輪を一つそのうえにおいた。

「どうです、これならすこしは手ごたえがありましょう、ホームズ大先生」

「ほう！」ホームズはすまして紫煙《しえん》を輪に吹《ふ》きながらいった。「みんなサーペンタイン池の底から揚がったのですか？」

「岸ちかく浮《う》いているのを、公園の管理人が見つけたんです。セントサイモン夫人のものと確認《かくにん》されました。服がある以上、死体の所在も遠くはなかろうと思いますがねえ」

「ご名論に従えば、すべての人の肉体はその人の簞笥《たんす》のそばに在るということになりますね。ところで君はこの衣類からどんな結論を期待しているのですか？」

「夫人の失踪《しっそう》にフローラ・ミラーが関係しているという証拠を期待しました」

「それはすこしむずかしかないですかねえ」

「ほんとうにそう思いますか？」レストレードはすこしいやみを見せていった。「あなたの推理はどうもすこし実際的じゃないようですぜ。細かいことはともかくとして、大きな間違《まちが》いを二つ冒《おか》している。この服そのものが、フローラ・ミラーが関係していることをはっきり示しているのですよ」

「どんなふうに？」

「この衣裳にはポケットがあります。ポケットのなかに名刺《めいし》いれがあります。名刺いれのなかに手紙があります。ほら、これがその手紙です」

レストレードはそれをテーブルのうえに、ホームズの目の前へたたきつけるように置いて、

「読みますよ。――『準備ができたら姿を現わしますから、すぐに来てください、F・H・M』どうです？　だから私はフローラ・ミラー（Flora Millor）が夫人を誘《おび》きだして、むろん共犯者はいるでしょうが、姿を隠《かく》したにちがいないとにらんどる

のです。F・H・Mの頭文字《かしらもじ》はフローラにちがいありません。彼女《かのじょ》が戸口で夫人にこれをそっと手渡したので、夫人はうまうまと誘きだされていったのです」

「なあるほど、これは見あげましたよ。どれ、ちょっと見せてください」ホームズは笑いながら、無造作に手紙をとりあげたが、ひと目みるなりがらりと態度が変って熱心になり、会心の叫《さけ》び声さえあげた。

「ほう、これはたいしたものだ」

「どうです、わかったでしょう?」

「いや一大発見です。レストレード君、お手柄《てがら》おめでとう」

レストレードは得意満面に立ちあがり、頭をかがめてホームズの手もとをのぞきこんだ。

「なんだ! それは裏ですよ」

「どういたしまして、ちゃんと表ですよ」

「それが表? と、とんでもない! こっちにちゃんと鉛筆《えんぴつ》で書いてあるんですよ」

「こっちはホテルの付けらしいものがある。こいつが僕にはたいへんおもしろいのですよ」

「そんなものが何になるもんですか。私も見ましたが、十月四日、室料八シリング六ペンス、朝食二シリング六ペンス、カクテル一シリング、昼食二シリング六ペンス、シェリー一杯《ぱい》八ペンスとあるだけです。何も意味なんかありゃしませんよ」

「ところがそうでない。やっぱりこれには大きな意味がありますよ。手紙のほうも、すくなくとも頭文字の点だけは大切だから、やっぱりおめでたいわけだ」

「とんだ時間つぶしをやっちまった」とレストレードは不平だらだら腰をあげて、「私はやっぱり努力主義を信奉《しんぽう》しますよ。暖炉《だんろ》のまえに足を投げだして、勝手な理屈《りくつ》ばかりこねていたって、事件は解決しやしません。さよなら。どっちが先に事件の底を割るか、やってみましょうよ」と濡れた服の類を集めて袋に押しこみ、はや帰りかけた。するとホームズはそれを戸口で呼びとめていった。

「一つだけヒントをあげますがね、レストレード君。真相をいいましょう。セントサイモン夫人は架空《かくう》の人物ですよ。過去現在とも、そんな人物はどこにもいやしませんよ」

レストレードはいたましそうにホームズを見かえしたが、視線を私のほうへうつすと、自分の額を軽く三度たたいて厳粛《げんしゅく》な顔つきで頭を振《ふ》ってみせ、急いで立ちさった。

レストレードが出てドアをしめるや否《いな》や、ホームズは立って外套《がいとう》に手をとおした。

「あの男が何とか主義を信奉するとかいったのは、一面の真理があるよ。僕は屋外主義の実行にかかるから、しばらく新聞でも見ていてくれたまえ」

ホームズが独りで出かけたのは五時すぎであったが、私はほとんど退屈する暇《ひま》はなかった。というのはそれから一時間とたたないうちに、食品屋の使いがたいそう大きな平たい箱をもちこんできたからである。使いの男が若者に手つだわせて箱をあけると、驚《おどろ》いたことに、中から贅《ぜい》をこらした冷《コールド》ものの夜食料理が現われて、それが下宿の粗末な裸《はだか》テーブルのうえに片端《かたはし》からならべられたのである。ご馳走《ちそう》は冷たい山鴫《やましぎ》が二対《つい》、雉《きじ》が一羽、鳥肝捏物《フォア・グラ》のパイが一皿《さら》、それに蜘蛛《くも》の巣《す》だらけの古酒まで何本か添《そ》えてある。

この贅沢《ぜいたく》なご馳走をならべ終ると、二人の男は代金はもうすんでいること、この家へ届けろという注文だったことだけを述べて、まるでアラビアンナイトに出てくる魔《ま》神《じん》のように、姿を消してしまった。

九時ちょっとまえに、ホームズは元気な足どりで帰ってきた。顔つきは重く沈《しず》んでいるが、眼《め》の輝《かがや》きで、結果の悪くなかったのを私は見てとった。

「お、ちゃんと夜食の用意をしていったね」彼はうれしげに手をこすり合せた。

「お客があるんだね？　五人前の食器をならべていったよ」

「うん、ちょっと来る人があるんだ。セントサイモン卿《きょう》だけはもう来ているかと思ったがなア。や、噂《うわさ》をすれば、階段のあの足音はどうやらそうらしいじゃないか」

せかせかとはいってきたのは、やはりセントサイモン卿だった。鼻めがねをいっそうはげしくぶらぶら振りながら、その貴族的な顔にひどいろうばいを見せている。

「使いをさしあげましたが……」

「それで参ったのですが、あのお手紙を拝見して、たとえようもなく驚いております。あれには確実な根拠《こんきょ》がおありですか？」

「このうえもなくたしかな根拠があります」

「家門の一員がこれほどの屈辱《くつじょく》をうけたと聞かれたら、公爵《こうしゃく》は何といわれるだろう？」

卿は椅子に腰《こし》を落し、額に手をあてながらつぶやいた。

「いいえ、これは純然たる不慮《ふりょ》の災難と申すものです。そこに屈辱なんかは絶対にありえません」

「それはあなたは立場がちがうからです」

「私は誰《だれ》をも責めるべきでないと考えます。夫人のなさりかたが唐突《とうとつ》であったのは、むろん遺憾《いかん》ですけれども、と申してあの場合、ほかに方法はありますまい。母親のない身として、ああした危機にあたって誰に相談というわけにもゆかなかったのです」

「侮辱《ぶじょく》です。公然と私を馬鹿にしておる」卿は指さきでテーブルをたたいた。

「夫人はこうした前例もない難局に立たれたのです。すこしは許してあげなければ」

「いいえ、酌量《しゃくりょう》はなりません。私はほんとうに腹がたちます。ひどい赤恥《あかはじ》をかかされました」

「ベルが鳴ったようです。ああ、階段に足音が聞えます。ことを穏便《おんびん》にすましていただくようにお願いしましたが、おききいれいただけないならば、ちょうどこれへ弁護人をつれてまいりましたから、こちらから話をお聞きとりください。そうすればまたお考えも変るかもしれません」

ホームズはドアをあけて一人の婦人をつれた紳士《しんし》を招じいれた。

「セントサイモン卿、失礼ながらフランシス・ヘイ・モールトン氏ご夫妻をご紹介《しょうかい》申しあげます。夫人にはすでにご面識がおありと存じますが」

新来の客二人の姿をひと目見ると、セントサイモン卿は椅子からとびあがって棒立ちになり、片手をフロックの襟にさしこんで、目を伏《ふ》せた。威厳《いげん》を傷つけられた形である。夫人はつかつかと進みよって握手《あくしゅ》を求めたが、それでも卿は頑固《かたくな》に眼をあげなかった。卿の決心のためにはそれもまたよかったのだ。彼女の哀願《あいがん》する顔を見ては、対抗《たいこう》するのは困難であったろう。

「ね、怒《おこ》っていらっしゃるのね。無理ないわ」

「弁解は無用ですぞ」卿は苦りきっている。

「私の仕打ちのひどかったのは、よくわかっていますわ。まえもって申しあげなければならなかったのもよく知っています。でも私、すっかり面くらっていましたの。このフランク（訳注　フランクはフランシスの通称）に会ってから私は何をいっているのか、何をしているのか自分でもわからなくなってしまったのですもの。いまから考えても、どうしてあのとき祭壇《さいだん》のまえで卒倒《そっとう》しなかったか、それが不思議でならないくらいですわ」

「奥さま、事情をお話しになりますあいだ、私とワトスン君は席をはずしていたほうがよろしいでしょうね」ホームズがいった。

「失礼ながら私から」とフランシス・モールトン氏が口をだした。「こんどのことは私たち、すこし秘密にしすぎたと思います。私としては全欧州《ぜんおうしゅう》、全米国の人たちに、事の真相を聞いてもらいたいと思っているのです」

彼は顔つきの鋭《するど》い、挙動の敏捷《びんしょう》な、陽《ひ》にやけた、小柄ながら屈強な男である。

「では私から詳《くわ》しく事情を申しあげましょう」ハティ夫人が話しだした。「ここにいますフランクと私とは一八八一年に、父の働いていました鉱区の、ロッキー山脈にちかいマクワイヤーという新開の鉱山町で知りあいました。そして婚約いたしましたが、ある日父はたいへんよい鉱脈を掘《ほ》りあてて、たちまち身代をこしらえましたのに、このフランクに割りあての鉱区は掘っても掘っても何も出てきません。父はどんどんお金持になります。フランクはどんどん貧乏《びんぼう》になります。とうとう父は私たちの婚約をとり消せといいだしまして、私をサンフランシスコへつれていってしまいました。それでもフランクはあきらめないで、私のあとを追ってサンフランシスコへ出てまいり、父に知れないように私たちは会っていました。

わかったら父は気違いのようになって怒るにきまっていますから、このことはどこまでも二人だけの秘密にしておりました。フランクの申しますには、もういちど出かけてお金持になって帰ってくる、父とおなじくらいのお金持になって帰って、大手を振ってお前と結婚するのだ、とこうです。私はその日のくるまで必ず待っていますと約束《やくそく》しましたが、心のなかではフランクの生きているかぎり、けっしてほかの人とは結婚するまいとかたく決心しておりました。するとフランクは、『いますぐ結婚してどこが悪いのだ。結婚さえしておけば私も安心して働きにゆけるし、帰ってくるまではけっしてお前の良人《おっと》だなんていいはしない』と申します。

それから相談しまして、牧師さんにもちゃんと立会っていただけるように、フランクが万事上手《ばんじじょうず》にとりきめましたので、私どもはすぐに結婚の式をあげました。それからフランクは家を興《おこ》すため出かけますし、私は父のもとへ帰ったのでございます。その後フランクからは、北のモンタナ州にいると便りを受けとりました。そのつぎには南のはずれのアリゾナ州が有望だから行くとありました。それから隣《となり》のニューメキシコ州から便りがあったあとで、ながい新聞の記事が出ました。鉱山の新開地がアパッチ族に襲《おそ》われて、たくさんの人が殺された報道で、そのなかにフランクの名も出ておりました。それを見て私は卒倒しました。そしてその後ながいこと患《わずら》いつづけましたが、父は肺病だと思って、サンフランシスコじゅうの医者の半分くらいに私を診《み》せました。

一年あまりも便りはありませず、新聞の記事がほんとうでフランクは死んでしまったものとあきらめていますところへ、セントサイモン卿がサンフランシスコへお出《い》でになり、その後私どもがロンドンへ参りまして、とうとう結婚することになりました。父はたいそう喜びましたが、私はどんな人が現われても、この胸のなかでフランクと同じ位置を占《し》めさせることではないと、いつもそんなふうに思っておりました。

とは申せ、セントサイモン卿と結婚する以上は、むろんこのかたの妻としてのつとめは果す覚悟《かくご》でおりました。愛は自由になりませんけれども、行いは意志の力で支配できます。私はできるかぎりよき妻となるつもりで、卿といっしょに祭壇へと進みました。けれども、ああ、あのときの私の胸のなかをどうぞお察しくださいませ。祭壇の手すりのところまで進んで、ふとうしろを見ますと、最前列の長腰掛《ながこしか》けのところにフランクが立って、じっと私を見つめているではございませんか！　はじめは幽霊《ゆうれい》かと思いました。でもよく見ればけっして幽霊ではございません。たしかにフランクです。フランクは何かいいたそうな眼で、いま自分に会ってうれしいか、それとも悲しいかとでも尋《たず》ねたいような眼つきで、じっと私を見つめております。私はあのとき卒倒しなかったのが不思議だと思います。卒倒する代りに眼のまえのものがみんな、ぐるぐると回っておりました。牧師さんの言葉が蜂《はち》のうなりのようでした。

私はどうしたらよいか、自分でもわかりませんでした。式を中止して教会のなかで大騒《おおさわ》ぎを起すべきでしょうか。もう一度フランクのほうを見ますと、フランクは私の胸のなかをすっかり知っていますように、自分の唇《くちびる》に指をあてて何もいうなと合図しました。そして紙きれに何か書いている様子ですから、私への手紙だと気がついて、祭壇の前から戻《もど》る時にその腰掛けのところでわざと花束《はなたば》を落しました。するとフランクはそれを拾って返すとき、私の手に紙きれを忍《しの》ばせました。それには合図をしたら来るようにと、ただそれだけ書いてありました。むろんフランクへの義務を第一につくさなければならないのは申すまでもありません。私はどんな命令にでも従う決心をいたしました。

帰ってから女中にそのことを話しました。彼女はカリフォルニア時代からフランクを知っておりますし、いつでも彼《かれ》の味方になってくれました者です。私は他言をかたく禁じ、手回りのものをまとめて、長外套を出しておくように申しつけました。

セントサイモン卿に申しあげるべきだとはよく知っておりましたけれど、母君やそのほか身分のたかい方がたのまえでそれを申すのは、恐《おそ》ろしくてとてもできないことでした。いまは黙《だま》って逃《に》げだし、あとでよく説明しようときめました。

テーブルについてから十分とたたないうちに、フランクが路《みち》の向うがわに立っているのが窓から見えました。彼は私を手招いておいて公園のなかへはいってゆきました。私はそっと席をはずして身支度《みじたく》を整え、彼のあとを追ったのです。そのときどこかの婦人が私に向って、セントサイモン卿のことを何かと話しかけました。よくは聞きませんでしたけれど、卿にも結婚《けっこん》まえに何かちょっとした秘密でもおありのような話でした。でも私はよい加減にあしらってこの婦人からのがれ、すぐフランクに追いつきました。そしてタクシー馬車でゴードン・スクエアのフランクの下宿へ行きました。

これこそ私がこの歳月《さいげつ》待ちに待ったほんとうの結婚だったのです。

フランクはアパッチ族の捕虜《ほりょ》になっていましたが、のがれてサンフランシスコへ行き、そこで私がフランクが死んだものとあきらめてイギリスへ行ったと聞いて、あとを追ってきた結果、あの第二の結婚の当日になって、ようやく私をさがしあてたのでした」

「新聞で知ったのです」フランクが代って説明した。「花嫁《はなよめ》の名前と教会の名は書いてありましたが、肝心《かんじん》の住所がわからないから、やむをえず教会へ行ったのです」

「それから、今後どうしたらよいかを相談しました。フランクはすべてをうちあけるがよいと申しますが、私には恥《は》ずかしくてとてもそれはできません。父にだけは生きているしるしに、手紙を一本出しましょうけれど、このまま私は姿を隠してしまいたいと思いました。あの貴族がたや貴婦人がたが宴会《えんかい》のテーブルについて、私の帰るのを待っていてくださるのかと思うと、それだけでも私はそら恐ろしくなります。それでフランクが私の結婚衣裳《いしょう》をひとまとめに、追手のかからないように、誰にも知れぬ場所へもっていってすててくれました。

もしこのおかたが、ホームズさまとおっしゃいましたか、どうして私どもの居場所がおわかりになったのですか、今晩訪ねていらしってたいそうご親切に、私の考えが間違っておりフランクのいうのが正しいこと、このまま姿を隠すのは自分たちの行為《こうい》が間違っているのだと、世間に証明してみせるようなものだとおっしゃってくださらなかったら、私どもはあすはパリへ向けて発《た》つはずでございました。ホームズさまはそのうえなお、セントサイモン卿と私どもだけで話しあう機会をお与《あた》えくださいましたので、こうしてさっそくお伺《うかが》いいたしたわけでございます。ロバートさま、これですっかり申しあげました。ほんとうにご迷惑《めいわく》をおかけして、まことに相すみません。どうぞ私をお蔑《さげす》みになりませんように」

セントサイモン卿は眉《まゆ》をひそめ口をきっとむすんで、このながい物語に耳を傾《かたむ》けていたが、そのあいだ一刻でもこの厳格な態度をゆるめはしなかった。

「失礼ながら私は、私事に関する個人的な出来事をこのように人前でとやかくいい争う習慣はもちあわせません」

「ではやっぱり私を許してはくださらないのですのね？　お別れの握手さえしてはやらないとおっしゃいますのね？」

「いや、いたしますとも、お望みとあればね」

そういって卿は手をのべ、彼女のさしだした手を冷やかに握《にぎ》った。

「私はセントサイモン卿にも親睦《しんぼく》の夜食を召《め》しあがっていただけるつもりでおりましたが……」ホームズがいった。

「それはちとご無理かと考えます」卿はそっけなくいった。「こんどのことに関して不本意な黙従《もくじゅう》を強《し》いられるのはやむをえませんが、これを笑ってすます気にはけっしてなりません。私はご免《めん》こうむって、これでお暇《いとま》したいと存じます」と頭をさげたまま私たち一同をずらりと見わたして、いばりかえって出ていった。

「ではせめてあなた方だけはおつきあいくださるでしょうね？」ホームズは新婚の夫婦に向っていった。「私はアメリカのかたにお目にかかるのが大好きなのです。と申すのは私もまた、われわれの子孫もいつかは愚《おろ》かな君主や失政だらけの大臣から解放されて、世界的に大きな一大国家の市民となる日がくる、しかもその国家は英国旗《ユニオン・ジャック》と米国旗《スターズ・エンド・ストライプス》の組合せたものを国旗とするだろうと信ずる者の一人だからです」

「この事件でおもしろかったのはね」とホームズは客が去ってからいった。「はじめはほとんど不可解にみえる事柄《ことがら》でも、じつに簡単明瞭《めいりょう》に説明できるものだということを、明示してくれた点にある。このくらい合点《がてん》のゆかぬ、不可解な事件はなかった。しかもあの夫人の話すのを聞いてみれば、こんなもっとも千万《せんばん》な話はないじゃないか。それを、たとえばレストレードのような見かたをすれば、こんな不思議な結末はないということにもなるのだ」

「すると君はいちどもまごつかなかったというのかい？」

「最初から僕《ぼく》には、二つの事実が明らかだった。彼女《かのじょ》が結婚式を心から喜んでいたこと、そして帰りのほんの短時間のうちに、逆にそれを悔《く》いるようになったことだ。してみるとそのあいだに、彼女の心境を変化させる何ものかがあったのは明らかだ。その何ものかとは何だろう？　彼女は家を出てからずっと花婿《はなむこ》といっしょだったのだから、いかなる第三者とも話をしたとは思われない。では何者かを見かけたのか？　もし見かけたのだとすれば、それはアメリカから来た者でなければならない。その理由は、彼女はイギリスへ来てから間もないのだから、ひと目見ただけでこれほどの心境の変化を来たすほど、彼女に強い支配力をもつ知りあいはこの国にいるはずはないからだ。

こうした消去法によってわれわれは彼女があの朝、あるアメリカ人に会ったろうという想定に到達《とうたつ》しえた。ではこのアメリカ人は何者か？　そして何のために彼女にたいしてかくも大きな支配力をもっているのか？　それは恋人か、さもなければ良人であるかもしれない。聞けば彼女の少女時代は荒々しい生活環境《かんきょう》のなかで、異常な状態のもとにすごされたという。

ここまではセントサイモンに会うまえにすでにわかっていたことだ。卿に会って花嫁が教会で花束をとり落したこと、前列の腰掛けにいた男がそれを拾ってくれたこと、それから花嫁の態度が一変したことを聞いて、花束を落したのが手紙をうけとるための見えすいた手だったのを知った。また彼女が宴会のまえに腹心の女中と何かを話したこと、そのとき鉱区を横領という意味ありげな言葉を使ったこと――これは聞きなれぬ鉱山地方の俗語なので、セントサイモン卿の耳にとまったのだろうが、それらのことから事情はいっさい明白になった。彼女は男と手をとって逃げた。男は愛人か前夫か、まず後者だろうと見当をつけたのだ」

「それにしてもいったいどんな方法で、あの二人の居場所を突《つ》きとめたんだい？」

「レストレードが、ご自身はご存じなかったようだが、それを知る材料をちゃんともってきてくれた。あれがなかったら、僕もちょっと骨が折れたろう。頭文字《かしらもじ》はむろん有力な資料だったが、それにもまして貴重なのは、男がこの一週間以内に、ロンドンの一流ホテルで勘定《かんじょう》を払《はら》っているという事実だった」

「一流ホテルとは何で判断したんだい？」

「一流の値段からさ。部屋代が八シリングだのシェリーが一杯《ぱい》八ペンスというのは、贅沢《ぜいたく》ホテルだよ。こんなにとるホテルはロンドンにもそうたくさんはない。ノーザンバランド街の二軒目《けんめ》に訪ねたホテルで宿帳を見せてもらうと、フランシス・H・モールトンという例の頭文字にピタリのアメリカ紳士がまえの日まで泊《とま》っていたとわかったが、帳簿《ちょうぼ》を調べてもらうと、あの伝票の控《ひか》えもあった。この人の郵便物はゴードン・スクエアの二二六番へ転送のこととあるので、さっそくそっちへまわってみるとちょうど新婚の夫婦《ふうふ》とも家にいたから、少々お説教をして、どの点からみても事を明らかにしたほうが一般《いっぱん》社会のためでもあるし、セントサイモン卿のためにはとくによいと説ききかせたのさ。そしてここへ招《よ》んで卿に会わせることにする一方、卿にも来てもらうように頼《たの》んでやったのさ」

「でも結果はおもしろくなかったね。卿のやりかたはたしかに寛大《かんだい》だとはいえなかった」

「君だってあんまり寛大にしてはいられないだろうよ」ホームズは微笑《びしょう》をうかべていった。「さんざ求愛で気をもんだあげく、やっと結婚までこぎつけたと思ったら、あっという間に妻も財産も取りあげられてしまったのではね。われわれはセントサイモン卿を批判するにあたっては同情をもってのぞみ、同時にあんな立場に身をおく機会のありそうもないおたがいの生れ星に感謝すべきかもしれないね。ちょっと椅子《いす》をよせてそのヴァイオリンをとってくれないか。われわれにのこされた問題は、このもの寂《さび》しい秋の夜をいかにしてすごすべきかにあるんだ」

——一八九二年四月『ストランド』誌発表——

椈《ぶな》屋《や》敷《しき》

「芸術のために芸術を愛する者にとっては」シャーロック・ホームズはデイリー・テレグラフ紙の広告面をかるくわきへ投げやりながらいった。「細かなとるにたらぬもののなかにこそ、強い満足を汲《く》みとる場合がしばしばあるものだ。うれしいことに君がこの真理をよく理解しているのは、書きとめてくれた記録をみればよくわかる。何といっても君は、僕《ぼく》の名をあげた煽情的《せんじょうてき》な、世間の評判になった事件よりも、事件そのものは小さなものでも、僕の本領たる推理総合の才能を発揮《はっき》する余地ある場合のほうを、上位に置いてくれているんだからね」

「とはいってもね」と私は相好《そうごう》がゆるんだ。「僕の書いたものに煽情的な分子が絶無だとおさまってもいられないだろうよ」

「君の過《あやま》っている点といえば、おそらく」とホームズはまっ赤になった燃殻《もえがら》を一つ火《ひ》箸《ばし》でつまみあげて、ながい桜《さくら》のパイプに火をうつした。黙想をやめて議論でもしようという気持になったとき、いつも彼《かれ》は陶製《とうせい》のパイプをやめてこの桜のにするのが例なのである。「君の過っている点といえば、おそらく、書くものに血や肉をつけたがるところにある。原因から結果へと、厳正《げんせい》な推理の追及《ついきゅう》に仕事を限定してこそ、はじめて注目に値《あたい》する特徴《とくちょう》が出せるんだのにね」

「僕は書いたものの中で、君を不当に扱《あつか》ってはいないつもりだよ」私はそっけなくいった。一風変ったホームズの性格のなかでも、かなり著《いちじる》しい要素である自負心の強さには、毎度ながら不快を感じていたからである。

「いや、これはわがままや自惚《うぬぼ》れでいっているんじゃない」とホームズはいつもの伝《でん》で私の気持にはおかまいなくいった。「僕が自己の芸術にたいして全幅《ぜんぷく》の公平を要求するのは、それがけっして僕個人の問題でない――僕というものを超越《ちょうえつ》した問題だからだ。犯罪はざらにある。しかし正しい推理は得がたい。君が筆にすべきことも犯罪そのものではなく、犯罪を分析《ぶんせき》し総合する推理のうえにこそなければならないのだ。一連の講義であるべきものを、君は物語にまで低級化させている」

春まだ浅くうそ寒いある朝のこと、私たちは朝食のあとをベーカー街のおなじみの部屋で、ちょろちょろ燃える楽しい暖炉《だんろ》を両方からはさんで、静かにすわっていたのである。街上には濃《こ》い霧《きり》がたちこめて、家なみを暗い茶いろ一色にとじこめ、向いがわの家々の窓は黄いろに渦《うず》まく霧をとおして、形もさだかならぬぼんやりした黒い汚《し》斑《み》に見えた。

部屋にはガス灯がつけてあったが、食卓《しょくたく》がまだ片づけてないので白いテーブル・クロスに照りはえ、皿《さら》や金ものをちかちかと光らせていた。シャーロック・ホームズは朝から黙々《もくもく》としてつぎからつぎと多くの新聞の広告欄《こうこくらん》に読みふけっていたが、ついに新聞あさりを断念したらしく、前にいったとおりあまり上機嫌とはいえない調子で私の文章のあらさがしなどをはじめたのである。

「それと同時に」と彼は長いパイプをすぱすぱやって、燃える火をじっと見つめていたがまた話しだした。「君が煽情主義に陥《おちい》るおそれは、まずないと思う。というのが君の援助《えんじょ》してくれた多くの事件は、大部分が法律的には犯罪を構成しないものだからだ。たとえばボヘミア国王にちょっとばかり手を貸した事件にしても、メアリー・サザーランド嬢《じょう》の不思議な経験にしても、あるいは唇《くちびる》の捩《ねじ》れた男に関する問題にしても、花嫁失踪《はなよめしっそう》事件にしても、あれはみんな法律の埒外《らちがい》だからね。もっとも煽情的になるまいとするあまり、すこし平凡《へいぼん》に堕《だ》したきらいはあったかもしれないがね」

「結果はそうだったかもしれないが、方法は新しくて興味ふかいものだった」

「ふん、大衆に――歯をみて織工《おりこう》とわからず、左手のおや指を見て植字工とさとらないくらい不注意な大衆に、厳正な分析や推理の美しさも何をかせんやだ。

とはいうけれど、たとい君の話が平凡だとしても、君ばかりを責めるわけにはゆくまいよ。大きい事件のあったのは過去のことでね。近来はとんとだめだ。やま気《け》と創意のある人間は、すくなくとも犯罪者のなかにはあとを断《た》った。僕自身の仕事にしてもしだいに退化して、紛失《ふんしつ》した鉛筆《えんぴつ》をさがすとか、寄宿学校出の世間を知らぬ娘の相談相手になるくらいが関の山になりそうだ。どうやらこれで落ちるところまで落ちたらしい。今朝こんな手紙がきたが、おそらくこれがどん底だろうよ。読んでみたまえ」

ホームズはくしゃくしゃになった手紙を私のほうへ投げてよこした。まえの晩にモンタギュー・プレースから出したもので、内容はつぎのとおり――

シャーロック・ホームズさま

私はただいま家庭教師の口が一つあるのでございますが、行ってもよろしいものかどうか、あなたにお教え願いたいと存じます。つきましては明朝十時半にお訪ねいたしますゆえ、おさしつかえなくばご面会くださいますようお願いいたします。

ヴァイオレット・ハンター

「君はこの婦人をまえから知っているのかい?」

「いいや、こっちは知らない」

「もう十時半だよ」

「うん、ベルが鳴っている。どうやらそれらしい」

「こいつは君の予想に反して、案外おもしろい展開をみせるかもしれないよ。いつかの青いガーネット事件なんかも、はじめはつまらないいたずら気分だったのが、あのとおりの大事件になったんだからね。こんどのだって、調べてゆくうち案外大ものになるかもしれないよ」

「どうかそうあってほしいものだ。だがどうやら問題の本人が来たらしいから、どんなことになるのか、会ってみたらすぐにわかるだろう」

話しているところへドアがあいて、若い婦人客がはいってきた。質素ながらきちんとした身形《みなり》をして、千鳥《ちどり》の卵を見るような雀斑《そばかす》のある顔も生きいきと利口そうに、態度もお嬢さま育ちでなく、はきはきしたところがある。

「ごやっかいをおかけしてすみません」ホームズが立って迎《むか》えたので彼女《かのじょ》はいった。「わたくしはじつに不思議なことがございまして、相談しますにも両親も親戚《しんせき》もございませんし、あなたならばきっと、どういたすべきか教えてくださるでしょうと存じ

ましてたら何なりと喜んでいたしますよ」

「ま、どうぞお掛《か》けください。お役にたつことでしたら何なりと喜んでいたしますよ」

ホームズはこの新しい依頼人《いらいにん》の挙措《きょそ》態度や言葉つきに好感をいだいたらしい。例の鋭《するど》い眼力でひとわたり彼女を観察してから、さあお話しなさいとばかり椅子《いす》のなかで眼《め》を細め、両手の指先をつき合せて待ちかまえた。

「わたくしはスペンス・マンロー大佐《たいさ》のお宅で五年間家庭教師をつとめておりました。ところがいまからちょうど二カ月まえに、大佐はノヴァスコーシャのハリファックスへ転勤になりまして、お小さいかたもつれてカナダへお発《た》ちになりましたので、わたくしは職を失ってしまいました。

それで新聞広告を出しましたり、求人広告を見て応募したりいたしましたけれども、口がきまりませず、そのうちわずかばかりの貯《たくわ》えものこりすくなくなりますし、どうしたらよろしいやら、ほとほと途方《とほう》にくれてしまいました。

ウェストエンドにウェスタウェーと申しまして、有名な家庭教師の紹介所《しょうかいじょ》がございます。何か適当な口でもあればと存じまして、そこへも週に一回くらいは行くことにしておりましたが、ウェスタウェーと申しますのは紹介所をはじめた人の名で、いまではミス・ストーパーと申す女のかたの経営になっているのでございます。ストーパーさんは小さな事務室に控《ひか》えていて、職を求めてくる婦人たちを別室に待たせておきまして、一人ずつ呼びこんでは大きな帳簿《ちょうぼ》に照らしあわせて、向くところがあるか調べてくれます。

先週わたくしがそこへ参りますと、いつものとおりストーパーさんの事務室にとおされましたが、その日はストーパーさん独りではなくて、たいそう肥《ふと》って愛嬌《あいきょう》のある男のかたがいっしょでございました。そのかたは顎《あご》が二重になって、咽喉《のど》に垂れ下がるほど肥ったかたで、ストーパーさんの横に腰《こし》をおろして、はいってくる人を眼鏡の奥《おく》からしげしげと見ている様子でございましたが、わたくしがはいってゆきますと急に腰を浮《う》かすようにして、ストーパーさんのほうを向きました。

『この方でよい！　これ以上は望むほうが無理だて。よかった、よかった！』

そのかたは夢中《むちゅう》になって、陽気に手をもみ合せながら喜んでいました。ほんとに気楽そうな、見ていてもおもしろくなるようなかたでございます。

『あんた職を求めておいでなのじゃな？』そのかたがわたくしに申します。

『はい』

『家庭教師のほうをな？』

『はい』

『報酬《ほうしゅう》はどれほどお望みかな？』

『つい近ごろまで、スペンス・マンロー大佐のお宅で毎月四ポンドいただいておりました』

『おう、それはひどい！　何というひどい待遇《たいぐう》じゃ！』とそのかたは激怒《げきど》したように、まるこく肥った両手を投げるようにひろげておっしゃいます。『こういう立派な教養ある婦人を、そればかりのお金で縛《しば》るとは何たることじゃ！』

『いいえ、教養とおっしゃいますけれど、そんなに深くはございません。フランス語がすこし、ドイツ語がすこし、それに音楽と絵のほうは――』

『いや、いや、いや、そんなことはまったく問題外ですわい。肝心《かんじん》なのはあなたの風《ふう》采《さい》態度に淑女《しゅくじょ》としての品位が備わっているか否《いな》かじゃ。いたって簡単です。もしあんたにそれがないとすると、将来この国の歴史のうえに重要なひと役を演ずるかもしれぬ子供を育ててあげるには、ちと不向きということになる。またもしあんたにその資格が備わっとるとすれば、どうして、百ポンド以下の報酬でお願いできますか。わしのほうへ来てくだされば、まず手初めに一年百ポンドというところからお願いしましょう』

いかにわたくしが生活に困っておるとは申せ、この話はあまりよすぎて、さすがに本気にする気にはなれません。でもそのおかたは、たぶんわたくしの顔に疑惑《ぎわく》の色でも現われたからでございましょう、紙いれを出して中からお札《さつ》を一枚ぬきとりました。『これもわしの習慣じゃが、約束《やくそく》のできた婦人には報酬の半分を先にさしあげることにしとります。旅費や身のまわりの支度《したく》に要《い》るじゃろうと思ってな』と両眼を糸のように細くして、そのかたはさもうれしそうでございます。

こんなに魅力《みりょく》のある思いやりぶかいかたははじめてでございます。あちこちとお店にも借りができておりますし、前渡《まえわた》しをしていただきますとほんとに助かるのでございますけれど、全体として、どことなく不自然なところがあるような気もいたしますし、きめるまえにもうすこしよくお話をうかがっておきたいと考えました。

『失礼でございますが、お住居《すまい》はどちらでございましょうか？』

『ハンプシャーです。景色のよいいなかでな、ウィンチェスターから五マイルさきの、椈屋敷《ぶなやしき》というところじゃ。ほんとうにあんな景色のよいところはない。それにわしの屋敷がまた、古風なよい家でな』

『それで私のいたしますことは？　それを一応うかがっておきとうございますが』

『子供は一人――六つになる悪戯坊主《いたずらぼうず》でな、いや、あの子がスリッパで油虫を殺すところをお目にかけたいもんじゃな。ぱちり、ぱちり、ぱちりと、瞬《また》きするうちに三つくらいは殺してしまいますて』

紳士《しんし》は椅子のなかでそりかえって、眼を糸のようにして愉快《ゆかい》そうに笑いました。わたくしは子供の遊びにしては性質《たち》のよくないのに驚《おどろ》きましたけれど、現在のお父さまが愉快そうに笑っていらっしゃるのですから、たぶん冗談《じょうだん》だと思いなおしました。

『それで私のいたしますことは、そのお子さまお一人のお世話だけなのでございますか？』

『いやいや、それだけではありません。子供の面倒《めんどう》だけではなく、わかりのよいあんたのことじゃから、もう察しがついとることとは思うが、そのほかに家内が何かちょいちょい頼《たの》むかもしれんから、むろん下女下男にさせるべきことを頼むような失礼はせんけれども、どうぞかなえてやってほしいのです。どうじゃな、それくらいはできんこともありますまいがの？』

『はい、お役にたつことでしたら何なりと』

『それは結構。それに着物のことじゃが、たとえばな、わしらは一風変った好みがあってな、親切心からのことじゃが、わしらのほうから服を出して、これを着てくださいと頼むようなことがあろうもしれんが、あんたはべつに気を悪くはなさるまいの?』

『いいえ、そんなことは』と口では答えましたけれど、心のなかではずいぶん妙《みょう》なことをいうかただと思いました。

『それからまた、ここへすわってください、あそこへすわりなさいと頼むことがあっても、気持よくそのとおりにしてくださるじゃろうな?』

『はい、よろしゅうございます』

『それからもう一つ、来てくださるまえにその髪《かみ》をもうすこし短う切ってくださいと申したら、これもあんたはきいてくださるじゃろうか?』

わたくしは自分の耳を疑いたくなりました。ごらんのとおり、わたくしの髪の毛はふさふさと多いほうで、色も風がわりな栗色《くりいろ》で、美術的だといわれたものでございます。これまでむざむざと犠牲《ぎせい》にする気持はすこしもございません。

『失礼でございますけれど、それぱっかりはお言葉に添《そ》いかねるかと存じます』

と申しますと、わたくしが何と答えるか、眼を細めて一心に見つめていらしたそのおかたのお顔にちらりと暗いかげがさしました。

『困ったことに、髪の毛のことが肝心なのでな。これは家内の好みなんじゃが、婦人の好みというやつ、こいつばかりはかなえておかんことには困るのでな。そうすると、あんたは髪を切るのはいやとおっしゃるんじゃな？』

『はい、せっかくでございますけれど、それぱっかりは』わたくしはきっぱりと断わりました。

『ああ、それではいたしかたがない。話は打ち切りというものじゃ。ほかの点ではあんたくらい適格な人はないのじゃが、どうも残念なことよのう。――ではストーパーさん、もっとほかの人を見せてもらいましょうわい』

話のあいだ、ストーパーさんはすこしも口を出さないで、書類にかかりきっていましたが、このときちらりとわたくしの顔を見て、たいそういやな顔をいたしました。わたくしが断わったために、たっぷりもらえるはずの手数料が逃《に》げていったからにちがいないと、わたくしはつい気をまわしました。

『あなたまだこの帳簿に名前をのこしておきたいのですか、ハンターさん？』

『ええ、どうぞ。そうしていただきますわ』

『そう？　でもこんなによい、またとない口をお断わりになるんじゃ、それもむだでしょうよ。二度とこんなよい口をさがしてはあげられないでしょうから、そのおつもりでね。ではさようなら』

ストーパーさんは邪慳《じゃけん》ないいかたをして、テーブルのうえの鐘《かね》を鳴らしました。そしてわたくしはそれきりボーイに送り出されたのでございます。

さて、ホームズさん、宿へ帰ってきて、戸棚《とだな》には食べるものとてなく、テーブルのうえには請求書《せいきゅうしょ》が二、三枚もあるのを見ては、さすがにこれは、われながら愚《おろ》かなことをしたのではないかと、わたくしはそんな気がいたしてまいりました。あの一家に妙な好みがあって、家庭教師に変なことを強《し》いるとしましても、それにはそれだけの償《つぐな》いをしようという、わけのわかった申し出なのです。いまこの国で女の家庭教師として年百ポンドをとる人はほとんどございません。それにわたくしとしたことが、こんな髪の毛など大切にしておいて何になりましょう？　現に短くしたためにかえって美しくなったかたもたくさんございます。わたくしもきっとそうなのかもしれません。

こんなふうに考えていますうち、つぎの日にはどうやら後悔《こうかい》したいような気持になり、そのつぎの日にはすっかり自分が悪かったのだと信じるようになりました。きまりの悪いのを我慢《がまん》してあの口がまだのこっているかどうか、紹介所へ尋《たず》ねにいってみようと決心しかけていますところへ、こんな手紙をいただいたのでございます。もってまいりましたから、ちょっと読んでみましょう。

拝啓《はいけい》、突然ながら紹介所のミス・ストーパーの御厚志《ごこうし》により、あなたの御住所を知ることができましたので、書中をもって例の件につき、依然《いぜん》として御再考くださる余地はないかどうかおうかがい申し上げます。じつは帰宅しまして家内にあなたの事を話してきかせましたところ、家内もことのほか乗気で、そのようなかたならばぜひお願いしたいと申しております。

当方はなにぶん変り者ぞろいで、何かとお煩《わずら》わしいことも多かろうと恐縮《きょうしゅく》に存じますので、その慰藉《いしゃ》の一端《いったん》ともいたしたい所存で、ついては報酬の点も四半期三十ポンド、すなわち年に百二十ポンドまではお約束申し上げます。もっともお煩わしいとは申しても、けっしてご迷惑《めいわく》という程のことはなく、たとえば家内は銅青《エレクトリックブルー》色と申す色をことのほか愛好いたしておりますので、午前中室内にてその色の服をご着用くださるようお願いすることがあるかもしれません。しかしこのためにあなたに御失費をかけるようなことはけっしてなく、娘アリス（目下在米、フィラデルフィア）の服がちょうど寸法もよいかと存じます。

なおまたお着席の位置をこちらで指定したり、各種の動作を願うなどは、なんらご迷惑とはならないと存じます。ただ最後に髪の毛の件のみは、何ともお気の毒に存じます。ことに私は過日紹介所において親しく拝眉《はいび》の折にその美しさを十分認識《にんしき》しておりますので、いっそうその感を深くいたしますが、こればかりは遺憾《いかん》ながら譲歩《じょうほ》いたしかねます。そのため報酬も増額いたしましたので、なにとぞ枉《ま》げて御了《ごりょう》承《しょう》くだされたく願い上げます。

その他息子に関しましては、ほんの少しの御配慮にてよろしゅうございます。とにかく試みに一度ご来宅くださいませんでしょうか。お待ち申し上げます。汽車の時刻をご一報くだされば私がウィンチェスター駅まで馬車でお出迎えに参ります。

敬具

ウィンチェスター郊外　椈屋敷にて

ジェフロ・ルーカッスル

こういう手紙なんでございます。それにつきましては、ホームズさん、わたくしも承諾《しょうだく》いたすことに決心はいたしましたけれども、先方と約束をとりきめますまえに、一応あなたにすっかりうちあけてご相談を願ったらと存じまして、こうしてお邪魔《じゃま》にあがりましたわけでございます」

「ははあ、ですがハンターさん、行くことにご決心なすったのなら、それで問題はないじゃありませんか」ホームズはにっこりした。

「でもそれでは、断わったほうがよいとおっしゃるのでもございませんのね？」

「正直に申しますと、これが自分の妹か何かだったら、こういう質問はいやだと思いますね」

「それはどういう意味でございますの？」

「材料がありません。したがって何も申しあげられません。あなたこそかえって何かご意見がおありでしょう」

「さア、わたくしにはたった一つしか説明はないように考えられます。ルーカッスルさんはごく親切なおだやかなかたのようでございますが、奥さまというのが気が狂《くる》っているのではございますまいか。ルーカッスルさんはそれが世間にひろまると、精神病院へいれなければなりませんから、それを恐《おそ》れて、発作《ほっさ》を防ぐためにはどんなことをしてでも、奥さまの気まぐれを満足させてあげようとなさるのではないでしょうか」

「ありうることですね。実際それがいまのところではいちばん有力な説明です。しかしいずれにしても若い婦人に好ましい家庭とはいえないようですね」

「でもお金がねえ」

「そう、報酬は、むろん、いいですね。よすぎるくらいだ。その点に私は不安をいだくのです。年四十ポンドでも人はあるのに、何だってまた百二十ポンドも出すのでしよう？　それには陰《かげ》に何か深い理由がなければなりません」

「こうして事情を申しあげましたのは、あとでお援《たす》けをいただきたくなりましたときに、よく話がわかっていただけるだろうと考えてでございます。あなたがあとについていてくださると思えば、どんなにか力強うございましょう！」

「いいですとも。そう思って安心して向うへいらっしゃい。この話はどうやらここ数カ月間に私の扱《あつか》ったうちで、いちばん興味あるものになりそうです。外観にきわだって新しいところがあります。もし何か疑わしいところがあるか、あなたの身が危険だと思うことでも……」

「危険がございましょうか？　どんな種類の危険を予想なさいますか？」

ホームズは重々しく頭を振《ふ》っていった。「それがはっきりわかってしまえば、それはもう危険とはいえません。しかし昼でも夜でも、いつでも電報一本くだされば、すぐに私が助けにいってあげます」

「それで十分でございます」彼女《かのじょ》は晴ればれした顔つきをして活発に席を立った。「おかげさまで安心してハンプシャーへまいれます。すぐにルーカッスルさんに手紙を出しまして、今晩こんな髪の毛は切ってしまって、あすはウィンチェスターへ発《た》ちます」

なお簡単な感謝の言葉をのべてから、彼女は別れの挨拶《あいさつ》をしてそそくさと出ていった。

私は彼女のしっかりした急ぎ足が階段を降りてゆくのに耳をすましながらいった。

「すくなくともあの婦人は、若いのに自分の身を護《まも》ることにかけては、なかなかしっかりしているようだね」

「しっかりしている必要がおこるだろうよ」ホームズは憂《うれ》わしげに、「ちかいうちにあの女から何か知らせてこなかったら、僕《ぼく》はよっぽどどうかしている」

ホームズのこの予言は、遠からずして的中した。この日から二週間というもの、私はときおり彼女のことを思いだしては、あの孤独《こどく》な女性は何という奇怪《きかい》な人生岐路《きろ》をたどることになったのであろうと訝《いぶ》かってみたりしたものだった。法外に多い報酬、それでいて責務の軽いこと、奇怪な注文、と数えてくると、すべてが何かしら異常な方向を指示しているようだ。異常といっても、それは単なる凝《こ》り性《しょう》や気まぐれから出たことにすぎないのか、何かそこにたくらみでもあるのか？　そもそもルーカッスルという男が悪人なのか、それとも気のよい慈善家《じぜんか》であるにすぎないのか、どう考えてみても私には解けない謎《なぞ》であった。

では、ホームズはどうかというと、三十分間もひきつづきじっとすわりこんだまま、眉《まゆ》をひそめて何か考えこんでいるようなことが毎度だったが、私がこの話を切りだすと、うるさそうに手で私の言葉を払《はら》いのけるようにしながら、「材料だ、材料だ、材料だよ！　粘土《ねんど》がなくて煉瓦《れんが》が作れるもんか！」とどなるのだった。そのくせそのあとではかならず、自分の妹ならけっしてあんな家へやりはしないとつぶやくのがきまりだった。

ついにある晩遅《おそ》く、電報がまいこんだ。ちょうど私はもう寝《ね》ようかと思っていたところで、ホームズは終夜化学の実験に没頭《ぼっとう》することがよくあって、レトルトや試験管にかじりついている彼《かれ》をのこして私は先に寝室《しんしつ》へはいり、朝、食事に降りてみると、彼が依然として前夜のままの状態で研究をつづけているのを発見して驚くことがよくあったが、その晩がちょうどそうした研究に没頭の最中であった。電報というのでホームズは黄いろい封筒《ふうとう》を破って、なかをちょっと読んでから私に投げてよこし、「ちょっと旅行案内を見てくれないか」といったきり、またもや実験である。

明日ヒルウィンチェスターノ黒鳥《ブラック・スワン》ホテルへオイデマツ｜途方《トホウ》ニクレタ」ゼヒオイデネガウ」ハンター

電文が簡単で詳《くわ》しい事情はわからぬが、よくよく困っているらしい。

「君、いっしょに行ってくれるかい？」ホームズはちらと見あげていった。

「ぜひ行きたいねえ」

「じゃ早く調べてくれないか」

「九時半発というのがある」私は時間表に目を走らせながら、「これだとウィンチェスターには十一時半に着く」

「それはいい具合だ。じゃ今晩はもうアセトンの分析《ぶんせき》試験はよしておくほうがいいだろうな。あすはうんと活動しなきゃなるまいからね」

翌朝の十一時には、私たちの列車は一時イギリスの首都だったことのあるウィンチェスターのふるい市にちかいところを突進《とっしん》していた。ホームズは乗りこんだときからずっと朝刊に読みふけっていたが、ハンプシャー州へはいったころからそれをすてて、窓外の景色に見とれはじめた。

うららかな春で、うす青い空には白い綿のような雲がいくつか、静かに東へと流れている。太陽は輝《かがや》かしく照りわたっているが、空気にはえもいわれぬ気持のよい冷たさがあり、それが人の気力をひき締《し》める作用をなした。オルダーショットをめぐるはるかな丘陵《おか》のあたりまで、田園いったいは赤や鼠《ねずみ》いろの農家の屋根が、新緑のあいだから見え隠れしている。

「せいせいするほど美しいじゃないか」ベーカー街の霧《きり》のなかから出てきたばかりの私には、ほんとうに身も心も洗い清められるような思いがあった。

けれどもホームズはいっこうに浮《う》きたたない。

「君はこういうことに気がついているかい。僕のような傾向《けいこう》をもつ男には、何を見ても自分の専門にむすびつけて考えないじゃいられないという精神的苦痛のあることを？　君はこうした農家の点々としている景色を見て、美しいと感嘆《かんたん》している。だが僕にとっては、こういう景色を見ておこる感じは、家のちりぢりにはなれていることと、したがって人知れず罪悪が行われるだろうということだけなんだ」

「驚《おどろ》いたな。このふるい農家が点在するのを見て犯罪を連想するやつがあるもんか！」

「ところが僕にはいつでも一種の恐怖《きょうふ》なんだ。僕は自分の経験に照らして信じているが、美しく平和そうな田園というやつは、ロンドンのどんなに卑《いや》しい裏町にもまして、怖《おそ》るべき悪の秘密をひめているものだよ」

「嚇《おど》かしちゃいけない」

「嚇かしなもんか。それにはちゃんとした理由があるんだ。都会では法律の手が届かぬところにも、世論の力というものがあって、代りをつとめてくれる。どんなにひどい裏町へはいっても、子供の苛《いじ》められる泣き声とか、酔《よ》っぱらいのなぐりあいの物音とかは、必ず隣り近所の同情をひき、憤慨《ふんがい》をかもすものだ。そして司法機関はいたるところ手近に備わっているのだから、ひと言それと訴《うった》えさえすれば、たちまちその出動をみるので、犯罪から断罪まではほんの一歩にすぎない。けれどもあの寂《さび》しい家々を見たまえ。みんなはなればなれにひろい地所にそれぞれ独立していて、多くは法律のほの字も知らないような無知な人たちが住んでいるのだ。こういうところでひそかに悪事が行われたとしてみたまえ。おそらく何年でもその秘密は埋《う》もれたままで、世に知れることはないのにちがいない。僕らに助けを求めてきたこの婦人にしても、ウィンチェスターの町へでも行って暮《くら》しているのなら、すこしも心配することなんかありゃしないんだ。問題は五マイル先にある。彼女の行っているところが、町から五マイル先のいなかだというところに、危険の分子が存在するのだ。とはいうものの、いま彼女の一身に直接危険が迫っているのでないことは確かだがね」

「そうだとも。こうしてウィンチェスターまで会いに出てこられるくらいなら、逃げたければ逃げだすこともできるわけだからね」

「そのとおり。彼女は一身の自由を保っている」

「だがいったいどうしたというのだろう？　何か君に考えはないかい？」

「僕は七通りだけ説明のつけかたを考えた。七つとも、いまわかっているだけの事実とは矛盾《むじゅん》しないのだ。そのうちのどれがあたっているかは、これから先方へ行って新しい事実を聴取《ちょうしゅ》してからでないとわからない。おや、有名な大伽藍《カテドラル》の塔《とう》が見えてきたね。もうじきウィンチェスターへ着くだろう」

黒鳥《ブラック・スワン》というホテルは、駅から遠くないハイ・ストリートにある有名な古い旅館である。行ってみるとハンター嬢《じょう》はもうちゃんと、私たちの到着《とうちゃく》を待ちうけていた。しかも部屋を一つ別にとって、テーブルのうえには食事の用意までしてくれてあった。

「ようこそいらしてくださいました。お二人ともほんとにありがとう存じます。わたくし、どういたせばよろしいのか、ほんとに途方にくれています。お願いでございますから、どうぞよくお教えになってくださいまし」

「どんなことがあったのですか？　それをどうぞ話してください」

「はい、申しあげます。それも三時までには帰りますと、ルーカッスルさんにお約束《やくそく》いたしましたから、急いで申しあげなければなりません。目的は申さずと、ただウィンチェスターへ行ってまいりますからと、お許しをいただいてまいりましたのですから」

「どうぞはじめから順序を追って、のこりなく話してください」ホームズはひょろながい脚《あし》を暖炉《だんろ》のほうへのばして、さあ聞きましょうと身構えた。

「まずはじめに申しあげておきますけれども、わたくしはルーカッスルさんご夫婦《ふうふ》から、いちどだって現実にひどい扱いをうけたことはございません。このことはあのかたたちのために申しあげるのですが、それにもかかわらず、わたくしにはあのかたたちが理解できません。何となく気が許せないのでございます」

「理解できないとは、何がどう理解できないのですか？」

「なさることの理由がでございます。ま、ありのままをすっかり申しあげますから、どうぞお聞きくださいませ。はじめてこちらへ参りましたときは、ルーカッスルさんがここまでお出迎《でむか》えくださいまして、椈屋敷まで小さな二輪馬車でつれてゆかれました。

椈屋敷はお話のとおり美しいところでございます。もっとも屋敷そのものは大きな四角い建物で、雨や風にすっかりよごれていますから、けっして美しくはございませんけれども、まわりにひろい土地がございまして、三方は森、一方だけは開けた土地で、サウザンプトン街道《かいどう》のほうへゆるく傾斜《けいしゃ》しております。街道は玄関《げんかん》から百ヤードばかりのところを曲って通っておりますが、そこまでの開けた土地だけが屋敷に所属している地所でございまして、三方の森はサザートン卿《きょう》の猟場《りょうば》の一部なのでございます。槲屋敷の名は玄関のすぐまえのところに、黄槲の林がひと群れあるところからおこっております。

ルーカッスルさんはこのまえとおなじに上機嫌《じょうきげん》で、ご自分で馬車の手綱《たづな》をおとりでございました。そして夕方わたくしは奥《おく》さまと坊《ぼっ》ちゃんに引合わされました。お目にかかってみますと、ベーカー街でまことしやかに私が申しあげました臆測《おくそく》は、根も葉もないことだとわかりました。ルーカッスル夫人は気違《きち》いではございません。寡言《むくち》なお顔いろのわるい、ご主人よりもずっとお年の若いかたでございました。ルーカッスルさんは四十五以上でしょうに、奥さまはまだ三十には間のありそうなおかたでございます。お二人の話していらっしゃることから、ご夫婦は七年ばかりまえに結《けっ》婚《こん》なすったこと、ご主人は再婚で、まえの奥さまとのあいだにおひとりだけお嬢さまがありますこと、そのお嬢さまはいまアメリカのフィラデルフィアにいらっしゃることなどが自然にわかりました。

ルーカッスルさんはわたくしにそっと、そのお嬢さまがアメリカへ行っていらっしゃるのは、ただわけもなくいまの奥さまがおきらいなためだと教えてくださいました。お嬢さまはもう二十まえではないご様子ですから、そこへこんなお若いお母さまができましては、さぞお家《うち》のなかがおもしろくなかったのでしょうと、わたくしもそれはよくお察しいたしました。

ルーカッスル夫人はわたくしには、お顔ばかりでなくお心のなかまでも、血の気のすくないかたのように思われました。わたくしには好意も反感もおこりませんでした。いてもいなくてもおなじような人でございます。それでもご主人と坊ちゃんとには心からの深い愛情をもっていらっしゃるのが、よくわかります。明るい灰いろのお目をたえずこのお二人からはなさないで、何か不自由はないか、できれば先回りしてでもその不自由をとり除いてやりたいと、気を使ってばかりいらっしゃるのでございます。

ルーカッスルさんのほうも持前の豪放《ごうほう》さで、奥さまを大事になさいます。そして全体としては幸福なご夫婦だとお見うけいたしました。でもそのじつ奥さまには何か秘密のお悲しみでもおありになりますのか、よく悲しそうなお顔をして、ぼんやりと考えこんでいらっしゃいます。涙《なみだ》を流していらっしゃることも、たびたびでございました。わたくしこれはきっと坊ちゃんの気質を苦に病んでいらっしゃるのだと、お察しいたしました。だって坊ちゃんと申せばあんなにわがままで、根性の曲った子供は見たことがございません。年の割にからだは小さいほうですのに、頭ばかりは不釣合《ふつりあ》いに大きゅうございます。怒《おこ》って始末に困るほどだだをこねてみたり、急に拗《す》ねてふさぎこんでみたり、まただだをこねて暴れたり、そんなことばかり毎日くりかえしている子でございます。自分より弱いものをいじめるのが何よりの楽しみで、鼠《ねずみ》や小鳥や虫をとる工夫《くふう》が、それはお上手《じょうず》でございますのよ。でもホームズさん、あの子のことはもう申しあげるのよしましょうね。あんまり関係のないお話でございますから」

「たといあなたは関係がないと思っても、私はすべての事実を細かくうかがうほうが結構です」

「大切なことはもれなく申しあげます。あの家でこれは気持がわるいと、いちばんに気のつきましたことは、召使《めしつかい》たちの様子や行いでございます。召使は二人だけ──夫婦者でございますけれど、亭主《ていしゅ》は名前をトラーと申しまして、乱暴で気がきかなくて頭も髭《ひげ》もごま塩になっていますのに、いつでもお酒の匂《にお》いをぷんぷんさせております。わたくしが参りましてからでも、どろのように酔ったことが二度もございますのに、ルーカッスルさんはすこしもおしかりになりません。

かみさんのほうはたいそう背のたかい、気むずかしい顔をしました力の強い女でございまして、奥さまとおなじようにいつも黙《だま》ってばかりおりますけれど、奥さまよりも人好きが悪うございます。そろいもそろってほんとにいやな夫婦でございます。でもまあしあわせなことに、わたくしはたいてい子供部屋か、自分の部屋におりますので、そう顔をあわすこともございません。子供部屋とわたくしの部屋とは、建物のいちばんはずれに隣《とな》りあっているからでございます。

参りましてから二日間は、何事もなくすぎました。三日目の朝でございます。奥さまがお食事のあとで降りていらっしゃいまして、ご主人に何か小声でおっしゃいますと、ご主人は、『うん、よしよし』と私のほうをお向きになりまして、『ハンターさん、わしらの気まぐれを満足さすために、大切な髪《かみ》まで切ってくださって、たいへん感謝しとりますよ。髪が短うなっても見苦しいどころか、かえって美しゅうなったくらいじゃ。ところで例の青い服じゃが、どんなによく似合うか、ちょっと着てみせてくださらんか。あんたの部屋のベッドのうえに出してあるはずじゃから、まことに申しわけないことじゃが、ちょっと着てみせてはくださらんか』

部屋へ帰ってみますと、ベッドのうえに妙《みょう》な青いいろの服が置いてございました。地はベージュのたぐいで、上等の品でございますけれど、仕立ておろしではなく、たしかに誰《だれ》か着たことのある証拠《しょうこ》がございます。寸法はあつらえて作らせたほどぴったりしておりました。その服を着て出てゆきますと、ご夫婦ともたいそうお喜びで、すこしわざとらしくさえ思われるほどでございました。

わたくしが出てゆきますのを、ご夫婦は客間で待っていらっしゃいましたが、そこは建物の表がわいっぱいにひろがるたいそう大きいお部屋で、床《ゆか》まで届くフランス風の窓が三つございます。そのまん中の窓のまえに、窓に背を向けて椅子《いす》が一つ置いてございましたが、それへかけろと申されますので、そのとおり腰《こし》をおろしますと、ルーカッスルさんがその前を往《ゆ》きつもどりつ静かに歩きながら、それはそれはおもしろいお話をつぎからつぎと聞かせてくださいました。あんまりおかしくて笑いすぎましたので、あとでぐったり疲《つか》れたほどでございます。

でも奥さまはまるでユーモアを解しない人のように、そのあいだにこりともなさらないで、膝《ひざ》に手を置いたまま悲しそうなお顔をしていらっしゃいました。一時間ばかりそうしていますうちに、とつぜんルーカッスルさんが、もう坊ちゃんのおけいこをはじめなければならない時刻だから、服を着かえてエドワードの部屋へ行ったらよかろうとおっしゃいました。

その日から二日目に、おなじような状態で、それとおなじことが繰返《くりかえ》されました。

わたくしはまた服を着かえ、窓のまえの椅子に腰をおろし、ルーカッスルさんのおもしろいお話におなかをかかえて笑いころげたのでございます。ルーカッスルさんはいくらあるか底の知れないほどおもしろいお話をおもちで、つぎからつぎとそれをまね手のないほど上手にお話しなさいました。

ひと通りお話がすみますと、黄いろい表紙の小説をわたくしに渡《わた》して、読んで聞かせてくれとお頼《たの》みになりました。わたくしはなかほどのところからはじめまして、十分ばかり読みつづけてゆきますと、とつぜん句切りも何もおかまいなく文章の中途で、もうやめて服を着かえるがよかろうと申しわたされました。

こんな妙なことばかりさせられますので、わたくしがどんなに不思議がりましたことか、ホームズさん、あなたはよくお察しくださいますでしょう。よく考えてみますと、お二人がなんとかしてわたくしの顔を窓のほうへ向けさせまいとしていらっしゃるのに気がつきました。それに気がついてみますと、わたくしの知らないあいだに窓のそとでどんなことがおこるのか、何とかしてそれが知りたくてたまらなくなりました。でもはじめはそんなことできそうもございませんでしたけれど、まもなくよい方法を考えつきました。

そのまえにわたくしの手鏡《てかがみ》がこわれたことがございます。よい方法と申しますのは、そのかけらを一つハンカチのなかに忍《しの》ばせておいたのでございます。そしてそのつぎにおなじことがございましたときに、笑いにまぎらしてハンカチを眼《め》のところへもってゆきました。うしろの窓のそとを、上手に鏡にうつしてみたのでございます。でもせっかくながらわたくしは失望させられました。そこには何も変ったことはなかったのでございます。

いいえ、すくなくとも最初はそう見えたのでございます。でも、もういちどよく見ますと、サウザンプトン街道に一人の男が立っていまして、どうやらこちらを見ているらしいのが鏡にうつりました。鼠いろの服を着て顎鬚《あごひげ》のある小柄《こがら》な男でございます。サウザンプトン街道は主要道路でございますから、むろんいつでも人通りはございます。でもこの男は通行人ではなく、屋敷《やしき》の垣根《かきね》にもたれて一心にこちらを見あげているのでございます。

これだけのことを見てとりましてから、そっとハンカチをおろしてルーカッスル夫人の様子をうかがいますと、夫人はじっとさぐるような眼つきで私を見ていらっしゃいました。何もおっしゃいませんけれども、わたくしがハンカチのなかに鏡を隠《かく》して、窓のそとを見ましたことにはお気がついたかと存じます。何げない態《てい》で立っておっしゃいました。

『あなた、道のところに不作法な男がいて、ハンターさんをじろじろ見ておりますよ』

『ハンターさん、あんたのお知りあいじゃあるまいな?』

『いいえ、わたくしこのへんに、知ったかたは一人もございません』

『ふむ、失礼なやつじゃ! あんたちょっと向うをむいて、あっちへ行けと手を振《ふ》ってみせてやってくださらんか』

『でもそっとして、放っておきましたほうがよくはございませんかしら』

『いやいや、これから再々《さいさい》うろつかれては困る。ちょっとじゃ、こうやって手を振ってください』

いわれるがままにわたくしは手を振りました。すると奥さまが、さっとブラインドを下ろしておしまいになりました。それがいまから一週間まえのことで、それ以来窓のところへすわらされることもなく、青い服を着せられもいたしません。またその男が街道に立っていますのを見うけもいたしません」

「ふむ、聞けば聞くほどおもしろくなりそうだ。どうぞその先を話してください」

「お話がすこしそれるかもしれませず、またこれから申しあげますことは、個々には何の関連もないことかもしれません。はじめて椈屋敷《ぶなやしき》へ着きました日に、ルーカッスルさんは台所口のそとにございます小さな物置へ、わたくしをつれておいでになりました。物置に近づきますとなかで鎖《くさり》の音がいたしまして、大きな動物の動く気配がございました。

『ここからのぞいてごらん』ルーカッスルさんは厚い板のあいだの隙間《すきま》を教えてくださって、『どうじゃ、立派なもんじゃろ？』とおっしゃいます。のぞいてみますと、闇《やみ》のなかに何か大きなものが蹲《うずくま》って、二つの眼がギラギラ光っておりました。わたくしがあんまりびっくりいたしましたのでルーカッスルさんは笑って、

『ははは、怖《おそ》れんでもよい。カルロといって、マスチーフ種の犬じゃ。わしの犬ではあるが、ほんとうにこの犬を扱《あつか》えるのは、馬丁《ばてい》のトラーだけでな、毎日いちど食べるものをやるが、あんまりたくさんはやらんようにしてあるから、いつでも芥子《からし》のようにピリピリとはりきっとる。夜になるとトラーが鎖をはなしておくから、うっかり屋敷へ押《お》し入ろうもんなら、誰でもかまわずがぶりとひとかじりじゃ。あんたもどうぞ夜になったら、どんなことがあっても家からそとへは出んようにしなさい。命に係《かか》わるでな、はっはっはっ』

この注意はけっして根拠《こんきょ》のないものではなかったのでございます。それから二日目

の晩二時ごろに、わたくしはふと寝室《しんしつ》の窓からそとを見ますと、そとはまぶしいほどの月夜で、まえの芝生《しばふ》が銀いろに輝《かがや》いて、まるでま昼のようでございました。この美しい景色にうっとり見とれておりますと、ふと、椈の木陰《こかげ》の暗がりに何かうごめくものがございます。やがてのっそりと月あかりのなかへ出てきたのをみますと、子牛ほどもある飴《あめ》いろの大きな犬で、口のまわりだけが黒く、あごの肉がだらりと垂れて、からだつきの骨ばった、見るも恐《おそ》ろしい形相をしておりました。椈の下から出てきて、見ていますうちに芝生をのそりのそりと横ぎり、また向うがわの木の下へはいってしまいましたけれど、この恐ろしい無言の番兵には、どんな悪者が来ましても手も足も出すことはできますまい。

それからまた、こういう不思議なこともございました。わたくしはこちらへ参りますまえに、ロンドンで髪を切りましたが、それを大きく丸く束《たば》ねてトランクの底にしまっておきました。ある晩坊ちゃんがおやすみになりましてから、わたくしのときめられました部屋の飾《かざ》りつけや、家具を調べてみたり、自分の品を整理したりいたしましたが、備えつけの家具のなかに大きな古い箪笥《たんす》がございまして、うえの二つは開きましたが、いちばん下の引出しだけは鍵《かぎ》がかけてございます。うえの二つに下着やシーツやハンカチの類をおさめてみましたけれど、二つだけではいりきりませんので、自然下のも使わなければ困ることになりました。

どうしようかと思いましたけれど、ふと、何かの間違いで、必要でもないのに鍵がかかっているのかもしれないと思いつきまして、自分の鍵束を出してためしてみますと、運よく最初の鍵があいまして、引出しはすぐに開きました。引出しのなかには――なかにはたった一つの品がはいっておりましたけれど、わたくしでさえ思いがけない品でございましたから、むろんあなたがたにおわかりのはずはございますまい。――わたくしの切った髪なのでございます。

わたくしは髪の毛を手にとって、よく検《あらた》めてみました。類のない風がわりな色あいと申し分量と申し、わたくしのものに相違《そうい》ないのでございますけれど、でもよく考えてみますと、わたくしの髪の毛がそんなところへはいっているわけがございません。トランクの底にあるわたくしの髪の毛が、どうして独りで引出しへはいって鍵までかけることができましょう。わたくしは震《ふる》える手でトランクをあけまして、上にある品をかきだし、いちばん底から自分の髪の毛をとりだしました。

二つならべて、改めてつくづくと見ましたけれども、ほんとうに自分でもわからないくらいそっくりでございます。不思議なこともあればあるものでございますねえ。考えれば考えるほど、何が何ですかわけがわからなくなってしまいました。わたくしはその不思議な髪の毛を引出しへもどしておいて、家の人には何も申さないことにいたしました。鍵のかかっているものを、勝手にあけましたのは自分が悪かったのでございますから。

もうお気づきかと存じますけれど、わたくしは生れつき物事をよく注意いたすほうでございますから、まもなく家のなかの様子もよくのみこんでしまいました。椈屋敷にはふだん誰も住んでいません別棟《べつむね》が一つつきでていまして、下男のトラーの住まいに通じるドアの向かい側にその棟に行く別のドアがあって、いつでも鍵がかけてございます。ある日わたくしが階段をのぼってまいりますと、ルーカッスルさんが鍵束を手にして、このドアをあけて出ていらっしゃいました。いつもの上機嫌《じょうきげん》で気さくなルーカッスルさんとはうってかわって、このときはまっ赤な顔をして眉をぴくぴく痙攣《けいれん》させ、こめかみに太い青筋が浮《う》いています。出てくるとすぐにもとどおりドアに鍵をかけておいて、わたくしに言葉をかけるどころか、目もくれずに去《い》ってしまいでございました。

このことはわたくしの好奇心《こうきしん》をたかめました。それで坊ちゃんをおつれしてお庭へ散歩に出ましたときに、そとからそちらのほうへまわってみました。見あげますと、そこは四つの窓がならんでおりまして、そのうち三つは埃《ほこり》だらけで何の変ったところもございませず、のこる一つは鎧戸《よろいど》がしめてございました。四つともなかに人のいる様子はございません。ときどき窓を見あげながら、そのへんを静かにぶらぶらしておりますと、ルーカッスルさんがいつものとおりにこにこして、そばへ寄っていらっしゃいました。

『やあ。さっきは知らん顔して、すみませなんだな。怒っちゃいけません。わしは大切な用事につい気をとられていたもんでな』

わたくしはけっして気をわるくなどいたしませんと答えましてから、

『なんですかあそこには、空部屋《あきべや》がたいそうございますようですね。あんなに鎧戸までしめたのもございますのね』

『写真道楽がわしにはあるんじゃ。あそこへ暗室がこしらえてある。が、あんたはよう気のつく婦人じゃな。そんなによう気のつく婦人とは思いませなんだわい。こんなかたじゃとは、まさか誰にしてもな、わっはっはっ』

お言葉は冗談《じょうだん》のような調子でございましたけれど、じっとわたくしを見つめていらっしゃるお眼《め》のなかには、冗談の気《け》は微塵《みじん》もございませんでした。わたくしはそのお眼のなかに疑惑《ぎわく》を読みとりました。煩《わずら》わしさを認めました。ふざけたお気持はなかったのでございます。

さて、こうしてその一組のお部屋のなかに、何かしらわたくしの知ってはならないものがあるのだと知りましたから、わたくしはどうかしてそのお部屋のなかへはいってみたいという、火のような強い願いを起しました。好奇心もなかったとは申しませんけれども、単にそればかりではございません。それよりも責任の観念のほうが強かったのでございます。わたくしがその場所へはいりこむことが、何かしらよい結果を来《きた》しそうな気がいたしたのでございます。よく女性の本能ということを申しますが、これもその本能とやらでそう感じたのかもしれません。とにかくそういうわけで、どうかしてその部屋へはいれる機会をと、ひたすら待ち望んでおりました。

それが昨日になりまして、ついにその機会が参ったのでございます。申しあげておきますけれども、その無人のお部屋へはルーカッスルさんばかりでなく、トラー夫婦《ふうふ》もなにか用事があるらしく、いちどなどトラーが大きな黒い麻《あさ》の袋《ふくろ》をもってはいるのを見かけたことがございます。トラーはちかごろますますお酒をのみますようで、昨日も夕方ひどく酔《よ》っておりましたが、わたくしが階段をのぼってまいりますと、あのドアに鍵がさしこんだままになっております。むろんトラーがおき忘れたのに相違ございません。ルーカッスルさんご夫婦は階下で坊《ぼっ》ちゃんとごいっしょでございますから、わたくしとしましてはまたとなくよい機会でございます。わたくしはそっと鍵を回してドアをあけ、なかへ忍びこみました。

　はいってみますとなかは壁紙《かべがみ》も敷物《しきもの》もない粗末《そまつ》な廊下《ろうか》で、まっすぐに向うへ突《つ》きあたってから、直角に曲っています。それを曲りますと廊下に三つのドアが並《なら》んでいまして、手前といちばん奥《おく》はあけてございました。どちらも埃だらけのがらんとした空部屋で、一方には窓が二つ、一方には一つだけでございまして、よごれたガラスをとおして夕方の弱い光がぼんやりと射《さ》しこんでおります。

　まん中のドアはしめて、そとからベッド用の大きな幅《はば》ひろい鉄棒を横にあてがい、その一方は壁の輪に南京錠《ナンキンじょう》でとめ、一方は丈夫《じょうぶ》な綱《つな》で結《ゆわ》えてございます。ドアにはむろん鍵がかかっており、鍵はそのへんに見あたりませんでした。これが例の鎧戸のしめてあります部屋に相違ございません。鎧戸がしまってそとから光はささないはずでございますのに、ドアの下の隙から見ますとなかはまっ暗ではございません。きっと天井《てんじょう》にあかりとりがあるからでございましょう。

　ドアのまえに立ちまして、このなかにどんな秘密が隠してあるのだろうかと、ぼんやり考えておりますと、とつぜん部屋のなかに人の足音が聞え、ドアの下の隙に影《かげ》がさしたり消えたりいたしました。わたくしはそれを見まして、何とも申しようもない恐怖《きょうふ》に襲《おそ》われました。緊張《きんちょう》しきっていました気力が、とつぜんくずれてしまったのでございます。

わたくしは駆《か》けだしました。何か恐ろしい手に裾《すそ》をつかまれでもしましたように、夢中《むちゅう》で逃《に》げだしました。廊下を走って、例のドアのそとへとびだしますと、そこで思いがけなくもルーカッスルさんの両腕《りょうで》にぐっと抱《だ》きとめられました。ドアのそとで待ちうけていらしたのでございます。

『やあ、やっぱりあんたじゃったな。ドアがあいとるから、たぶんそうじゃろうと思うたがな』ルーカッスルさんはにこにこしておっしゃいました。

『わたくし、ほんとうに恐ろしくて……』わたくしは息をはずませました。

『もう大丈夫。もう心配はない』ルーカッスルさんはそれはやさしく、なめるように労《いたわ》ってくださいました。『じゃが何がそんなにこわかったのかの？』

でもあんまりお声がやさしいので、わたくしは急に用心いたしました。

『空部屋にはいっていったりして、わたくしほんとうに馬鹿《ばか》でございますわ。うす暗くて寂《さび》しくて気味がわるいんでございますもの。ぞっとして逃げだしてまいりましたの。ほんとにがらんとして、恐ろしいほど静かなんでございますもの』

『ただそれだけのことなのかな？』じろじろとわたくしは見られましたので、

『だって、なぜでございますの？』

『わしが何のためここへ鍵をかけとくと思うとりなさるな?』

『さア、何も存じませんで……』

『用のない者をいれぬためじゃ。おわかりかな?』ルーカッスルさんはとても愛嬌《あいきょう》よく、にこにこ笑いながらおっしゃいました。

『それを承知いたしておりましたら、けっしてはいるのでは……』

『ああ、いいや、これであんたにはわかったはずじゃな、二度とこのなかへはいろうとでもしたら』とルーカッスルさんはここで急に恐ろしい顔をしてわたくしをにらみすえながら、『あの犬小屋へたたきこみますぞ!』

あまりの恐ろしさに、それからのことはすこしも存じません。きっとそのままルーカッスルさんを置きざりに、自分の部屋へ駆けこんだものでございましょう。気がついてみましたら、ベッドのうえに倒《たお》れて、からだじゅうぶるぶる震えておりました。

そのときホームズさん、わたくしはあなたを思いだしましたのでございます。どなたか相談に乗ってくださるかたなしには、独りではもはや一日もこの家にはいられません。あの家も、ルーカッスルさんも、奥さまも、召使《めしつかい》夫婦も、坊ちゃんまでがわたくしにはこわくなりました。あなたにいらしていただければ、もう安心でございます。

むろんそのまえに、わたくしがこの家を逃げだせばよろしいわけでございますけれど、恐ろしさとおなじくらいに、わたくしは好奇心も強うございます。わたくしはすぐに思案を定めました。あなたへ電報することでございます。

帽子《ぼうし》と外套《がいとう》をつけて、家から半マイルばかりの郵便局へ参り、電報をうってしまいますと、帰りはずっと心がおちついてまいりました。でも門のところまで帰りまして、ふと犬のことが心配になってまいりましたけれど、夕方トラーがぐでんぐでんに酔っていましたのを思いだしまして、やっと安心いたしました。あの犬をどうにか扱いこなせますのは、トラーだけなのでございます。ほかの者には解きはなすことすらできません。

何事もなくこっそりと帰ってまいりました。そしてあなたにお目にかかれるのだと思いますとうれしくて、遅《おそ》くまで眠《ねむ》れませんでした。今朝ウィンチェスターへ出てまいりますお許しをいただきますのは、むずかしくもございませんでした。その代りルーカッスルさんご夫婦は三時に余所《よそ》をご訪問で、夜遅くでなければお帰りがないはずでございますから、お出かけまでには帰りまして、坊ちゃんのお世話をいたさなければなりません。

これで何もかもすっかり申しあげました。これはいったい、どうしたわけなのでございましょうか？　そしてわたくしはこれからどういたせばよろしいのでしょうか？

どうぞお教えくださいませ」

ホームズも私も、この異常な物語を息づまる思いで傾聴《けいちょう》した。物語が終るとホームズは立ちあがって両手をポケットに突っこみ、部屋のなかを歩きまわった。表情はきわめて沈痛《ちんつう》である。

「トラーはいまでも酔っぱらっていますか？」しばらくして彼《かれ》が尋《たず》ねた。

「はい。おかみさんの方が今朝奥さまに、トラーが正体がなくて困ると訴《うった》えておりました」

「それはよい。ルーカッスルさんは今晩留守なんですね？」

「はい」

「椈屋敷《ぶなやしき》には、丈夫な錠のある穴倉はありませんか？」

「ございます。酒倉がございます」

「あなたのなさったことは、前後を通じてたいへん勇敢《ゆうかん》で賢《かしこ》かったと思います。どうですか、このうえもうひと役だけやってみる気はありませんか？　普通《ふつう》のご婦人なら、私もこんなことはおすすめしないのですけれどね」

「はい、いたしてみましょう。どんなことでございますか？」

「私たちは今晩七時に椈屋敷へ参ります。その時刻には、ルーカッスルさんご夫婦はまだ帰らず、トラーはおそらくまだ酔いつぶれているでしょう。のこる邪魔《じゃま》ものはトラーのかみさんだけです。だからあなたが何か用事をこしらえて、かみさんを穴倉へやり、はいっているところを外から錠をかってくださると、ことが非常に容易になるわけです」

「仰《おお》せのとおりにいたします」

「ありがとう。ところでこの不思議な話をここで一応研究してみましょう。むろんこれにはたった一つしか可能な説明はありません。あなたはある人物の身代り役を演ずるためここへつれてこられたので、その人物はその秘密の部屋へとじこめられているのです。それは争う余地のない事実です。ではその人物は何者であるか？　アメリカへ行っているという令嬢《れいじょう》アリス・ルーカッスルであること疑いを容《い》れません。あなたは背《せ》丈《たけ》もからだつきも、髪《かみ》の毛の色あいもアリスにそっくりなので選ばれたのです。アリスは熱病か何かで髪の毛を切っているので、あなたも外見を一致《いっち》させるため切られたのです。その髪の毛――アリスの切った髪の毛があなたの目にとまったのはおもしろい偶然《ぐうぜん》でした。

道に立っていた男というのは、むろんアリスの知っている人、おそらく婚約者《こんやくしゃ》なのです。アリスの服を着てルーカッスルさんのおもしろい話に笑い興じているあなたを見て、その男はあなたをアリスと思いこみ、あなたの挙動であなたが無事息災であり、幸福そうであるが、もはやその男のことなど何とも思っていないのを知らされました。夜になると犬を放つのも、その男がアリスのところへ忍《しの》ぶのを防ぐためでした。ここまではきわめて明白なことですが、この事件で最も重要なのは、子供の性質です」

「子供の性質？　そんなものがいったいどう重要なんだい？」私は怪《あや》しみ叫んだ。

「ワトスン君、きみは医者として、両親を研究することによって子供の性癖《せいへき》を察知《さっ》することをいつもやっているだろう？　おなじようにその逆もまた可能だとは思わないかい？　僕《ぼく》は従来子供をよく研究することによって、その両親の性情洞察《どうさつ》に第一歩をふみだした例が、しばしばある。この子供の性質は病的に残虐《ざんぎゃく》だ。残虐のために残虐を行うふうがある。この性質が僕の想像するとおり愛嬌のよい父親から伝わったものか、それとも母親から享《う》けたものか、それはまだ明らかでないが、いずれにしてもこれが、彼らの手中にあるアリスにわるい影響《えいきょう》をおよぼしているのだよ」

「それにちがいございませんわ」ハンター嬢が声をはずませた。「お話をうかがいまして、わたくしにも思いあたる節がたくさんございます。さ、一刻もはやく、あのおかわいそうなかたを救ってあげにまいりましょう」

「非常に悪賢い男を相手にしているのですから、十分用心してかからなければなりません。七時まではどうすることもできないのです。七時になったらお目にかかります。そしてじきにこの秘密はといてあげますよ」

馬車を路《みち》ばたの居酒屋へ預けておいて、私たちは約束《やくそく》のとおり正七時に椈屋敷へと乗りこんだ。沈《しず》みゆく夕陽《ゆうひ》をうけて、研《と》ぎすました金属片《きんぞくへん》のようにぴかぴか光る葉をこんもりとつけた木立は、たとえハンター嬢が微笑《びしょう》をたたえて玄関の石段に出迎《でむか》えていてくれなかったとしても、屋敷をそれと見まがうべくもなかった。

「いったことを、うまくやってくれましたか?」ホームズが尋ねた。

どしんどしんとはげしい物音が階下のどこかでしている。

「あのとおりトラー夫人が騒《さわ》いでいます。ご亭主《ていしゅ》のほうは台所の床《ゆか》に倒れて大鼾《おおいびき》でございますよ。これがご亭主のもっていました鍵束《かぎたば》で、ルーカッスルさんのとおなじものでございます」

「おお、それはうまい」ホームズは眼《め》を輝《かがや》かした。「さ、案内してください。早く秘密のとびらを開いてやりましょう」

私たちは階段をのぼっていった。ドアをあけて廊下へ踏《ふ》みこみ、ハンター嬢から聞いたとおりの鉄棒つきの密室の前に立った。ホームズがためらうことなく綱を切って鉄棒をとりのけた。そしていろんな鍵を出して試みたが、どれも合うのはなかった。そのあいだなかからは何の物音も聞えない。あまり静かなのでホームズは顔を曇《くも》らせた。

「おそかったかな。ハンターさん、あなたはなかへおはいりにならぬほうがよいですよ。さ、ワトスン君、肩《かた》をかしたまえ。力ずくだ」

ドアは古びて弱っていた。二人で力を合せてぶつかるといちどでこわれた。私たちは重なりあって躍《おど》りこんだが、なかはもぬけの殻《から》だった。わらぶとんをしいたベッドが一つ、小さなテーブルが一つ、下着やシーツの類をいれたかごが一つあるだけで、ほかには何一つ家具らしいものもない部屋だった。天窓があけ放たれている。

「ここで罪悪が行われていたんだ。ところが敵は早くもハンターさんの意図を見ぬいて、犠牲者《ぎせいしゃ》をどこかへ運び去ってしまった」

「どうやって逃げたのだろう？」

「天窓からさ。どんなふうにして実行したか、ちょっと見てやろう」ホームズは身軽に天窓から屋根へ出ていったが、「これだ！　ここに軽くてながい梯子《はしご》が軒《のき》に立てかけてある。こいつで逃げたんだ」

「でもそんなはずはございませんわ。ルーカッスルさんがお出かけのときには、そんなところに梯子はございませんでしたもの」

「あとで引返してきてやったのですよ。あいつは実に奸知《かんち》にたけた油断のならない男ですからね。おお、階段に足音がする。きっとあいつにちがいない。ワトスン君、ピストルの用意をしているといいね」

ホームズの言葉の終るか終らぬうちに、ひどく肥《ふと》った強そうな男が、太い棍棒《こんぼう》を手にして、ぬっと部屋の入口にたち現われた。ひと目その姿を見るや、ハンター嬢は悲鳴をあげて壁ぎわに小さくなって縮みあがった。とっさに、シャーロック・ホームズがすすみ出て、その男のまえに立ちはだかった。

「悪党、お前の娘《むすめ》をどこへやった？」

肥った男は部屋のなかを見まわし、それから天窓のあいているのに目をつけた。

「それはこっちでいう文句じゃ。どろぼう！　犬！　さアもう逃がしはせぬぞ！　逃がすもんか！　どうするか見ていろ！」

彼はくるりと向きなおったと思うと、足音たかく大急ぎで階段を降りていった。

「たいへんです！　ルーカッスルさんは犬を放しにいったのです！」

「大丈夫。こっちにはピストルがありますよ」私が力づけた。

「玄関《げんかん》をしめたほうがいい」ホームズがいうので、私たちは階段を駆け降りた。

ホールまで降りたとき、犬のものすごいうなり声が聞えたと思うと、つづいて人間の悲鳴が聞えた。断末魔の苦しげな悲鳴と、かみついて振《ふ》りまわす犬のうめきは、肌《はだえ》に粟《あわ》だつような恐《おそ》ろしさだった。そこへ、まっ赤な顔をした初老の男がよろよろと台所口のほうから出てきた。

「たいへんだッ！　誰《だれ》か犬をはなしたなッ！　まる二日何も食わしてねえだ！　早く、早く、早くしねえと殺されてしまうだぞッ！」

ホームズと私は同時にとび出して、建物の角をまわって横手へ駆けだした。トラーがあとからふらふらとついてくる。

行ってみると、飢《う》えきった猛犬《もうけん》は黒い鼻先をルーカッスルの喉笛《のどぶえ》ふかく突っこんでいるのだった。食いつかれたルーカッスルは、うめきながら地上をのたうっている。走りよるなり私は犬の頭に向けて一発くらわせた。その一発で犬はどさりと倒れたが、倒れても白い牙《きば》だけは主人の咽喉《のど》からはなそうとしなかった。

骨折ってようやく犬をはなし、恐ろしい手傷に死んだようになっているルーカッスルを、みんなで家のなかへ担《かつ》ぎこんだ。とりあえず客間のソファに寝《ね》かせて、酔いもさめはてたトラーに命じて夫人のもとへ知らせに走らせてから、私はできるだけ被害《ひがい》者《しゃ》の苦痛を除くようにと手当をしてやった。そこへドアがあいて、背のたかいやせた女がはいってきた。

「あ、トラーのおかみさん！」ハンター嬢が口走った。

「ハンターさん、旦那《だんな》がそとからお帰りになって、あんたのところへ行くまえに、私を出してくだすったんですよ。こんなことをするまえに、それならそうと私に知らせてくだされればいいものを、そうすればあんただってむだな骨を折らないでもよかったんですよ」

「おお」ホームズはじっと彼女《かのじょ》を見入っていった。「このことはお前さんが誰よりもよく知っておいでだったねえ」

「はい、ようく知ってますよ。だから知ってるだけのことは、何でも話してあげますさアね」

「じゃまアそこへかけて、話を聞かしてもらおうじゃないか。じつは私にもまだよくわからないところがあるんだから」

「よござんす。すっかりわかるように話してあげますよ。穴倉から出られさえしたら、もっと早くにだって話してあげられたんですのにねえ。もしこれが警察沙汰《ざた》にでもなれば、わたしゃあんたがたのほうにつく人間なんですよ。アリス嬢さまの味方なんですからねえ。

おかわいそうに、お嬢さまは旦那さまが二度目の結婚をなすってから、一日だってしあわせな日というものはなかったんですよ。まるで邪魔もの扱《あつか》いでさア。それでもお嬢さまは何もおっしゃりゃしません。それにお友だちのところでファウラーさんと知りあうまでは、どうこういってもまだまだましだったんです。

なんでも私の聞きましたんじゃ、お嬢さまはどなたかの遺産で、ご自分のものをおもちなんですが、何しろおとなしいがまん強いおかたのことですから、そんなもののことは口にもしないで、すっかり旦那さままかせにしていらしたんです。旦那さまにしてみれば、お嬢さまといっしょにいらっしゃるあいだは、その財産は自由にできるけれど、お嬢さまが結婚でもなさるとなると、お婿《むこ》さんのほうでそれでは承知しますまい。法律できめられているものは、こっちへよこせということになりましょう。そうなったら旦那さまは上がったりです。

そこで旦那さまも考えました。結婚なさろうとなさるまいと、その財産を自由にできるような証文をお嬢さまから取ろうというのです。いくらお嬢さまでも、そこまでは承知なさるわけがありません。旦那さまがあんまりやいやい責めつけるんで、おかわいそうにお嬢さまはとうとう熱を出して、六週間というもの死ぬか生きるかの大病でございました。それでもどうやら病気だけは快《よ》くおなりでしたが、美しい髪はきってしまう、からだはまるで影《かげ》のようにやせほそる、ほんとに見るかげもなくお変りでした。でもファウラーさんは感心にお心がわりなさらずと、それはそれはお嬢さまを思っていらしたのでございますよ」

「ああ、それだけ聞いたら、あとは聞かなくてもすっかりわかったよ。それからルーカッスルさんが座敷牢《ざしきろう》を思いついたんだね」

「はい、さようでございますよ」

「そしてこのハンターさんをロンドンからつれてきて、あきらめぬファウラーさんを邪魔もの扱いして追い払《はら》おうとしたんだね」

「はい、そのとおりなんでございますよ、あなた」

「しかしファウラーさんは立派な船員の備えているべき強い忍耐力《にんたいりょく》をもっているので、辛抱《しんぼう》づよくこの家を見張っているうち、お前さんと知りあって、金属片を使ったか紙だったか知らないが、とにかくお前さんと話をつけて、その人のためにつくしてやれば得のゆくことを納得《なっとく》させたというわけだろう？」

「ファウラーさんはたいそう親切な、気前のよいかたでございますよ」かみさんがすまして答えた。

「それからお前さんにはご亭主を酒に不自由をさせないようにして、主人の留守のとき梯子を用意するようにと……」

「そのとおりでございます。そっくりそのとおりでございますよ」

「おかげでいままでわからないでいたことが、すっかりわかった。お礼をいいますよ。ところでルーカッスルの奥《おく》さんが土地の医者をつれてお帰りになったようだ。ワトスン君、われわれはこのままハンターさんを送ってウィンチェスターへ帰ったほうがよさそうだね。こうなるとわれわれの法的権利は怪しくなったようだからね」

かくして玄関さきに椈の林のある椈屋敷の怪奇《かいき》なる謎《なぞ》は解かれたのであった。ルーカッスルは生命こそとりとめたけれど、まったくの廃人《はいじん》となり、献身的《けんしんてき》な妻の奉仕《ほうし》によって、わずかに生き永《なが》らえているというにすぎなかった。いまでもあの老夫婦《ふうふ》をつかって、あの屋敷に住んでいるが、おそらくトラー夫婦がルーカッスルの過去をあまりに知りすぎているので、いまさら暇《ひま》を出すわけにも、また取るわけにもゆかないのであろう。

ファウラーとアリスとは脱出《だっしゅつ》の翌日サウザンプトンで、大僧正《だいそうじょう》の特別許可証によって結婚した。ファウラー氏は官吏《かんり》として、インド洋のモーリシアス島に赴任《ふにん》している。ヴァイオレット・ハンター嬢に関しては、私はそれを知って失望を感じたのであるが、ホームズはひとたび彼女が事件の中心でなくなると、それきり何の関心をも見せなかった。いまはバーミンガム郊外《こうがい》のウォルソールで私立学校長になっているが、さだめし相当の成功をおさめていることだろう。

――一八九二年六月『ストランド』誌発表――

解説

延原謙

探偵《たんてい》小説の起源は、これを聖書やアラビア文学中に求める人もあるけれど、一般《いっぱん》にはエドガー・アラン・ポーだとされている。一八四九年に四十歳《さい》の若さで死んだポーは『マリー・ロージェ事件の不思議』『モルグ街の殺人事件』『盗《ぬす》まれた手紙』の三つの探偵小説と、『黄金虫《こがねむし》』『黒猫《くろねこ》』など多くの準探偵小説とも見なされる作品を遺《のこ》しているのである。

これにたいしてドイルは探偵小説中興《ちゅうこう》の祖だといわれるが、事実は近代探偵小説の鼻祖《びそ》は彼《かれ》だといってもよいであろう。そのあいだフランスにエミール・ガボリヨ（一八三五―七三年）などの一派があるけれど、これは探偵小説の正統ではなく、家庭小説から出発したものと見なすべきであろう。

サー・アーサー・コナン・ドイルは一八五九年にスコットランドのエディンバラ市で平凡《へいぼん》な役人を父として生れた。長じてエディンバラ大学の医科に学んだが、家庭は弟妹が多く生活は楽でなかったとみえて、在学中も外科医の助手などのアルバイトをしたらしい。そのため卒業も級友より数カ月遅《おく》れたとさえいわれる。その苦しい生活のなかにあっても、古典文学を廉価版《れんかばん》の古本でさかんに読んだ。それからガボリヨやポーも愛読した。

二十二歳で学業を卒《お》えると、捕鯨船《ほげいせん》の船医になって八カ月ほど北氷洋《ほっぴょうよう》へ行ってきたり、アフリカ航路の荷物船に三カ月ほど乗りこんだりした。帰ってくると一八八二年にポーツマス港郊外《こうがい》サウスシーに家を借りて開業した。だがこの開業はまことにみじめな船出であった。診察室《しんさつしつ》だけは曲りなりに飾《かざ》りつけたものの、それ以上は手がまわらない。一歩奥《おく》の部屋へ踏《ふ》みこんでみると、がらんとして家具一つないところへ、空箱《あきばこ》が二つおいてある。その一つを食卓《しょくたく》に、一つに腰《こし》をおろして水を飲みながらパンをかじって三度の食事をすますというわびしさであった。

その地が大いに有望とみて開業したのに、患者《かんじゃ》がさっぱり来《こ》ないので、ありあまる暇《ひま》を利用してドイルは小説をものし、三文雑誌その他へ送ったが、そのたびに判で押《お》したように返送されてきた。しまいには切手代も怪《あや》しくなったと本人がのちに告白している。そのときふと思いだしたのが大学時代の恩師ジョゼフ・ベル博士である。この人は毒舌家《どくぜつか》で、観察力が非常に鋭敏《えいびん》だった。たとえば新来の患者は五分間ばかり黙《だま》って見ていたのち、その職業や前歴や病患の種類までピタリといいあてることもしばしばだったという。ベル博士のことを書いたものを読んでみると、それをモデルにしたのだから当然のことではあるが、のちにドイルの描《えが》いたシャーロック・ホームズときわめて似たところがある。つまりホームズはベル博士の性格のある部分を著《いちじる》しく強化したものといえるであろう。

さてベル博士を思いだしたドイルは、むろんそれをポーのデュパン探偵やガボリヨのルコック探偵にむすびつけて考えたことであろう。そして二、三週間一心にペンを走らせた結果できあがったのが『緋色《ひいろ》の研究』という三百数十枚の一編であった。例によってあちこちの出版社に断わられ、最後にワード・ロック社と、二十五ポンドで著作権買取りという条件で話がまとまった。それが一八八七年の「ビートンのクリスマス年刊」におさめられて世に出たのだが、それまでに一年くらい経過したらしいから、書いたのはおそらく一八八六年かと思われる。

作者としては自信があったのだが、この作はあまり世間の評判にもならなかった。それでドイルは失望して、もうホームズ物は書くまいとあきらめていた。ところがそれから二年たって、アメリカの雑誌『リピンコット』がこの作に目をつけ、新作を依《い》頼《らい》してきた。あきらめていたドイルがすくなからぬ前金までそえての依頼に力を得て書いたのが『四つの署名』という三百枚たらずの一編であった。

さて、『緋色の研究』が『ビートン』誌に出たのがまえにいったように一八八七年のクリスマス号、ついで『四つの署名』が『リピンコット』誌に出たのが一八九〇年二月号であるが、ちょうど一八九一年二月に創刊された『ストランド』誌の編集者がこれに眼《め》をつけて、読切《よみきり》短編を依頼し、同年七月号から一年にわたって連載《れんさい》、文字どおり世間を熱狂《ねっきょう》せしめたのがここに訳出した『シャーロック・ホームズの冒険《ぼうけん》』である。ために同誌の売れゆきはぐんぐん伸《の》びだし、競争誌『ピアスン』誌にオースチン・フリーマンのソーンダイク探偵譚《たん》で対抗《たいこう》せしめることになったばかりでなく、探偵作家ドイルの地位を不動のものにし、なお多くの追随者《ついずいしゃ》（たとえばマーチン・ヒューヒット探偵のアーサー・モリスン）を輩出《はいしゅつ》し、一時代を画することにもなったのである。そうして以後ドイルはホームズ物語に関するかぎり、長短編とも全作品をこの『ストランド』誌に発表した。

ドイルは全世界の人の日常語になったほどシャーロック・ホームズで成功したけれど、みずからは歴史小説家をもって任じ、そのほうの作品に自信があったようだ。そういう作品には“Rodoney Stone”“Micah Clark”“The White Company”“Sir Nigel”などがある。なおついでにいえば、ドイルにはホームズ探偵譚のほか科学小説、冒険とスリルの物語、心霊学《しんれいがく》に関する著作がある。これは晩年に心霊術に凝《こ》って世界の各地を講演して回ったときの速記を主としたものであるが、これには因縁《いんねん》がある。第一次大戦のとき子息キングスリーが出征《しゅっせい》してソンムで傷つき、ロンドンへ後送されてから亡《な》くなった。その子息への思慕《しぼ》が凝って心霊学へ迷いこむにいたったのだと伝えられることである。

ドイルが探偵作家のレッテルに甘《あま》んぜず、歴史小説家をもって任じていたことはまえに述べたが、それくらいだから世の熱狂的歓迎《かんげい》にもかかわらず、ホームズを死んだことにしてみたり、第一次大戦のはじめには、ホームズが隠退して、かねての念願どおり英仏海峡《えいふつかいきょう》を見おろす丘上《おかうえ》に蜜蜂《みつばち》を友の自適生活にはいっていることにしてみたりしたが、そんなことで読者（編集者も）は許してくれなかった。そこでついに累計《るいけい》五十六の短編と四つの長編を書いたことは周知のとおりである。亡くなったのは一九三〇年七月七日、最後の作品は一九二七年四月号の『ストランド』誌に発表された『ショスコム荘』（『シャーロック・ホームズの叡知《えいち》』中にあり）である。

なお一九四八年にいたって短編の遺稿《いこう》が一つ発表されたが、それを見ればドイルがいかに材料を吟味《ぎんみ》し、さらりと書き流してあるように見えて、そのじついかに推敲《すいこう》を重ねていたかが察せられ、シャーロック・ホームズ物語が世の熱狂的歓迎をうけたのも、けっして偶然《ぐうぜん》でないのがわかるのである。

日本ではホームズ探偵譚は青少年の読みものだと思いこんでいる人が多いらしい。それも一面の実相にはちがいなかろうが、欧米《おうべい》では（日本でも）知名の学者政治家記者などのなかに、こよなくこれを愛好する人があり、（たとえばジェームズ・ヒルトンの『チップス先生さようなら』のように）この人たちはみずからSherlockianと名のりBaker Street Irregularsという会を結成しているほどである。この会名が、『四つの署名』や『シャーロック・ホームズの思い出』のなかの『かたわ男』にドイルが使っている言葉から出ているのは申すまでもない。

この会には誰《だれ》でもはいれるが、入会のときの席上でホームズ物語に関する小論文を朗読することが条件になっている。多くはパロディであるが、たとえば「ワトスンは二度戦傷をうけたか?」「ワトスンの名はジョンかジェームズか?」などというのがすでに書かれている。ワトスンはアフガンへ出征して肩《かた》にジェゼール銃弾《じゅうだん》をうけて後送されたと『緋色の研究』にちゃんと書いてあるのに、その後の作品には脚部《きゃくぶ》に負傷したとあるので、前者はそれを皮肉ったものである。またワトスンはジョン・ワトスンとしてはじめ読者に紹介《しょうかい》されているのに、『唇《くちびる》の捩《ねじ》れた男』で細君がとつぜん「ジェームズ」と呼びかけている。後者は作者ドイルのこの錯覚《さっかく》を衝《つ》いたものである。

ホームズ物語には、おそらく作者の錯覚にもとづくのであろうが、こうした間違《まちが》いがいくつか指摘《してき》される。ホームズ物語はすでに述べたように、その大部分は『ストランド』誌によって発表されたのだが、のちに単行本になってからも、作者は気がついていたことと思われるのに、訂正《ていせい》が加えてない。だからこの錯誤は一つの古典的事実となっている観がある。そういう錯誤は訂正しないで、版によって固有名詞などにかえって変更《へんこう》を加えたものがあるが、このことは別のところで述べることにしたい。

さて、ホームズ物語の第一短編集であるこの『冒険』のなかでは『赤髪《あかげ》組合』『唇の捩れた男』『まだらの紐《ひも》』などがことにすぐれているといわれる。その説に異存はないが、前二者のユーモアには限りなき愛着をおぼえる。不気味なので有名な『まだらの紐』のなかにすら私はユーモアを感じる。そのほか随所に見られる作者のこのユーモアが、ホームズ物語の愛読せられる大きな要因をなしているのであろう。

『冒険』は元来十二の短編からなるのであるが、本書には紙幅《しふく》の制約から十編だけを収載した。つぎに原作の題名を掲げる。＊印は本書に割愛《かつあい》したものである。

The Adventures of Sherlock Holmes（1892）

A Scandal in Bohemia

The Red-Headed League

A Case of Identity
The Boscombe Valley Mystery
The Five Orange Pips
The Man with the Twisted Lip
The Adventure of the Blue Carbuncle
The Adventure of the Speckled Band
＊The Adventure of the Engineer's Thumb
The Adventure of the Noble Bachelor
＊The Adventure of the Beryl Coronet
The Adventure of the Copper Beeches

シャーロック・ホームズ探偵譚は短編集が五冊と長編が四冊ある。全部読みたい人には左記の原作発行順に読むことをおすすめする。
『緋色の研究』『四つの署名』『シャーロック・ホームズの冒険』『シャーロック・ホームズの思い出』『バスカヴィル家の犬』『シャーロック・ホームズの帰還《きかん》』『恐怖《きょうふ》の谷』『シャーロック・ホームズ最後の挨拶《あいさつ》』『シャーロック・ホームズの事件簿《じけんぼ》』

（一九五三年三月）

四六九ページで本書に割愛したと述べた二つの短編は『シャーロック・ホームズの叡知』のなかにおさめてある。

（一九五八年十一月追記）

改版にあたって

この度《たび》、活字を大きく読みやすくするに当たり、新潮社の意向により外国名、外来語のカタカナ表記の正確、統一を図ることになった。訳者が一九七七年に没しているため、訳者の嗣子《しし》である私がその作業に当たったが、現代においてはあまりに難解な熟語や、種々の古風すぎる表現も多少改め、不適当と思われる訳文を修正した。

あくまでも原文に忠実にを基本に置き、物語の背景であるヴィクトリア朝の持つ雰《ふん》囲気《いき》を伝える程度の古風さは残したいと考えつつ、もとの訳文の格調を崩《くず》さぬよう留意して作業したつもりであるが、読者諸氏の御理解を得られれば幸いである。

改訂《かいてい》に当たり、訳者の姪《めい》である成井やさ子、および、新潮文庫編集部の協力を得たので、ここに謝意を表する。

延原　展

（一九八九年四月）

本書に収録されている作品には、「びっこ」「いざり」「めくら」などの言葉が使用されております。ことに「ボスコム谷の惨劇」では「びっこ」が、「唇の捩れた男」では「いざり」が多用されております。これらの言葉は、身体の不自由な人々を差別するような文脈で使用されることが多かった言葉であり、今日、日常語としては使用が控えられる言葉です。しかしながら編集部では、作品が差別を助長する意図をもって書かれたものではないこと、翻訳が半世紀以上前になされたものであり、これらの言葉だけを別の言葉に置き換えることは作品全体の流れと齟齬をきたしてしまうこと、また改版にあたっては、訳者が故人であり、著作権継承者が、舞台となった十九世紀イギリスの時代相を原文に忠実に写すためにこれらの言葉を残す意向であったことから、あえて現状のかたちにいたしました。

新潮文庫編集部

C・ドイル
延原謙訳

恐怖の谷

イングランドの古い館に起った奇怪な殺人事件に端を発し、アメリカ開拓時代の炭坑町に跋扈する悪の集団に挑むホームズの大冒険。

C・ドイル
延原謙訳

シャーロック・ホームズ最後の挨拶

引退して悠々自適のホームズがドイツのスパイ逮捕に協力するという異色作「最後の挨拶」など、鋭い推理力を駆使する名探偵ホームズ。

C・ドイル
延原謙訳

シャーロック・ホームズの叡智

親指を切断された技師がワトスンのもとに駆込んでくる「技師の親指」のほか、ホームズの活躍で解決される八つの怪事件を収める。

延原謙訳

ドイル傑作集(Ⅰ)
―ミステリー編―

奇妙な客の依頼で出した特別列車が、線路上から忽然と姿を消す「消えた臨急」等、ホームズ生みの親によるアイディアを凝らした8編。

延原謙訳

ドイル傑作集(Ⅱ)
―海洋奇談編―

十七世紀の呪いを秘めた宝箱、北極をさまよう捕鯨船の悲話や大洋を漂う無人船の秘密など、海にまつわる怪奇な事件を扱った6編。

延原謙訳

ドイル傑作集(Ⅲ)
―恐怖編―

航空史の初期に、飛行士が遭遇した怪物との死闘「大空の恐怖」、中世の残虐な拷問を扱った「革の漏斗」など自由な空想による6編。

M・ルブラン
堀口大學訳

8 1 3
―ルパン傑作集(Ⅰ)―

殺人現場に残されたレッテル"813"とは?恐るべき冷酷さで、次々と手がかりを消していく謎の人物と、ルパンとの息づまる死闘。

M・ルブラン
堀口大學訳

続 8 1 3
―ルパン傑作集(Ⅱ)―

奸計によって入れられた刑務所から脱獄、ヨーロッパの運命を託した重要書類を追うルパン。遂に姿を現わした謎の人物の正体は……。

M・ルブラン
堀口大學訳

奇 岩 城
―ルパン傑作集(Ⅲ)―

ノルマンディに屹立する大断崖に、フランス歴代王の秘宝を求めて、怪盗ルパン、天才少年探偵、イギリスの名探偵等による死の闘争図。

M・ルブラン
堀口大學訳

ルパン対ホームズ
―ルパン傑作集(Ⅴ)―

フランス最大の人気怪盗アルセーヌ・ルパンと、イギリスが誇る天才探偵シャーロック・ホームズの壮絶な一騎打。勝利はいずれに?

S・キング
山田順子訳

スタンド・バイ・ミー
―恐怖の四季 秋冬編―

死体を探しに森に入った四人の少年たちの、苦難と恐怖に満ちた二日間の体験を描いた感動編「スタンド・バイ・ミー」。他1編収録。

S・キング
浅倉久志訳

ゴールデンボーイ
―恐怖の四季 春夏編―

ナチ戦犯の老人が昔犯した罪に心を奪われた少年は、その詳細を聞くうちに、しだいに明るさを失い、悪夢に悩まされるようになった。

新潮文庫最新刊

原武史著
「線」の思考
―鉄道と宗教と天皇と―
天皇とキリスト教？ ときわか、じょうばんか？ 山陽の「裏」とは？ 鉄路だからこそ見えた！ 歴史に隠された地下水脈を探る旅。

柳瀬博一著
国道16号線
―「日本」を創った道―
横須賀から木更津まで東京をぐるりと囲む国道。このエリアが、政治、経済、文化に果たした重要な役割とは。刺激的な日本文明論。

奥野克巳著
ありがとうもごめんなさいもいらない森の民と暮らして人類学者が考えたこと
ボルネオ島の狩猟採集民・プナンには、感謝や反省の概念がなく、所有の感覚も独特。現代社会の常識を超越する驚きに満ちた一冊。

D・R・ポロック
熊谷千寿訳
悪魔はいつもそこに
狂信的だった亡父の記憶に苦しむ青年の運命は、邪《よこしま》な者たちに歪められ、暴力の連鎖へ巻き込まれていく……文学ノワールの完成形！

杉井光著
世界でいちばん透きとおった物語
大御所ミステリ作家の宮内彰吾が死去した。『世界でいちばん透きとおった物語』という彼の遺稿に込められた衝撃の真実とは――。

加藤千恵著
マッチング！
30歳の彼氏ナシOL、琴実。妹にすすめられアプリをはじめてみたけれど――。あるあるが満載！ 共感必至のマッチングアプリ小説。

Title : THE ADVENTURES OF SHERLOCK HOLMES
Author : Sir Arthur Conan Doyle

シャーロック・ホームズの冒《ぼう》険《けん》

新潮文庫　ト－３－１

昭和二十八年三月三十一日　発　行
平成二十三年四月三十日　百十八刷改版
令和　五　年五月二十五日　百三十六刷

訳　者　延《のぶ》原《はら》謙《けん》
発行者　佐藤隆信
発行所　株式会社　新潮社
郵便番号　一六二―八七一一
東京都新宿区矢来町七一
電話　編集部(〇三)三二六六―五四四〇
読者係(〇三)三二六六―五一一一
https://www.shinchosha.co.jp

価格はカバーに表示してあります。

乱丁・落丁本は、ご面倒ですが小社読者係宛ご送付ください。送料小社負担にてお取替えいたします。

印刷・株式会社三秀舎　製本・加藤製本株式会社

ISBN978-4-10-213401-6 C0197